Cela se passe dans un tiroir secret de Paris. Il y a là Nathalie et son mari Luigi — l'inventeur, propriétaire d'une petite usine de jouets mécaniques qui, dans sa cave pleine d'automates, essaie d'approcher l'homme artificiel. Nathalie règne, par la grâce de la bonté, dans son logis, lieu de passage, d'amitié, refuge des solitaires, des traqués, des inquiets. Ceux qui pénètrent jusqu'à elle, jeunes et vieux, lui apportent un peu de la réalité de nos jours. Bizarre milieu où un enfant se tient sur le seuil de l'inconnaissable.
Christo, dix, douze ans, appartient à l'ère cybernétique où la machine se met à avoir une vie propre, et c'est à partir de données mystérieuses que commence sa quête de l'âme.

## DU MÊME AUTEUR

BONSOIR THÉRÈSE, roman *(Denoël, Editeurs Français Réunis).*
MILLE REGRETS, nouvelles *(Denoël).*
LE CHEVAL BLANC, roman *(Denoël, Club français du Livre, Amis du Livre progressiste, illustré par Hans Erni).*
LE PREMIER ACCROC COUTE DEUX CENTS FRANCS, nouvelles *(Denoël).*
QUEL EST CET ÉTRANGER QUI N'EST PAS D'ICI, OU LE MYTHE DE LA BARONNE MÉLANIE *(Seghers, Ides et Calendes).*
CE N'ÉTAIT QU'UN PASSAGE DE LIGNE *(Seghers).*
ANNE-MARIE *(Editeurs Français Réunis).*
    I. PERSONNE NE M'AIME, roman.
    II. LES FANTÔMES ARMÉS, roman.
L'ECRIVAIN ET LE LIVRE OU LA SUITE DANS LES IDÉES, essai *(Editions Sociales).*
L'INSPECTEUR DES RUINES, roman *(Editeurs Français Réunis).*
LE CHEVAL ROUX OU LES INTENTIONS HUMAINES, roman *(Editeurs Français Réunis).*
L'HISTOIRE D'ANTON TCHÉKHOV *(Editeurs Français Réunis).*
LE RENDEZ-VOUS DES ÉTRANGERS, roman *(N. R. F.).*
LE MONUMENT *(N. R. F.).*
L'AGE DE NYLON (I) : ROSES A CRÉDIT *(N. R. F.).*
L'AGE DE NYLON (II) : LUNA-PARK *(N. R. F.).*
LES MANIGANCES *(N. R. F.).*
L'AME *(N. R. F.).*
LE GRAND JAMAIS *(N. R. F.).*

### TRADUCTIONS

LES MONTAGNES ET LES HOMMES de M. Iline.
LA JEUNE FILLE DE KACHINE (journal intime et lettres d'Ina Konstantinova).
LE PORTRAIT de Nicolas Gogol.
VERS ET PROSES de Maïakovski.
THÉATRE d'Anton Tchékhov.

### ÉDITIONS DE LUXE

LES AMANTS D'AVIGNON, avec un portrait de l'auteur par Christian Bérard *(Seghers).*
MILLE REGRETS, illustré par Christian Bérard *(Seghers).*
DESSINS ANIMÉS, avec le concours de Raymond Peynet *(Bordas).*
POUR QUE PARIS SOIT, avec Robert Doisneau *(Cercle d'Art).*
SOUS LE PSEUDONYME DE LAURENT DANIEL
LES AMANTS D'AVIGNON, nouvelle *(Editions de Minuit).*
YVETTE, nouvelle *(La Bibliothèque française).*

*Dans Le Livre de Poche :*

LE CHEVAL BLANC.
LE PREMIER ACCROC COUTE DEUX CENTS FRANCS.
ROSES A CRÉDIT.

# ELSA TRIOLET

## L'ÂGE DE NYLON

# *L'âme*

GALLIMARD

# I

*Un tiroir secret*
*de Paris*

*Draculus est un con — Draculus est un brave*
*type — Draculus est un satyre.* Tout au long
du couloir qui s'enfonçait jusqu'au cœur de
l'immeuble, ces graffiti se répétaient comme les
Dubonnet du métro. Le couloir était long, cou-
dé, et faiblement éclairé par des ampoules nues
qui rosissaient les murs sales et des portes
clouées ne s'ouvrant pas plus que si elles étaient
fausses, et portant des numéros noirs, rapidement peints au pinceau. La seule à s'ouvrir était
la porte des Petracci, dans le tournant ultime
du couloir avant qu'il débouche sur la cour-
puits. Et bien que personne ne sût qui était ce
*Draculus* et que ce qu'on en disait ne fût pas
une réclame pour lui, à force de voir ce nom

sur les murs, on avait baptisé Draculus cet automate distributeur de *chewing-gum* pour lequel
Luigi Petracci avait pris dernièrement un brevet. Quand la femme de Luigi, Nathalie, versait à boire, elle disait : « C'est Draculus qui
paye... »

L'immeuble avait deux façades : l'une donnait sur la rue de P... et portait le n° 3, l'autre
sur la rue R... et portait le n° 36. Il était si
profond, cet immeuble, si épais, que malgré
ses deux façades, le jour n'aurait pu le traverser de part en part, de la rue de P... à la rue
R..., et on avait dû, au beau milieu, y forer cette
cour-puits. L'architecte, un drôle de fantaisiste,
en butte à d'autres problèmes insolubles, avait
eu recours à ce couloir interminable où des
mains oisives et anonymes ont tracé le nom de
*Draculus*, mystérieux comme Fantômas. Outre
la cour-puits, les entrailles de cette maison si
épaisse possédaient une autre source de lumière,
à laquelle, Dieu sait pourquoi, avait droit seul
le petit rez-de-chaussée des Petracci et ses fenêtres donnaient sur un grand jardin entièrement
escamoté aux yeux des passants, ne s'annonçant
à l'extérieur par aucune porte cochère, aucune
« défense de stationner, sortie de voitures », ni
du côté de la rue de P... ni du côté de la rue R...
Tiroirs secrets de Paris.

On pouvait entrer chez les Petracci aussi bien

par le n° 3 de la rue de P..., en longeant le couloir *Draculus*, que par le n° 36 de la rue R... sur laquelle donnait directement la boutique-atelier de Luigi, avec ses deux devantures poussiéreuses. La rue de P... était large et calme, aucun commerce ne déparait ses maisons construites au début du siècle, habitées « bourgeoisement ». Il y avait peu de passants, et des files d'automobiles le long des trottoirs y sommeillaient jour et nuit, comme des barques sur un canal qui attendent l'ouverture problématique d'une écluse. Le n° 3, à côté du couloir *Draculus* qui menait à la cour-puits avec ses escaliers de service, avait une belle entrée, tapis, ascenseur, une grande glace trouble et, dans une niche, une femme nue, légèrement penchée en avant, la main délicate sur son sein de plâtre.

La rue R..., étroite et bruyante, avait les siècles derrière elle. Les façades décrépies d'anciens hôtels particuliers y tombaient en ruines, croulant sous les enseignes, disparaissant derrière les transformations carrelées d'une boucherie chevaline, d'un crémier, d'un bistrot... Il y avait ici des cours aux pavés disjoints, où des escaliers extérieurs en bois, des appentis, des verrières devenues opaques sous la poussière, des caisses de marchandises, déchets et ballots étouffaient les souvenirs du passé... Ici des bandes de gosses

jouaient sur le trottoir entre les étalages de
fruits et légumes, les déballez-moi ça... Des femmes y traînaient leur cabas, des ouvriers leur
musette, des camions et taxis grondants y marchaient au pas, frôlant, rasant tomates et beef-
steaks. Le n° 36, une maison d'habitation plate
et grise, avec de nombreux appartements dont
le rez-de-chaussée était occupé par la boutique
de Luigi Petracci, faisait ici figure d'immeuble
moderne. Luigi était né dans la maison voisine,
le n° 34, au fond de la cour, où se trouvait toujours la « Maison Petracci, fondée en 1850 »,
qui fabriquait des jouets mécaniques. Quand
Luigi avait loué le local, au n° 36, avec un vaste
sous-sol à côté et une arrière-boutique, il n'avait
guère pensé à l'utilité des deux sorties (on pouvait pénétrer dans l'arrière-boutique par la boutique et par le couloir Draculus), et pourtant
c'est grâce à l'existence de ces deux sorties que
Nathalie a pu se sauver, en 1941 : elle était entrée dans la boutique, suivant l'employé de
Luigi et, le temps de souffler « Gestapo », avait
disparu, toujours suivant l'employé, par la porte,
camouflée à l'époque, de l'arrière-boutique qui
donnait sur le couloir *Draculus* et la rue de P...
Nathalie s'était fait prendre plus tard et ailleurs.
Après la Libération, elle avait voulu revoir cet
étrange endroit, entrevu un instant, et auquel
elle devait son salut provisoire. Elle sortait du

camp et était méconnaissable. Luigi la reconnut,
néanmoins, il n'avait jamais pu oublier sa fugi-
tive apparition. Cette fois-ci, Nathalie n'était
pas pressée : elle ne partit plus. A l'époque, en
1945, elle n'était pas encore obèse.

## II

*Comme ce jardin*
*derrière la fenêtre*

MAINTENANT elle l'était, obèse. Nathalie Petracci
ne sortait presque plus, elle se déplaçait diffici-
lement, et ses amis et connaissances venaient la
voir, aussi sûrs de la trouver chez elle que l'Obé-
lisque place de la Concorde. La rue R..., qui a
vu naître Luigi Petracci, ne connaît pour ainsi
dire pas Mme Petracci, les rares fois où Nathalie
sort, elle passe par le côté *Draculus* : il est plus
facile pour une voiture de s'arrêter dans la rue
de P..., devant le n° 3, que dans l'encombre-
ment de la rue R..., devant n'importe quel numéro. Mais la rue R... est intime avec Michette,
la bonne des Petracci qui y fait son marché,
puisque, côté *Draculus,* il n'y a pas de commerçants, c'est le désert. Voilà bientôt quinze ans
que Michette, une brune très maigre avec une

sorte de taie sur l'œil, va et vient rue R..., et c'est par elle que l'on y a appris à respecter Mme Petracci qui, bien qu'impotente, travaille toute la journée et gagne bien sa vie.

Une fois que Michette vous a ouvert la porte, côté *Draculus,* on trouve Nathalie installée devant une planche à dessin. Elle porte une grande robe flottante, à la reine Pomaré, un châle sur ses épaules tombantes que continue un cou long et fort, façon bouteille Perrier; elle a une coiffure à bandeaux lisses et plats, un chignon bas, et elle a l'habitude d'en tirer un petit peigne et de le passer dans ses bandeaux comme pour ponctuer la conversation. L'ovale de son beau visage régulier est pur, à peine alourdi par un double menton. Lorsqu'elle voit entrer un de ses habitués, elle lève les yeux de son dessin, tape au mur derrière elle — c'est celui de la cuisine — et, lorsque Michette passe la tête dans la porte, dit : « Michette, du café... » Et il faudra peut-être attendre un peu avant qu'elle pose sa plume, se redresse et vous sourie.

Nathalie Petracci fait des bandes illustrées pour des journaux, dessins et légendes. Elle travaille aussi pour les ateliers Petracci, c'est elle qui crée les modèles des poupées, des ânes, des lapins, des chiens et chats, du grand cheval avec l'amazone, du crocodile... c'est elle qui fait les maquettes pour les devantures animées des

grands magasins à la Noël. Les ateliers Petracci
exécutent ensuite les jouets en série, les animent,
y mettent le mouvement à ressorts, à pile électrique, avec parfois bruits et lumières. A eux
deux, Nathalie et Luigi se font pas mal d'argent, aussitôt englouti par les travaux et recherches de Luigi. Ça coûte cher, les inventions.

Luigi possède de nombreux brevets, allant du
bouchon-verseur aux dispositifs d'avion. De
grosses usines s'adressent à ce mécanicien pour
exécuter le prototype d'une pièce nouvelle, ce
qui ne rapporte pas lourd à Luigi, ni fortune,
ni gloire, mais parfois la satisfaction de résou-
dre un problème. Il restait pourtant surtout attaché à ses petits et grands automates : les automates, il les avait dans le sang. Il dirigeait les
ateliers où déjà son père avait commencé à fabriquer des jouets mécaniques par petites séries;
d'autre part, il y avait, dans le sous-sol attenant
à sa boutique, son atelier personnel où il travaillait à des mécanismes nouveaux et à des répa-
rations. La boutique et le sous-sol étaient bour-
rés de billards mécaniques, de machines à sous,
de juke-boxes fatigués, qui attendaient leur tour.
Il y avait aussi des pièces rares, des automates
anciens que l'on confiait à Luigi, peut-être seul
à Paris capable de remettre en marche les déli-
cats mécanismes anciens. Il avait pour cela les
capacités et les connaissances nécessaires, mais

aussi la patience qui venait de la passion qu'il vouait aux automates.

C'était un homme étrange que ce Luigi Petracci qui n'était jamais passé par une école pour arriver à son savoir-faire. La mécanique, il y était né, il l'avait sucée avec le lait maternel. La vieille rue connaissait Luigi depuis sa naissance au fond de la cour du 34, où son grand-père, serrurier, venu de Corse, avait son échoppe. Les vieux de la vieille se rappelaient Luigi chipant des pommes et des carottes aux étalages, courant à la communale avec son cartable... On se rappelait encore combien la famille était fière du premier automate construit par Luigi pour le marchand de couleurs, une petite lune qui hochait la tête... On se rappelait Luigi jeune homme, le veston croisé haut ne couvrant qu'à moitié ses fesses rebondies... On l'avait vu partir pour la guerre en 17, on avait vu pleurer la bonne Mme Petracci et Luigi revenir avec ses blessures et ses décorations. Tout jeune qu'il était alors, juste le temps de sauter sur une mine et c'était l'armistice. Il s'en était très bien remis, mais à cette époque il avait quitté la rue R... et ne venait plus que rarement arrêter une grosse voiture devant les ateliers de son père. Personne ne savait d'où lui venaient ces tas d'argent... On voyait le petit Luigi, tout frisé, descendre de sa voiture, chapeauté, ganté, gandin à n'y pas croire.

C'est alors qu'il avait acheté de nouvelles machines pour les ateliers et qu'il avait loué la boutique avec le grand sous-sol à côté, et le petit appartement derrière qui restèrent vides pendant des années. Lorsque sa mère vint à mourir, Luigi lui fit un enterrement comme la rue R... n'en vit jamais, ni avant, ni après. Mais il devait être quelque part dans les Amériques, disait-on, quand est mort son père, et c'était bien triste de le voir partir ainsi, le vieux Petracci, sans que personne s'en occupe. La maison fondée en 1850 sommeillait, gérée par un employé, mis là par Luigi, revenu en coup de vent, et aussitôt redisparu. Les courses, disait-on... les femmes, disait-on... les affaires, disait-on... Les Corses, ça se soutient entre eux. Puis, un beau jour, c'était bien avant la guerre de 40, le voilà qui revient et qui ne repart plus. Une fois pour toutes, Luigi Petracci était là, derrière les vitres poussiéreuses de ses devantures, lui-même habillé d'une blouse grise, le front dénudé montant jusqu'au sommet du crâne, et d'épaisses lunettes brillantes cachant les yeux. Sa boutique s'était rapidement remplie de tous ces billards et autres mécanismes à réparer. Les gens qui venaient le voir étaient plutôt de drôles de gens, trop bien ou trop mal habillés, mais, après tout, Luigi Petracci réparait des mécaniques, il n'avait pas à s'occuper de leurs propriétaires. Un vétéri-

naire, ça doit soigner les chats et chiens de
n'importe qui, et c'est la même chose pour les
humains. La moralité de ses clients n'était pas
son business. Il avait d'ailleurs aussi des clients
tout ce qu'il y a de bien, des messieurs et même
des dames, légion d'honneur et tout le bata-
clan...

En fait, il ne restait pas beaucoup de témoins
de la biographie de Luigi Petracci dans la rue
R... Les uns étaient morts, d'autres s'en étaient
allés ailleurs. Mais on n'a pas besoin de savoir
par qui et quand fut bâti un vieil immeuble,
on sait simplement qu'il a toujours été là, bien
avant la blanchisserie à machines à laver, *Le
Pressing*, avant les transformations du bistrot,
violemment éclairé au néon, où l'on joue au
billard électrique, et où l'on vient d'installer un
poste de télévision. Quant aux jeunes gens de
la rue R..., ils ne se rappelaient même pas à
quel moment y avaient apparu Nathalie et Michette, bien que ce fût après 45.

Il y avait maintenant quinze ans qu'ils vivaient ensemble, Luigi et Nathalie. Il aurait
suffi d'une cuisse de Nathalie pour faire le petit
Luigi, son mari. Et tels qu'ils étaient, ces deux-
là, ils s'aimaient. Nathalie aurait aussi bien pu
être cul-de-jatte ou lépreuse, Luigi l'aurait aimée.
Il la servait comme s'il devait obtenir d'elle le
pardon pour tous ceux qui n'ont pas connu la

souffrance. Pour Nathalie, Luigi était le baume de ses plaies, l'eau de son désert. Et leur union était secrète comme ce jardin derrière les fenêtres, comme leur chambre où personne n'avait le droit de pénétrer, sauf Michette.

# III

*Le joueur maudit*

IL y avait entre les clients divers de la boutique
de Luigi et l'arrière-boutique, l'appartement où
régnait Nathalie, une cloison étanche. Les habitués de Nathalie ne pouvaient pas plus pénétrer chez elle par la boutique, que les clients
de Luigi le trouver en traversant l'appartement.
Et lorsqu'on ne vous ouvrait pas du côté *Draculus*, il aurait été vain d'aller trouver Luigi et
de prétendre que la sonnette ne marchait pas.
« Revenez, disait Luigi, je n'y puis rien... » En
fait, c'était simplement que Nathalie ne voulait
voir personne, qu'elle avait trop de travail, ou
qu'elle n'était pas d'humeur.

Or, initialement, Phi-Phi n'avait été qu'un
client assidu de la boutique, et il avait fallu une
journée de bousculade et de chaleur exeption-

nelles pour que Luigi le fît passer par le petit
couloir derrière la boutique, lequel menait à
l'appartement.

« Nathalie, dit Luigi, c'est un vieux client,
Phi-Phi pour les amis... Il a des ennuis avec un
billard, et il est pressé de le récupérer. Garde-le,
tu veux, il fait une chaleur au-dehors et il y a
un monde dans la boutique ! Je viendrai le chercher dès que j'aurai un peu regardé ce qu'il a
dans le ventre, son billard.

— Michette, appela Nathalie, le goûter... Prenez donc un fauteuil, Phi-Phi... »

Phi-Phi prit un fauteuil, et Nathalie, sans
s'occuper du visiteur, continuait à dessiner. Phi-
Phi regardait autour de lui... La pièce était profondément habitée, avec une table encombrée
de paperasses sur laquelle travaillait Nathalie,
une autre table, ovale, de vieux fauteuils marron, un divan, des livres un peu partout, aux
murs, sur le poêle émaillé, par terre... une cor-
beille à papiers pleine à ras bord... Un rayon de
soleil frôla les bandeaux de Nathalie, visant le
Larousse, sur une étagère tournante... Cette personne, la femme de Luigi, ne semblait pas
avoir l'intention de lui faire la conversation.
Bon, il allait donc simplement attendre, il faisait frais ici. Immense, la dame... une montagne...
Le soleil devait avoir du mal à pénétrer dans ce
rez-de-chaussée, surtout avec les grands arbres

derrière la fenêtre. Etrange jardin, en plein
Paris de pierre et de macadam. Des arbres em-
murés... d'un vert noir... Phi-Phi se leva, alla
à la fenêtre... Le silence dans cette pièce... extraordinaire. Il est grand, le jardin. En face, une
maison aux volets fermés, avec un perron et
quelques marches en pierre descendant dans
l'herbe haute... Sûr que jamais personne n'appa-
raît sur ce perron. Phi-Phi reprit son fauteuil.
Les bandeaux lisses et plats de Nathalie étaient
toujours penchés au-dessus du dessin... Un chignon bas sur la nuque puissante. Enfin, elle leva
la tête, un front lisse, sublime et blême comme
un navet dans sa cave. Elle sortit un petit peigne au-dessus du chignon et lissa ses bandeaux
d'un geste qui devait lui être habituel :

« Luigi m'a parlé de vous, dit-elle... Il paraît
que vous êtes pilote et que vous revenez de quelque part où l'on fait la guerre... Et que faites-
vous maintenant ?

— Je m'emmerde... »

Nathalie hocha la tête, compréhensive :

« C'est la guerre qui vous a fait ça ?

— Je crois que c'est plutôt de ne plus la
faire... C'est la fadeur de la paix. »

Michette fit son entrée avec le plateau du
goûter, le déposa sur une table basse, à côté de
Nathalie. Nathalie versa le café. Son bras, que
l'on devinait sous la manche et le châle, ressem-

blait à une cuisse, mais les doigts étaient longs,
bien formés et habiles.

« Bien sûr, dit-elle, tendant la tasse à Phi-Phi,
quand Luigi, exceptionnellement, m'amène quelqu'un, il faut que cela soit la lie de l'humanité. »

Phi-Phi posa sa tasse :

« Madame !

— Comme il vous plaira... »

Phi-Phi resta assis et reprit sa tasse. Après
tout, qu'on le traite de rebut... qu'il se trouve
ici, en face de cette « chose », ou ailleurs... Mais,
puisqu'elle se permettait... il allait lui poser une
de ces questions qu'on ne pose pas, impardonna-
ble...

« Et vous, madame, comment êtes-vous devenue comme ça ? » Il désignait du doigt pointé
les formes de Nathalie, mais ne put s'empêcher
de corriger : « Vous avez un beau visage.

— Vous trouvez ?... » Nathalie mit son coude
rond sur la table, le menton dans la paume, et
dit, rêveuse : « Imaginez-vous, un jour, j'étais
dans un ministère pour une de ces démarches
de déportée... je longeais un couloir et, au bout,
il y avait une grande glace. Je me suis dit :
qu'est-ce que c'est que cette grosse personne qui
va là ? et je me suis retournée pour la chercher...
Eh bien, j'étais seule, la grosse personne, c'était
moi ! Je ne m'étais pas reconnue... »

Phi-Phi ne rit pas.

« J'ai été mince autrefois... enfin, juste ce qu'il faut. Mais au camp, les boches m'ont fait des trucs...

— On vous a fait des trucs... répéta Phi-Phi, et il secoua la cendre de sa cigarette.

— Eh oui, mon petit bandit d'honneur... Et qui sont les phénomènes qui vous ont surnommé Phi-Phi ? Vous n'avez rien d'un Phi-Phi... »

Phi-Phi, morne, mâcha les mots comme une cigarette éteinte :

« F. F. I... Phi-Phi... Et j'étais plus jeune. Je n'avais pas encore la consistance d'un cadavre... Froid et visqueux au toucher... Petit et bandit aussi, mais d'honneur, c'est peut-être de trop.

— Allons, allons... »

Il y eut un silence.

« C'est drôle, reprit Phi-Phi, sans sourire.

— Qu'est-ce qui est drôle ?

— Cette rencontre dans la glace, au ministère. »

Nathalie posa sa tasse, trempa un pinceau dans l'encre de Chine et se mit à remplir le fond de son dessin :

« Après, dit-elle, attentive à ce qu'elle faisait, ça a pris des proportions... Luigi m'a traînée chez les médecins. Mais faut croire que les autres m'avait fait des choses radicales... »

Phi-Phi gonfla le cou à faire éclater sa chemise

de soie blanche et montra ses dents encore intac-
tes :

« Des ordures scientifiques, c'est pis que tout...

— La guerre, dit Nathalie au-dessus de son
dessin, ça fait avancer la science... C'est pour cela
que vous la regrettez ? Hein ?

— Soyez charitable, madame... »

Phi-Phi se resservit du café sans rien demander et soudain se mit à parler, volubile...

« Pensez, madame, depuis que je ne suis plus
pilote... Et Dieu sait que ce n'est pas de ma
faute si je ne le suis plus. Depuis que j'ai eu des
ennuis avec le commandement, en Indochine,
et que je ne suis plus dans l'armée, j'ai tout
essayé. J'ai été employé de banque, acteur, représentant en librairie, journaliste... J'ai joué à
la bourse... J'ai visité pour une agence de voyages
le Portugal, le Brésil et le Canada. On m'em-
bauche facilement, je fais l'affaire de tout le
monde, à me voir, on ne croirait jamais que je
porte en moi un ver... Je dois être un fruit bien
sucré. Je n'aime ni le sport, ni les arts, ni le commerce, ni l'amour... Je m'emmerde ! On a trouvé
des vaccins contre la tuberculose et la polio-
myélite... On a trouvé contre l'ennui des moyens
puissants... la radio, le cinéma, le sport... Mais ça
doit être comme les insectes : on tue, en même
temps que les parasites, les insectes qu'il y avait
dans la nature pour les combattre. En fin de

compte, ces produits font **autant de mal** que de
bien. Le meilleur moyen de **se** désennuyer est
encore l'aventure, mais il **faut du** courage... Le
courage ne m'enthousiasme **plus. Pour** tout dire :
il m'emmerde. »

Nathalie soupira :

« Mon pauvre vieux... **Je n'ai** rien à vous
proposer. Le pipeau du **berger, peut-être ?** Un
berger tout seul à s'ennuyer **avec les** moutons,
ça le distrait. Non ? Le rêve ? Non ?..., alors je ne
sais pas... »

Là-dessus, Nathalie éternua. Il faisait frais
dans ce rez-de-chaussée, on n'aurait pas cru ici
que Paris était mou et moite d'une chaleur inlas-
sable. Nathalie éternua encore une fois... deux,
trois, dix fois... De petits éternuements de chat,
discrets, rapides. Enfin, Phi-Phi éclata de rire...
Entre les atchis, Nathalie essayait de parler :

« Ce n'est pas tout ça... disait-elle, les larmes
aux yeux, un mouchoir à la main, mais lorsque j'éternue comme ça, c'est qu'il y a quelque
part un raz de marée...

— Où donc ? »

Phi-Phi se tordait.

« N'importe... Au Japon ou à Nice. »

Michette entrouvrit la porte :

« Vous voulez du café chaud ? Oui ? Ça te
reprend, ma pauvre ? J'apporte du beurre salé,
j'ai reçu un colis de ma tante, de Bretagne. »

Elle sortit et referma la porte.

« Pourquoi cette douce enfant vous tutoie-t-elle, et pourquoi avec la tête qu'elle a l'appelez-vous Michette ? »

Nathalie, un peu calmée, essuyait ses larmes :

« Parce qu'elle est passée à la baignoire à cause de moi, et qu'elle n'a pas parlé, parce qu'il n'y a pas dans la langue française de mot assez doux pour la désigner... »

Michette passa sa tête de mort fardée dans la porte :

« Je m'en vais faire des courses, Nathalie, le monsieur ouvrira bien... »

Phi-Phi se leva pour servir le café chaud :

« Combien de sucres ? Du lait ?

— Deux... Beaucoup de lait. Faites-moi des tartines et servez-vous... »

Il y avait huit ans de cela. Depuis, ils avaient appris à se connaître.

## IV

*Jeux de l'adresse
et du hasard*

CETTE après-midi, comme il y avait huit ans, il
faisait une chaleur accablante dans les rues de
Paris. Phi-Phi assis dans son fauteuil marron
appréciait la fraîcheur du rez-de-chaussée. Il y
avait encore un soleil jaune dans le jardin, mais
dans la pièce il faisait gris. Nathalie avait posé
sa plume, elle attendait pour allumer qu'il fasse
noir, rien de plus faux que l'électricité par-dessus
les dernières lueurs du jour. Dans les demi-ténè-
bres, ce rez-de-chaussée d'un immeuble parisien
était plus secret qu'une valise à double fond.
Phi-Phi revenait d'un voyage.

« Toujours personne, en face ? dit-il, montrant
du menton le jardin, la maison aux volets clos
et les marches du perron.

— Mais non... Et alors ? Ce voyage ?

— Alors, rien...

— Vous restez dîner ?

— Si ce n'est pas abuser...

— Michette ! »

Nathalie frappait au mur derrière elle. Michette passa la tête dans la porte.

« Michette, un couvert pour Phi-Phi, et préviens Luigi qu'on va bientôt dîner. » Michette referma la porte. « En ce moment, il faut s'y prendre à l'avance, on l'appelle au moins trois fois. Il est en train d'essayer une chose sensationnelle... une révolution, s'il réussissait. »

Phi-Phi ne posa pas de questions.

Lorsque Luigi apparut, ils finissaient déjà la soupe. Nathalie mangeait à sa table, sans se déplacer; elle pouvait marcher, mais n'aimait pas qu'on la vît debout, se mouvant... Luigi s'assit à la table ovale, du même côté que Phi-Phi, de façon à ne pas tourner le dos à Nathalie. Il avait enlevé sa blouse grise et était en complet-veston, un peu fripé, un peu luisant. Rien d'un clochard, ni d'un nomade, cependant il y avait chez lui comme une absence de liens avec ces lieux qu'il habitait depuis toujours. Il était ailleurs, sourd, muet, aveugle...

« Hé ! appela Nathalie, on est là ! »

Luigi sursauta et lui sourit :

« D'où viens-tu comme ça, Phi-Phi ? » Il faisait visiblement un effort pour remarquer leur présence...

« De chez mes vieux... Ils se font très vieux, j'ai voulu essayer encore une fois d'habiter la propriété. Mais je vous assure que c'est l'exil.

— Tiens... » fit Luigi, comme si c'était la première fois et non la centième, qu'il le lui entendait dire. Phi-Phi se répétait incroyablement souvent...

« Si vous me voyiez dans la vieille maison de ma Dordogne ! D'un inconfort... Entourée d'allées abandonnées, avec une source tout en bas, où je jouais aux Indiens avec des cousins... Un de ces cafards ! Tout me revenait. L'enfance, et l'adolescence, les granges de la ferme, les filles... Mais surtout l'après-guerre... J'y devenais littéralement fou. »

Il y eut un silence. Nathalie et Luigi préféraient ne pas provoquer les récits de Phi-Phi sur cette époque : ils les connaissaient par cœur. Il allait leur dire que les lentes surprises de la nature, son entêtement indifférent, lui étaient aussi odieux que les bras de sa mère et le regard de son père. Qu'il était devenu très vite le vaurien de la famille, après avoir été pendant un temps très court, son héros. Et qu'il préférait n'importe quoi à la vie là-bas.

« J'ai eu bien tort d'y retourner. J'ai pensé

que j'avais peut-être changé, eh bien, rien du
tout... J'ai seulement remâché tout le passé.
Pour un temps d'arrêt, c'était l'arrêt du temps !
Rien que des images du passé, et pour l'avenir,
rien. Inimaginable... Je ne pouvais pas rester au
repos, dans mes terres, pour toujours. Ça ne pouvait pas durer, d'autant plus que mes tendres
parents semblaient avoir assez de moi, je leur
donnais sur les nerfs... Je les comprends d'ailleurs... »

Nathalie suçait délicatement un os de poulet :

« Vous me faites penser à Jean-Paul Guil-
laume...

— Pourquoi ça ? Je ne vois vraiment pas la
ressemblance. Et, premièrement, lui, il a de
quoi... Et si vous ajoutez à mon état habituel
que je me suis fait poisser au moment où je
livrais un billard électrique chez Félix...

— Qu'est-ce que tu dis ?... Tu t'es fait poisser ? »

Luigi était comme quelqu'un qu'on aurait
réveillé en sursaut... « Chez Félix, place de la
République ?

— Oui... Imaginez ! des inspecteurs chez Félix ! C'était un sauve-qui-peut général ! Ces messieurs voulaient voir la licence d'importation.
Ils sont malades, ou quoi ?...

— Dites donc, dites donc... » Nathalie lissait

ses bandeaux avec le petit peigne du chignon.

Ils n'avaient même pas entendu le coup de
sonnette, mais il faut croire que Michette avait
ouvert parce que la porte vola comme si on l'enfonçait, et un homme fit son entrée...

« Nathalie, ne dites rien ! je la ferme, je la
ferme ! Je vous baise la main ! Ah ! la lie de
l'humanité est là ! Salut, Phi Phi ! Bonsoir, monsieur Petracci...

— Bonsoir, Lebrun... » Luigi se leva, jetant
sa serviette sur la table. « J'emmène Phi-Phi,
nous finirons le dîner demain. »

Phi-Phi, docile, se leva et suivit Luigi.

« Draculus est un con ! Hé ! Phi-Phi ! » cria
dans son dos le nommé Lebrun.

Luigi fermait derrière eux la porte du petit
couloir : « Et c'est ce que tu es... » dit-il. Dans
la boutique aux rideaux de fer baissés, Phi-Phi
se cogna douloureusement à un billard et s'immobilisa, attendant que Luigi allume dans le
sous-sol. Voilà... le rectangle clair de la porte,
quelques marches...

Une lampe à contrepoids éclairait un établi
où brillaient des objets métalliques, laissant dans
l'ombre le reste du local. A peine si on devinait
un plafond voûté, un entassement de meubles.
Luigi releva la lampe et, sur la table, près de
l'établi, apparurent une main grandeur nature
et une jambe de pantalon pliée au genou comme

si quelqu'un était assis sur la table, le pied
chaussé d'un soulier à lacets, noir...

« J'allume, tu permets, dit Phi-Phi, ça me
fout les foies, ce repaire d'automates. »

L'ampoule qui s'alluma sous la voûte était
faible et sale. Armoires, bahuts, coffres, étagères...
le tout encombré d'objets, de choses vagues. Derrière se précisaient les murs de briques nues. Les
automates, selon leur taille, se tenaient par terre,
sur un rayon, le long du mur, sur les tables et
étagères. Phi-Phi connaissait bien la collection
de Luigi, mais tous ces androïdes souriant aux
anges, prêts à prendre le départ comme les
coureurs attendant le coup de sifflet, immobiles, les muscles bandés, l'incommodaient... Le
grand clown, là-bas, dans l'ombre, dans son costume de paillettes brillantes, suspendu à la barre,
prêt à faire la culbute... le prestidigitateur à
barbichette, en frac, penché au-dessus d'une femme décolletée, enveloppée de gazes, couchée sur
le dos, qu'il allait faire flotter dans les airs...
La *Poudreuse,* qui n'attendait qu'un signe pour
sortir la houppette de son poudrier et la porter
à son petit nez, en tournant la tête pour mieux
se voir dans la glace à main... Tout au fond, contre le mur, se cachait le mystérieux personnage
plus grand que nature qu'on appelait le *Joueur
d'échecs,* un Turc à turban, assis derrière un coffre sur lequel était peint un échiquier... Et tant

d'autres, grands et petits. Luigi, assis dans un rocking-chair à cannelage percé, à côté d'une table de jardin surmontée d'une compagnie de petits musiciens et de petites danseuses en tutu, se balançait comme un automate remonté... Phi-Phi essaya de réagir :

« Pourquoi ces mystères, ô Coppelius ! tu aurais aussi bien pu m'engueuler devant tout le monde...

— Non, pas aussi bien ! Tu veux que tout Paris soit au courant ? Ou quoi ? J'ai besoin d'argent pour soigner Nathalie et pour le travail que je mets au point actuellement... Et toi, tu viens mettre en danger mes moyens. Tu vois que l'on me fasse payer des amendes ?

— Je ne dirai jamais que c'est par toi que je les ai eus, ces billards ! Voyons, Luigi !

— On n'a pas besoin de toi pour l'apprendre, c'est facile à tracer... »

Phi-Phi, une fesse sur la table du jardin, taquinait distraitement le mouvement dans la boîte qui portait l'orchestre. On entendit des soupirs étouffés et les petits musiciens se mirent à bouger, qui un bras, qui la tête, et les danseuses en tutu à tourner sur elles-mêmes, tandis qu'une musiquette fine, reluctante, ne se décidait pas à former un air...

« Ecoute, Luigi, dit Phi-Phi, il m'arrive bien pis... »

Les danseuses ralentissaient, c'étaient leurs derniers tours avant de redevenir inanimées. Le rocking-chair de Luigi s'immobilisa :

« Alors ? » dit-il.

Les danseuses se figèrent, l'orchestre se tut.

« Les billards que j'ai placés à Marseille... Il paraît que je n'en avais pas le droit... Tu connais le barman du « Colibri », rue Jean-Mermoz ? Il est venu aujourd'hui me réveiller à l'aube, il était à peine dix heures... Il paraît que depuis hier, un gars arrivé de Marseille me cherche... Il faut que je paye une amende, trois millions, pour avoir placé des billards dans des cafés qui sont affermés à je ne sais qui... Un gros patron, paraît-il... Et comment l'aurais-je su qu'ils n'étaient pas libres, ces cafés, les cafetiers ne m'en ont pas soufflé mot. Il faut croire qu'ils trouvaient leur avantage avec moi. Trois millions d'amende et la confiscation des appareils... De tes appareils, Luigi ! »

Luigi était immobile. Même ses yeux étaient immobiles. De la cire. Le Musée Grévin. Enfin, il posa une question :

« Qui est-ce ?

— Le Corse... »

Luigi ferma les yeux et se mit à se balancer dans le rocking-chair :

« C'est ta chance, morveux... murmura-t-il. Le Corse me doit tout. Et il a de l'honneur. Dis au gars qui te cherche que cette affaire concerne Luigi Petracci. »

Phi-Phi, nerveux, s'assit dans un fauteuil d'osier, instable et grinçant :

« Tu es sûr de ne pas te mouiller inutilement ?

— Sûr ? Je ne suis sûr de rien... Je vais essayer. Si le Corse me claque dans la main, et s'il s'accroche à nos billards... ils iront nous chercher partout où on sera... Déjà, il y a les flics, c'est leur travail... »

Le fauteuil d'osier de Phi-Phi craquait et grinçait :

« S'il n'y avait que les flics, tu n'as rien à craindre, tu n'es que le mécanicien, tu n'as rien à faire avec la douane... »

Luigi se leva :

« Tu me fais rire... Je t'ai fourni les appareils sans licence d'importation. Tu as fait une affaire... à quarante-cinq mille francs c'était une occasion... Mais tu n'as pas d'expérience, j'aurais dû m'en douter. Le maquis des appareils, c'est pas le désert du Sahara... N'importe quel gosse qui fréquente les bars t'en remontrerait ! Et tu vas piétiner les plates-bandes du Corse ! L'inconscience... »

Luigi semblait rasséréné. Il alla à son établi et dirigea la lampe comme un projecteur sur un automate d'une cinquantaine de centimètres, la tête en bas, les jupes rabattues découvrant un mécanisme rouillé, désuet... Luigi toucha d'un doigt délicat une came, un ressort... Phi-Phi levait vers lui des yeux malheureux.

« L'inconscience... répéta Luigi, quand le mot s'était depuis longtemps perdu dans le silence. C'est ce qui te va le mieux, tu es inconscient. A ton âge ! Tout cet argent que tu vas perdre ! Pourquoi perds-tu toujours ? Le hasard ne t'est pas favorable, c'est vrai... mais songe un peu aux embêtements, plus les trois millions d'amende ! »

On frappait à la porte : « Draculus est un con !... criait la voix du garçon brun, qui s'appelait Lebrun. Nathalie vous demande, monsieur Petracci ! Elle est inquiète, je ne sais pas pourquoi, mais elle est inquiète.

— On vient !... » Luigi ouvrit la porte. « Passe devant, Phi-Phi. » Il éteignit la lampe.

Nathalie devant sa planche à dessiner les regardait entrer. Luigi posa sa main à côté de la sienne : « Ça s'arrangera... » dit-il. « Bon... » Nathalie baissa les yeux sur son travail.

« Je me sers, — Lebrun se versait une tasse de café (au fait, c'était un beau garçon) —, avant que Draculus vide la cafetière. Tu en veux, Janine ? »

Il y avait maintenant dans la pièce une Janine, assise sur le bord d'un fauteuil, rougissante. Phi-

Phi lui jeta un coup d'œil, et bien qu'il n'eût vraiment pas le cœur à ça, songea que c'était là un joli petit automate, auquel il aurait bien soulevé les jupes pour le remonter.

« Monsieur Petracci ! dit Lebrun, Nathalie refuse une commande ! La Société Mib veut pour ses devantures des automates signés Nathalie Petracci. Nathalie les a envoyés promener. Le directeur est un ami à moi, il m'a demandé d'intervenir en sa faveur...

Nathalie posa sa plume, se redressa et passa plusieurs fois son petit peigne dans les bandeaux :

« Je vous ai déjà dit, Lebrun, que je suis en plein dans mes amours avec le *Joueur d'échecs,* je vais en faire une bande illustrée. Regardez tous ces livres... Quand je pense que l'automate est là, à côté... J'en rêve la nuit et le jour. Tout à l'heure vous verrez peut-être Claude, c'est un grand sculpteur, mais il a besoin de manger comme tout le monde... Il vous fera ça mille fois mieux que moi.

— Le patron de la « Mib » veut des automates signés Nathalie Petracci, il se fout du grand sculpteur. Remarquez, Nathalie... je suis en ce moment sur une histoire de greffe osseuse, et si je devais m'intéresser à autre chose, j'enverrais promener tout le monde... Mais qu'est-ce que je dis là! Nathalie, il veut votre signature!

— Alors, qu'il attende son tour. Maintenant je m'amuse avec le *Joueur*. Vous partez, Phi-Phi ?

— Oui... Tu me téléphones, Luigi ? »

Phi-Phi sortit dans le long couloir à *Draculus*. Tous ces gens avec leurs passions... et des greffes et des inventions et des études... *Draculus est un brave type,* lisait-il machinalement sous l'ampoule qui rosissait le mur sale. Il pressa le pas. *Draculus est un satyre.* Phi-Phi se dépêchait : il avait envie de se soûler.

## V

*Jeux d'enfants*

Et donc cet immeuble qui au n° 3 de la rue
de P... avait de grands appartements pour « pro-
fessions libérales », tapis, ascenseur, une seule
double porte par palier, escaliers de service, ce
même immeuble, donnant sur la rue R..., avait
sa seule et unique entrée entre la boutique de
Luigi Petracci et une teinturerie. Escalier de
bois, point de tapis, trois portes par palier et des
locataires en pagaille. L'appartement de la
famille Loisel était fait comme les autres : beaucoup de cloisons et peu d'espace. Il contenait
Mme Loisel mère, son fils René et sa belle-fille
Denise, qui tous deux travaillaient à la radio,
et leurs quatre enfants; par ordre d'entrée en
scène : Olivier, Mignonne (Marguerite), Christo
(Christophe) et P'tit (Paul-Louis-Amédée, pour
honorer le défunt grand-père). « Maintenant,

dit René Loisel, leur père, on met COMPLET sur la porte, et on n'en ajoute plus. »

Depuis que P'tit tenait debout, il passait le plus clair de son temps dans la rue à jouer avec d'autres gosses, et ils affectionnaient particulièrement la cour des ateliers Petracci, d'où on ne les chassait jamais. P'tit avait été le premier à pénétrer dans la boutique de Luigi et à suivre Michette jusqu'à Nathalie. Christo, venu l'y chercher, s'était attardé à regarder Nathalie dessiner... Il y avait un an de cela, et depuis il était devenu un habitué du rez-de-chaussée. Christo, qui avait le double de l'âge de P'tit — cinq et dix ans — ne jouait plus dans la rue, allait à la communale au coin de la rue R... — la même qu'avait fréquentée Luigi — et passait maintenant ses jeudis, dimanches et tous ses moments libres chez Nathalie. Il ne la dérangeait pas, partageait ses intérêts, suivait les travaux préparatifs des bandes dessinées, lisait avec elle des livres historiques, regardait les images.

Actuellement c'était le *Joueur d'échecs* qui se trouvait au centre de leurs préoccupations. Ce *Joueur d'échecs* dont on parlait dans tous ces livres, dont on donnait des images, et qui était là, tout sale, décati, dans le sous-sol de Luigi. Depuis que Nathalie avait commencé à se documenter sur le *Joueur* pour faire de son histoire une bande illustrée, Christo allait l'y voir tous les jours. Il en venait justement, mais avait trouvé porte close : Luigi était sorti et avait emporté la clef.

Installé à la table de Nathalie, Christo, par-dessus son chocolat, regardait des illustrations. Il ne disait rien. Nathalie, occupée, s'aperçut soudain de son silence :

« Tu es sombre aujourd'hui, Christo.

— Je suis énervé, dit Christo, il y a eu drame à la maison. J'aime pas quand on s'engueule. Ça m'aplatit. »

Christo regardait la *Figure 3,* montrant l'inté-rieur du coffre derrière lequel était assis le *Joueur d'échecs.*

« J'aime pas quand on parle fort... reprit-il. Mignonne s'est engueulée avec mémé. Maman a pris parti pour Mignonne, Olivier pour mémé. Là-dessus, arrive papa... Il a d'abord rigolé, « tout le monde au bloc ! » qu'il a crié. Mais personne n'a ri, alors il a voulu faire l'arbitre... Ah là là ! C'est lui qui a tout pris ! Il n'avait qu'à ne pas se mêler de leurs affaires, moi, je ne m'en mêle jamais. J'aime pas quand c'est lui qui trinque. »

Christo avait du nez au menton, deux petites rides. Ses paupières étaient bistre comme si on lui voyait par transparence l'iris marron, tandis que la peau tendre du visage avait les reflets bleutés d'un lait de Paris. Il avait l'encolure d'un cheval qui prend son mors, le menton carré, on dirait le cavalier d'un jeu d'échecs, qui, comme chacun sait, est un petit cheval. Sous la chemisette bougeaient des omoplates tranchantes, les genoux, les mollets mal rembourrés, montraient le squelette délicat. Ses petites mains étaient pâles. Nathalie hocha la tête :

« Est-ce que tu prends toujours tes vitamines ? Bon... Il est temps que tu partes en vacances. »

Elle se replongea dans son dessin. Au bout d'un moment, ça lui revint, et elle rectifia :

« A ce que je sais de toi sur Mignonne, elle ne s'est pas engueulée avec mémé : elle a engueulé mémé.

— Sûr. Tu t'imagines, mémé a voulu l'empêcher d'aller chez ceux d'en haut, les Mesnard. »

Christo montrait le plafond du doigt. « Alors, tout de suite ça a bardé. Mignonne est partie quand même, et mémé s'est mise à pleurer qu'elle allait nous ramener de là-haut un môme ! Eh bien, Mignonne n'était pas partie, elle avait tout entendu, elle a rouvert la porte et elle a crié que, parfaitement, elle allait s'arranger pour nous ramener un môme. Qu'il n'aurait pas de père parce qu'elle s'en foutait du père, ce qu'elle voulait, c'était un môme à elle toute seule. »

Nathalie ferma le livre qu'elle feuilletait, distraite par l'histoire de Christo.

« Là-dessus, maman arrive et se met à crier

malheureuse enfant ! et l'amour ? Ça ne t'intéresse pas, l'amour ? tu sais comment elle est,
maman, et voilà que papa se ramène et la coupe
sec, et il demande, et qui va le nourrir ton gosse,
ça m'intéresse ? — Toi ! a dit Mignonne aussi
sec, tu le nourriras un bout de temps, le temps
que je finisse mes études, et à titre de revan-
che, quand tu seras vieux et gâteux, c'est moi
qui te nourrirai, tu ne vas pas me priver du
bonheur d'avoir un enfant pour quelques misérables billets de mille, non ? »

Christo s'était levé et récitait son histoire
debout.

« Tu as très bien résumé ça. »

Christo se rassit, finit son chocolat, porta la
tasse vide sur la table ovale, ramassa les miettes...

« C'est propre, dit-il, donne-moi l'Edgar Poe,
Nathalie... » Nathalie lui passa le volume de la
Pléiade. « Raconte-moi tout du commencement,
dis, Nathalie !... Maintenant que tu as tout lu.
Comment tu vas faire ?

— Je suis en train de chercher... Tais-toi. »
Christo se tut. Lui aussi pensait à ce Turc
assis dos au mur dans le sous-sol de Luigi... Il
était là, dans l'ombre, derrière le coffre avec
l'échiquier peint dessus. Plus grand que Christo...
Sale, poussiéreux, avec son turban sur la tête...
Et voilà que soudain, ce Turc, ce personnage
effacé, entrait dans la vie, se mettait à avoir

une histoire, devenait important, prenait toute
la place sur la table de Nathalie, étalait son mystère... Nathalie avait raconté à Christo comment
le père de Luigi l'avait acheté dans une vente
publique...

« Nathalie, qu'est-ce que c'est qu'une vente
publique ? »

— Ne recommence pas, je te l'ai déjà dit.

— Bon, bon... Et après ?

— Après, comme on n'avait pas le sou, Luigi
a songé à le vendre au musée des « Arts et Métiers ». Si c'était l'authentique *Joueur d'échecs*,
il valait très cher. Mais comme on sait que Luigi
est habile à construire des automates, on l'aurait
peut-être soupçonné, et Luigi déteste qu'on le
soupçonne.

— Ce n'est pas juste ce que tu dis... Ce n'est
pas Luigi qu'on aurait soupçonné, c'est l'automate. »

Nathalie regarda Christo avec attention :

« C'est bien spécieux ce que tu dis là...

— Spécieux ? Qu'est-ce que c'est, *spécieux ?* Je
te dis, on aurait soupçonné l'automate de ne
pas être le bon, et pas Luigi de dire exprès que
c'est le bon.

— Tu veux dire qu'on aurait pensé que Luigi
s'est trompé ?

— Si tu veux... On aurait soupçonné l'automate de ne pas être le bon.

— Et Luigi de l'avoir fabriqué...

— Pourquoi Luigi ? N'importe qui.

— Oh ! tu m'embêtes ! Tu seras avocat ou Jésuite ! »

On tapait à la porte venant de la boutique et, derrière, ça piétinait et ça soufflait... « Christo ! criait P'tit derrière la porte, Christo ! Nathalie ! »

« Ouvre-lui, dit Nathalie... Pourquoi cries-tu comme ça, P'tit ? Tu as l'air d'un brigand ! Tu as fait un mauvais coup ? Calme tes chiens, ils vont tout mettre sens dessus dessous !

— Les chiens ! criait P'tit, les chiens ! Couchez ! »

C'est Christo qui calma la bourrasque, remit en place les petits tapis, poussa les chaises vers la table... Les deux caniches noirs étaient couchés, le museau sur les pattes, ne frétillant plus que de la queue, fébrilement, ils avaient du mal à se dominer. P'tit, à genoux sur une chaise devant la table, se versait à boire de la bouteille d'eau minérale, P'tit avait toujours soif, c'était connu. Il portait un sarrau noir qui risquait d'éclater sur lui, et une culotte trop courte d'où sortaient ses cuisses bien nourries, suivies de genoux ronds et d'une paire de mollets aux muscles comme de grosses pommes. Ses joues étaient rouges et chaudes à voir, les yeux luisaient, noirs, des cerises mûres.

« Tu as fait un mauvais coup, répéta Nathalie, avoue ? »

P'tit descendit de sa chaise, ramassa ses armes,
bouts de bois, ferraille, se mit en position, jeta
en avant les deux bras :

« Comme ça que je lui ai fait ! Il est tombé !
Et pan, et pan ! Il se relève avec une jambe de
bois !

— J'ai jamais vu un menteur comme toi !
remarqua Christo.

— Et pan, et pan ! criait P'tit, négligeant
Christo, il se relève avec deux jambes de bois ! »

P'tit cria : « Adieu, Nathalie !... » et se précipita vers la porte. Les chiens, faussement calmes,
bondirent derrière lui, traînant leurs laisses...

« Cet enfant me fera mourir de rire !... »
Nathalie s'essuyait les yeux. « Va voir ce qu'il
fabrique, tout de même... »

Mais Christo n'était pas inquiet et reprit
tranquillement sa place à la table de Nathalie.
P'tit était toujours le plus fort et le plus malin.
Il en inventait, il en inventait ! Mémé pleurait,
papa riait, et maman se faisait du souci, parce
qu'il mentait sans arrêt. Elle disait qu'il fallait
le faire examiner par un spécialiste, mais elle
n'en avait jamais le temps.

« Il se relève avec une jambe de bois ! Où
va-t-il chercher ça !

— Oh ! dit Christo blasé, il est excité aujourd'hui, parce qu'il s'est distingué... Nathalie, je peux reprendre un biscuit ? Merci... Papa a ramené hier soir de la cellule des tracts, et ce matin, il ne les a pas trouvés, toute la maison a cherché... P'tit est rentré de la Maternelle et la mémé lui dit comme ça, tu n'as pas vu des feuilles, elles étaient là, sur le buffet... P'tit a crié, c'est moi, je les ai prises ! je les ai distribuées à la Maternelle ! »

Nathalie avait du mal à travailler cet après-midi, maintenant elle était un peu inquiète... Qu'est-ce que c'était que ces tracts ? Ça ne ferait pas d'ennuis à ton père ? Mais non, papa a dit que, bien sûr, la moitié du travail était ainsi faite, mais que P'tit n'avait pas à toucher à ses affaires, il ne touchait pas aux siennes sans sa permission. Mémé a pleuré et a dit qu'avec ces cellules, ces tracts et tout le bazar on finirait tous en prison, maman s'est enfermée dans la chambre pour rire, et papa est parti au siège, chercher d'autres tracts. Heureusement encore qu'Olivier n'était pas là, le pompon, ça aurait été Olivier...

Mais maintenant Christo voulait savoir si, dans sa bande, Nathalie dessinerait le *Joueur* faisant sa partie d'échecs avec Catherine II ? Sûrement... Qu'est-ce qu'il aurait donc fait, Olivier, s'il avait appris que P'tit a distribué des tracts à la Maternelle ? Oh ! je ne sais pas... Est-

ce qu'on sait avec un blouson noir ! Christo !
ce n'est pas beau ! Ton frère n'est pas un blouson noir... On dirait que tu le détestes !

Christo, les deux coudes sur la table, ne dai-
gna pas répondre... Il voulait savoir quand Nathalie commencerait à dessiner la bande du
*Joueur d'échecs.* Ce n'était pas pour demain,
elle avait beaucoup de choses à faire avant d'y
arriver.

« Si jamais j'étais malade, Nathalie, tu vien-
drais me la lire, ta bande, d'un bout à l'autre ? »

Michette passa la tête dans la porte : il fallait
que Christo aille calmer les mômes, ça dégéné-
rait en bataille rangée. Christo embrassa Nathalie... « C'est triste de s'en aller... » Il ferma
la porte doucement derrière lui, réapparut :
« La prochaine fois, tu me la raconteras, dis,
Nathalie ? »

## VI

*Qui perd gagne*

Luigi avait, enfin, téléphoné à Phi-Phi... Juste pour prendre rendez-vous, le mieux serait de déjeuner ensemble.

Tout allait très bien, les choses s'étaient si bien arrangées avec le Corse que même si Phi-Phi avait déjà donné les trois millions d'amende, on les lui aurait rendus. Le patron apportait le civet de lièvre aux herbes, dans une sauce foncée, marron, épaisse, mijotée, le fumet chatouillait les narines. Phi-Phi était épanoui, presque rose, lui toujours cadavérique... Les cafetiers allaient payer les arriérés, retenus pour couvrir l'amende. En d'autres temps, on aurait commencé par casser les appareils pour lui apprendre à vivre. On était devenu plus civilisé, et puis il n'était même pas un gang ennemi, juste un morveux...

« Voyons, Luigi, j'ai quarante-deux ans !
— Tant pis pour toi. »

Luigi profitait de l'occasion pour faire la
leçon à Phi-Phi : Phi-Phi allait avoir des rentes,
les appareils étaient d'un rapport régulier, il
n'aurait qu'à se tourner les pouces. Les autres
s'amusent et toi, tu encaisses. C'est plus sûr
qu'une écurie de courses, Luigi en savait quelque chose. S'il pouvait se tenir tranquille, maintenant que le Corse l'avait accepté, il serait tiré
d'affaire, largement, du moins tant que les billards électriques amuseraient le monde. Et s'ils
n'amusaient plus personne, on trouverait autre
chose... On avait la science avec soi. Luigi dé-
gustait le vin rouge : c'était un fin bec, et avec
Nathalie et Michette, il était gâté.

« Tout ça est très joli, et je te suis infiniment
reconnaissant, dit Phi-Phi, je comprends ma
chance. Mais veux-tu bien comprendre, toi aussi,
que je ne suis pas fait pour vivre de mes rentes.
Je m'emmerde aussitôt. Dès que je suis tranquille, je m'en vais chercher des embêtements. »

Luigi regardait son vin par transparence...
Phi-Phi allait recommencer ses éternelles jéré-
miades. Il songeait que si un jour on allait le
mettre à l'ombre, c'est alors qu'il s'emmerderait !
Phi-Phi n'avait qu'à s'informer auprès de Nathalie qui, avant d'aller au camp allemand, avait
goûté à la prison française, en cellule. Et Natha-

lie était une femme qui avait de la ressource en
elle-même, Phi-Phi, seul, entre quatre murs,
deviendrait fou.

« Et qu'est-ce que tu as maintenant en vue
pour te causer des ennuis ? demanda-t-il.

— Une femme... »

Luigi posa son verre. Du nouveau ! Phi-Phi
était coureur comme tout le monde, mais si les
femmes étaient le premier de ses soucis, elles
en étaient aussi le dernier. Voilà que cela changeait.

« Ça alors, c'est dangereux. »

Oui, c'était dangereux, et encore plus que
Luigi ne pouvait se l'imaginer. Phi-Phi racontait comment il l'avait rencontrée au « Colibri »,
rue Jean-Mermoz, c'était tout dire. Et pas une
poule qui fait les bars, une femme moderne
qui prend les choses de haut. C'était elle qui
choisissait. C'était donc qu'elle était très belle ?
Belle ? Pas tellement... Mais exactement comme
on les veut maintenant. Grande... Pâle... Les
lèvres sans rouge, les yeux fardés bleu, des cils
immenses, faux... De beaux cheveux châtains,
décoiffés... Des seins comme une éléphante...
est-ce que Luigi savait que les éléphantes avaient
de beaux seins roses ?

« Oh ! moi, le monde animal... Tout ce qui
n'est pas de la mécanique... »

Une taille, continuait Phi-Phi, si on serrait

un peu la ceinture, elle la couperait en deux
tout de suite : d'un côté, le tronc, avec les seins...
de l'autre, le reste. Voici la dame. Si elle le
désennuyait ? C'est-à-dire... Premièrement, il aimait faire l'amour avec elle, ce n'était pas fou,
mais agréable quand même, cela se passait très
proprement. Le soir, elle arrivait au « Colibri »...
autour d'elle, des hommes, on buvait un peu,
on faisait une jam, on jouait au poker dice avec
le barman... Quand il l'emmenait, ça embêtait
les autres, c'était flatteur, sans plus. Il ne risquait pas de recevoir un coup de couteau...

Luigi et Phi-Phi étaient seuls dans la salle du
premier. Sur la table, les restes du lièvre se
figeaient dans la graisse, peu ragoûtants... Les
murs transpiraient, et les fleurs artificielles, de
couleurs sales, semblaient ravir les mouches.
Phi-Phi avait trop mangé et trop bu, et le soulagement qu'il avait éprouvé de l'heureux règle-
ment de comptes s'était déjà évanoui. Non, pas
de dessert. Ils avalèrent leur café... Phi-Phi insista pour payer l'addition, si, si, c'était la moindre des choses ! une pareille épine du pied...

Ils s'en furent en traînant jusqu'à un grand
café des Boulevards. A cette hauteur, la foule
des Boulevards avait un air louche... Des jeunes
gens aux chemises déboutonnées bas, des blue-
jeans en plein Paris, des femmes trop ridées, des
hommes bâtis en armoire à glace, à ne pas ren-

contrer au coin d'un bois, des touristes innocents... Phi-Phi avec son crâne tondu faisait se
retourner sur lui les passants : peut-être le prenait-on pour Yul Brynner ? Il avait mal à l'esto-
mac, le civet, sans doute... « Garçon, un quart
Vichy... » Et pourquoi cette femme allait-elle
lui apporter des ennuis ? Parce qu'elle était
dangereuse... oui... Au commencement, c'était
payant, et même comptant. Puis, comme Phi-
Phi s'était trouvé fauché, il a dit : « Pas ce soir,
je suis sans un... » Elle l'avait emmené quand
même, et c'était devenu comme ça, il ne pouvait
d'ailleurs pas être question que cela soit autrement, la pension n'était pas dans les prix de
Phi-Phi... Des filles comme celle-là, avec
bagnole et studio de luxe, elles ne songent pas
à se faire entretenir, un seul homme n'y suffirait pas. C'est fou, le fric qu'elles gagnent ! Je
ne vous dis pas que Linda a de l'argent, mais
c'est qu'elle est joueuse, sans quoi... Franche-
ment elle n'a rien de sensationnel, elle est comme
toutes ces filles qui font le trottoir en voiture,
les motorisées... Quand un homme monte dans la
voiture d'une fille, elle a comme un avantage
sur lui. On n'est pas dans le besoin quand on
tient le volant d'une Jag ou d'une Mercédès.
L'homme se sent un peu l'élu... Chez elles,
chez Linda du moins, le studio est meublé par
un décorateur, du Louis-Philippe et des meu-

bles anglais en acajou... des divans profonds, un
pick-up, et une salle de bains qu'on vivrait
dedans. Dans ces conditions, qu'est-ce que c'est
que dix mille francs, je vous demande un peu...

« Alors, dit Luigi, je ne vois toujours pas
poindre les embêtements... Tu te trouves être
l'amant de cœur de Linda ?

— De cœur ? Tu me fais rire. De cœur, chez
Linda, on n'en trouverait pas à la radio... Une
malformation. »

Il avait amené des copains chez Linda. On
est mieux chez une fille, dans un studio confortable, en apportant son whisky, que de traîner
au « Colibri »... Les copains amenèrent des
copains. Linda était très entourée. Elle avait
aussi des copines. Un vrai bordel. Rien d'autre,
rien d'irrégulier, ni drogue, ni traite des blanches. Mais Linda l'affichait, le traitait en maître
de maison. Pourquoi ? Un beau jour, elle l'accu-
serait de proxénétisme, ou de n'importe quoi du
genre... Luigi ne comprenait pas très bien : du
moment que Phi-Phi n'était pas amoureux,
qu'attendait-il pour déguerpir, s'il avait des pres-
sentiments ? Déguerpir ? Pour aller où ? Il ne
savait pas où aller, que ferait-il de ses soirées ?

Luigi regarda l'heure :

« Eh bien, dit-il, j'ai eu la chance, pour toi
et pour moi, de te tirer d'affaire. Quoi qu'il
en soit, j'espacerais mes visites chez Linda. Moi,

je préférerais disposer de mon temps et de mes mouvements, librement, et ne pas laisser à d'autres le soin d'imaginer un passe-temps pour moi... Garçon ! »

Le garçon portait un lourd plateau avec des glaces, il avait chaud et restait sourd aux appels. Les garçons s'occupent toujours des autres.

« La prison ? C'est encore à la prison que tu penses ? C'est une idée fixe ! »

Phi-Phi essayait d'attraper le regard du garçon... Mais celui-ci avait filé comme un chat et prenait déjà une commande au fond de la terrasse.

« Fais un voyage, Phi-Phi, recommença Luigi. Avec les rentes des billards, tu n'as plus de problèmes d'argent.

— J'aurai toujours des problèmes d'argent. Et avec Linda à côté... J'étais très doué pour me mettre dans le pétrin sans elle... »

Le garçon ne venait toujours pas, et Phi-Phi reprit sa rengaine : quelqu'un qui a vécu comme lui, avec l'idée que chaque minute pouvait être la dernière... quand on a vécu tant de dernières minutes, et qu'il fallait s'habituer à cette existence où on a la vie devant soi... Avant de mourir, on ne se refuse rien, et il avait trop longuement vécu comme s'il allait mourir d'un instant à l'autre... Ne pas aller chez Linda par on ne sait quelle prudence... Traîner et s'emmer-

der encore plus que chez elle, où il y avait au
moins de jolies filles et des hommes de son
espèce, qui ne faisaient pas ce pour quoi ils
étaient faits — pour le baroud, la bagarre, le
risque, la vie au jour le jour... Et qui essayent
de jouer aux représentants de commerce et
employés de banque !

Luigi souffrait. Il était pressé et il avait entendu ces lamentations des milliers de fois. Il
regardait avec impatience le torse râblé de Phi-
Phi, son cou fort et court, le col bien ajusté
de sa chemise de soie blanche, son veston pied-
de-poule... Ce gros crâne rond, rasé, le nez ca-
mard comme celui d'un boxeur, les lèvres collées à la mâchoire aux belles dents carrées... Il
regarda encore une fois l'heure et quand le garçon essaya une fois de plus de se faufiler à côté
de lui, mine de rien, il lui sauta sur le râble :

« Je vous tiens... Je *veux* payer ! »

Comme il serrait la main de Luigi, à l'entrée
du métro, et le remerciait encore une fois, Phi-
Phi ajouta, un peu gêné : « Dis, tu ne pourrais
pas me faire rencontrer le Corse ?... » Luigi ne
répondit pas et plongea dans le métro.

# VII

*Mystifications d'honneur*

— « Le *Joueur d'échecs* a été construit, initialement, non pour une mystification lucrative,
mais pour soustraire au supplice un vaillant
défenseur de la nation polonaise. Un gentilhomme polonais, Wronsky, qui eut les deux
cuisses fracassées lors de la révolte de la garnison
de Riga, en 1776 (quatre ans après le partage
de la Pologne), s'était réfugié dans la maison
d'un médecin russe de Riga, Orloff. Orloff avait
été obligé d'amputer Wronsky des deux jambes,
chez lui, à domicile. Or, il se trouva qu'un ami
du docteur, le baron Wolfgang de Kempelen,
vint voir le docteur juste à cette époque pendant
que celui-ci cachait chez lui Wronsky. Kempelen était un mécanicien hongrois, né à Pétersbourg, en 1734, et célèbre en Allemagne pour

ses travaux scientifiques. Il était reçu à la cour
de l'impératrice d'Autriche, Marie-Thérèse, et,
habile joueur d'échecs, faisait parfois la partie
avec elle. Pour sortir Wronsky de Riga, Kempelen imagina de construire ce faux automate,
le *Joueur d'échecs*, qui devait, ensuite, exciter
la curiosité publique pendant un demi-siècle... »

Nathalie interrompit sa lecture :

« Je suis perplexe, dit-elle, les uns affirment
qu'il le construisit en 1769; Robert Houdin
donne la date de 1776. Bref, je continue... Cesse
de te mordiller les lèvres, Christo... Je continue :
« Kempelen l'expose à Toula, à Vitebsk, à Smo-
lensk, à Saint-Pétersbourg, où l'automate joue
avec Catherine II et gagne, au grand dépit de
l'Impératrice qui essaye de tricher... Ensuite,
Kempelen le vend à un M. Authon. Celui-ci
lui fait parcourir les grandes villes d'Europe;
à Paris, on le montrait en 1783 et en 1784. A
la mort de M. Authon, le *Joueur d'échecs* passe
entre les mains du mécanicien Léonard Maelzel
de Ratisbonne. Maelzel avait lui-même construit en 1808 une grande machine qu'il appelait « panharmonicon » et qui se composait
d'une réunion d'automates musiciens. Il avait
aussi plusieurs fois essayé de construire des
androïdes parlants, suivant en cela Kempelen,
constructeur en 1778 d'un automate-parleur qui
prononçait distinctement quelques mots. (Il en

a été donné la description dans un écrit intitulé
« Mécanique de la parole humaine », Vienne,
1791.) Maelzel transporte le *Joueur d'échecs* aux
Etats-Unis. Edgar Poe qui assiste à une séance
donne une explication du phénomène dans sa
nouvelle « Le Joueur d'échecs »... Selon une
note de Baudelaire, l'automate périt lors d'un
incendie, à Philadelphie. Mais, à en croire
Robert Houdin, ceci serait faux et les héritiers
de Maelzel auraient cédé le *Joueur* à un médecin de Belleville, appelé Croizier par les uns,
Cornier par les autres, dans la demeure duquel
il aurait existé jusqu'en 1884. Le mécanicien
Pierre-Marie-Edmond Petracci a acheté un
*Joueur d'échecs* dans une vente publique, en
1904, fermement persuadé que c'était l'automate
même que Kempelen avait construit pour sauver
le gentilhomme polonais. Son fils, Luigi Petracci,
en a hérité et le possède jusqu'à ce jour... »

Nathalie posa son cahier :

« Voilà, dit-elle, ce que j'ai réuni comme
renseignements sur le *Joueur d'échecs* dans plusieurs livres plus ou moins sérieux...

— Je vais aller le regarder encore... »

Lorsque Christo, au bout d'un long moment,
revint du sous-sol, il était pâle, l'œil trouble, et
sans faire attention à la tasse de chocolat que
Michette avait apportée entre-temps, s'installa
près de Nathalie...

« Ils ont tous triché ? Dis, Nathalie ? C'est pas
un vrai automate ? C'est sûr ? Il ne peut pas
jouer aux échecs ? Luigi a essayé ?

— Tu n'y as pas touché, j'espère ? Son turban
et la cape tombent en poussière ! Un automate,
ça ne pense pas, donc ils ont tous triché : Kempelen, Authon, Maelzel... tous... C'est pas la
peine de lui regarder les entrailles, ils ont triché.
Un automate ne pense pas... Pas encore. Sup-
posons que l'histoire du patriote polonais soit
vraie et qu'on ait caché ce Wronsky à l'intérieur
du Turc pour le sortir de Riga... Ce n'est pas
impossible, n'oublie pas qu'il n'avait plus de
jambes, il était court, il aurait pu entrer dedans,
n'est-ce pas ? Je ne sais plus si je l'invente ou
si je l'ai lu quelque part, mais Wronsky était un
très fort joueur d'échecs. Pendant sa convalescence, il jouait souvent avec le docteur Orloff...
C'est peut-être ainsi que l'idée leur est venue...
L'histoire de la partie d'échecs avec Catherine II, telle que la raconte Robert Houdin,
prouverait aussi que c'était vraiment Wronsky
qui a joué avec elle : le patriote polonais devait
haïr Catherine, sa tête était mise à prix par la
tzarine, et il était venu la narguer à l'intérieur
même de son palais, à Pétersbourg ! Mais tu
imagines à quel point le *Joueur d'échecs* était
célèbre pour que la grande Catherine veuille
le voir et l'invite à jouer une partie avec elle !

Ton chocolat va être froid, Christo... Je ne te raconte pas les sueurs de Kempelen quand la partie avec Catherine s'engagea... C'est que Wronsky ne songeait pas à se faire battre, et Catherine était mauvaise joueuse, elle n'admettait pas que l'on puisse gagner contre elle... alors elle a triché ! »

Christo poussa un petit cri d'indignation et se prit la tête dans les mains : « Aïc, aïe !... »

— Alors, le Turc frappa de la main avec violence et remit à sa place la pièce que l'Impératrice avait avancée ! Kempelen crut mourir de peur... L'Impératrice, furieuse, la remit ! Elle ne voulait pas que ce fût dit qu'elle avait triché... Alors, le Turc renversa toutes les pièces d'un coup ! Je ne te raconte pas le mal qu'ils eurent ensuite pour sortir du palais... C'est que Catherine s'était mise en tête d'acheter l'automate ! En somme, la merveille du *Joueur d'échecs,* c'est la ruse, l'adresse de Kempelen, et l'intelligence, le courage de Wronsky ou de tous les deux. Wronsky devait jouer aux échecs aussi bien qu'un champion international d'aujourd'hui, un Botvinnik ou comment il s'appelle de nos jours... Et, en plus, il avait un caractère d'une force extraordinaire. A l'époque, il n'y avait pas d'anesthésie, et le docteur Orloff l'avait opéré comme ça, sans rien... Amputé des deux jambes! Il l'a soûlé, c'est tout...

Et Wronsky qui lui criait : « Taillez hardiment! Ne craignez rien! » Ça, je l'ai lu chez Houdin... »

Christo, qu'on avait dernièrement opéré des amygdales, se fit tout petit... Il n'avait pas fait preuve d'un pareil courage. Quand Michette traversa la pièce pour aller ouvrir la porte *Draculus,* ils tressaillirent tous les deux comme des amoureux.

C'était le grouillot du journal qui venait chercher des dessins et, en même temps, apparut Lebrun avec une femme. Pas celle de la dernière fois, une autre, c'était toujours une autre. Il y eut un va-et-vient, le grouillot attendait debout, au milieu de la pièce, Lebrun essayait de présenter son amie qui, elle aussi, restait debout et regardait autour d'elle comme un reporter, pendant que Christo filait à la maison et que Michette cherchait les dessins de Nathalie quelque part dans une chemise — Bleue ! Je te dis, bleue ! — et que Nathalie, passant son petit peigne de plus en plus rapidement dans ses bandeaux, lui suggérait les endroits où elle avait pu les fourrer... Ne pas oublier le téléphone : il sonnait.

Christo n'était plus là. Michette mit la main sur la chemise, le grouillot s'en fut, on brancha le téléphone sur la boutique... Mais Nathalie ne retrouva pas son sourire. Elle ne proposa pas de

café à Lebrun et à son amie, et attendit si visiblement que les visiteurs s'en aillent, que Lebrun
finit par presser Béatrice de prendre congé. Il
ne fallait pas qu'elle oublie qu'ils dînaient chez
des amis, et qu'elle devait se changer... Oui,
Mlle de Cavaillac arrivait de Londres, elle
n'avait fait que poser sa valise à l'hôtel. Elle
mettait sur pied à Londres un bureau de propa-
gande touristique française : les châteaux de la
Loire, les champs de bataille, « son et lumière »
D'ailleurs, pendant l'occupation déjà, Béatrice
avait habité Londres, si l'on ne compte pas les
voyages qu'elle fit à l'époque en Algérie et en
France occupée. Lebrun essayait de raconter
Béatrice au hasard de la conversation, et moins
Nathalie semblait intéressée, plus il donnait
de détails qui auraient dû, à son avis, la séduire...
Depuis 43, Béatrice de Cavaillac avait été la
secrétaire du général M... Efficace, vaillante,
irremplaçable lors des conférences dans les relations avec les chefs d'armées, les autorités, n'importe où, à partir de Londres et, ensuite, jusqu'en Allemagne occupée. Tous ceux qui voulaient approcher le général devaient passer par
Béatrice... Oh ! non, pas une porte de prison !
un ravissant petit huissier ! Je l'imagine en uni-
forme, le calot penché sur ses boucles brunes,
et avec ça, capable de conduire un camion, de
jour, de nuit... Le nombre de fois qu'elle a tra-

versé le *Channel* dans un canot à moteur, à voile...
Nathalie restait de pierre. Enfin, la porte se ferma derrière eux.

Lebrun avait dû accompagner Béatrice jusqu'à un taxi seulement, parce qu'il revint aussitôt, inquiet et penaud. Qu'est-ce qu'il y avait ?

« Pas d'Afat chez moi... »

Lebrun en oublia la cigarette qu'il était en
train d'allumer :

« Pourquoi donc, Nathalie ? »

Nathalie passait son peigne dans les cheveux,
vite, vite... Qu'est-ce qui le prenait d'amener
chez elle des gens sans la prévenir, par effraction,
par surprise... De quel tourisme s'agissait-il, elle
n'était ni une célébrité parisienne, ni la place
des Vosges... Il a voulu montrer à cette personne
un endroit « insolite » ? Luigi collectionne des
automates rares et lui des relations. Il était le
snobisme en personne, et il le plaçait mal, ce
n'était ici qu'un coin caché dans un immeuble
parisien, où une femme obèse entendait rester
tranquille... Si vous voulez, Lebrun, continuer à
être de mes intimes dans cet endroit « modeste
mais sélect », ayez l'obligeance de m'épargner
ces intrusions. Il avait cru, probablement, que la
résistance... Ce qu'il pouvait être sot ! L'endu-
rance d'un soldat et la bonne éducation d'une
fille élevée dans une grande famille catholique...
Une femme de tête, qui oscille entre le couvent

et Dior... entre les étoiles du général, le beau
gosse et les épines de la croix... Vous pouvez
vous la garder avec son *pedigree* et ses idées
héroïques...

Lebrun avait machinalement allumé sa cigarette et s'était assis :

« Vous ne la trouvez pas belle ?

— Ecoutez, mon fils, ce n'est pas moi qui
couche avec elle... Vous, si ce n'est pas encore
fait, dépêchez-vous ! Ou alors, mettez-la au frigidaire... Et puis, vous savez qu'on ne fume pas
chez moi. Sortez dans l'entrée. »

Lebrun partit d'un grand éclat de rire, éteignit sa cigarette, croisa les jambes, se cala dans
son fauteuil. Assis, il était très beau, on ne
voyait pas qu'il était bas sur pattes.

« Dans le même ordre d'idées, — il parlait
posément, de cette voix qu'il avait à la radio
quand on venait à son service d'hôpital lui poser
des questions sur les greffes osseuses qu'il prati-
quait — dans le même ordre d'idées, je la préfère à Phi-Phi. Elle aussi sort de la guerre, comme on sort de Sciences Po ou de Polytechnique,
mais Phi-Phi, lui, est carrément de la pourriture,
même s'il est l'as des as, un héros, etc., tandis
que Béatrice... même si elle est atteinte, disons,
d'une certaine folie... est quelqu'un d'utile, d'efficace. Elle représente la haute bourgeoisie dans
ce qu'elle a de meilleur, une aristocratie obligée

de mettre la main à la pâte... Ce n'est pas si mal
que ça... Non ? »

Nathalie rangeait autour d'elle, triait les livres,
les cahiers, les feuillets, les mettait en piles... les
crayons dans un gobelet, rebouchant l'encre de
Chine... les gommes dans une coupe...

« Et ça se débrouille, ça se débrouille, gro-
gnait-elle sans écouter Lebrun, ça connaît tout
le monde c'est invité pour les vacances... aux
sports d'hiver... ça sort avec des célébrités...

— Mais vous montrez des connaissances mon-
daines, madame Petracci ! »

Allait-il se fâcher ? Nathalie ramena son châle
sur ses épaules :

« Avant-guerre, mon vieux Lebrun, je n'avais
pas trente ans... J'ai eu un autre mari, une fille...
Je ne suis pas si vieille, c'est l'obésité qui me
tient lieu de vieillesse, mais j'ai eu le temps de
vivre, beaucoup... Maintenant, voulez-vous me
laisser ? »

Lebrun, qui s'était levé, se rassit : « Eh bien ? »
fit Nathalie.

« Nathalie — Lebrun la regardait attentivement, intensément, intelligemment —, pourquoi me refusez-vous votre amitié ? Vous me
rudoyez, vous me renvoyez... Vous savez pourtant qu'aucune Afat au monde... » Il se pencha
très bas au-dessus de la main gauche de Nathalie posée sur le genou et la baisa : « Vous, vous

êtes Nathalie... Je vous quitte. Je peux revenir demain ? »

Nathalie sourit. Elle avait un beau visage, l'ovale à peine touché par la graisse, à peine un deuxième ovale du double menton.

# VIII

*Enfances*

En été, au mois d'août, la « Maison Petracci, fondée en 1850 » fermait. Nathalie se transportait, avec Luigi et Michette, dans le Midi où elle avait hérité d'une maison de campagne ayant appartenu à un oncle à elle : une magnanerie, avec ses étagères pour vers à soie qu'on y avait laissées comme le reste... Nathalie avait depuis l'enfance gardé dans les oreilles ce bruit de papier de soie que les vers faisaient dans les feuilles de mûrier, dont on les nourrissait. Maintenant, c'était simplement une immense pièce où il ne se passait rien. Feu l'oncle appelait les œufs de vers à soie, des « graines »... Il les achetait à Perthus et les revendait tant l'once. Il faisait aussi des cocons et en ramassait chez les paysans auxquels préalablement il avait vendu

des œufs. Il passait partout en priorité pour le
ramassage, parce que derrière lui se profilait
Lisilhiol, celui dont on voyait la signature sur
les billets de banque, et auquel l'oncle était mys-
térieusement apparenté. Lisilhiol, ce nom inspi-
rait aux paysans une confiance de fer. C'est là
que Nathalie passait l'été depuis l'âge le plus
tendre, et elle aimait la magnanerie et l'oncle,
elle aimait être ailleurs que dans la maisonnette
au bord de la ligne du chemin de fer où elle
est née, ailleurs que dans le fracas des trains
qui venait sur elle comme la fin du monde. A
la magnanerie, il n'y avait que ce bruit de papier
de soie et, tout comme autour de la maisonnette près de la ligne, c'était son pays, les mana-
des, les troupeaux de taureaux, de chevaux sau-
vages et les gardians. La mère de Nathalie était
garde-barrière, son père poseur de rails. On
avait envoyé Nathalie à Paris toute jeune, et elle
était Parisienne, même si son premier amant
avait été un gardian.

Comment se passait leur été, à Luigi, Nathalie et Michette, personne d'entre leurs amis n'en
savait rien. Ils disparaissaient là-bas, dans le
blanc du soleil, ils y vivaient tout un mois dans
une admirable solitude soyeuse. Michette hâlée
noir était leur lien avec l'extérieur, le pain, la
viande, l'eau et le vin. Dans le paysage de son
enfance, Nathalie retrouvait aussitôt sa place,

le creux qu'elle y avait laissé. Elle retrouvait
dans la carrière voisine, une immense cathédrale
blanche, ses premiers dessins, ceux de son époque primitive à elle, des taureaux gravés avec
un clou sur la douce pierre blanche, friable, du
pays. Elle retrouvait, gravées sur le vaste fond
bleu du ciel, au ras du sol, les sombres silhouet-
tes immobiles des taureaux et des chevaux sau-
vages, pas plus grands que des santons. Parfois
elle se demandait comment elle pouvait s'accom-
moder de son rez-de-chaussée parisien, entre la
rue de P... et la rue R..., avec, pour tout horizon, un jardin emmuré. Peut-être le vent natal
aurait-il balayé les poisons qu'elle portait en
elle ? Mais les vacances étaient trop courtes et,
avant que son souffle ait le temps de traverser
cette couche de graisse, il fallait partir.

A peine rentrée, Nathalie avait appris par
Michette que la famille Loisel était revenue de
vacances, et que P'tit avait les oreillons. Elle
venait de s'asseoir à sa place habituelle et essayait
de reprendre contact avec ce croquis du *Joueur
d'échecs* sur sa planche à dessins. Feuillets bien
rangés, piles de livres, bouquets de crayons, de
pinceaux... Le téléphone sonna. C'était la vie
de Paris qui reprenait. Mme Loisel... Elle demandait si elle pouvait voir Nathalie.

Elles ne se connaissaient pas et ne savaient

l'une de l'autre que ce que leur livrait le hasard
des conversations de Christo, de P'tit. Michette,
qui voyait Mme Loisel passer, toujours pressée,
rue R..., disait d'elle, c'est une belle femme,
comme elle disait de M. Loisel, c'est un bel
homme.

Une grande femme bien faite, jamais on ne
croirait qu'elle a eu quatre enfants. Les yeux de
Christo, la peau des paupières si fine que l'iris
semblait se voir par transparence et leur donner
cette couleur bistre. Si Mme Loisel n'était pas si
ennuyée, elle ne se serait jamais permis... Mais
P'tit avait les oreillons... On avait envoyé Mignonne et Olivier chez l'oncle Ferdinand, que
faire de Christo ? C'est lui qui a dit, mettez-
moi chez Nathalie, excusez-moi, chez Mme Petracci... Il y avait longtemps que Denise Loisel
désirait faire sa connaissance, Christo parlait de
sa Nathalie à longueur de journée, elle était
pour lui la plus haute autorité... C'était le devoir d'une mère de connaître les amis de ses
enfants, mais elle n'avait jamais, jamais le
temps... Terrible ! cette radio vous mange la
vie... Denise Loisel avait une émission à elle,
et puis les interviews, les voyages... elle connaissait Mme Petracci de réputation, ses bandes illustrées... quel talent ! il y avait la femme de
ménage, les commerçants..., mais elle désirait
depuis si longtemps la connaître personnelle-

ment, et voilà que maintenant elle venait, elle,
une étrangère, lui demander ce service insensé...

« Je comprends. » Nathalie passait son petit
peigne dans ses bandeaux lisses. « Je me demande où on va le coucher... Ici, il y a du va-
et-vient, toujours du monde, tard dans la soirée.
Je ne vois guère que le vieux divan dans le
sous-sol aux automates. Il ne faudrait pas que
les automates l'impressionnent, seul, la nuit,
dans cette cave voûtée... Moi, ils me font
peur!

— Oh! madame! » Mme Loisel rit, songeant
peut-être à tout ce que Mme Petracci avait
vécu... Prétendre avoir peur des automates de
son mari!

« Chez nous, disait-elle, il n'y a qu'Olivier de
nerveux, les autres sont solides. Ils tiennent du
père. Moi, je suis une grande nerveuse, et Olivier tient de moi, c'est le seul. »

Nathalie tapait au mur derrière elle :

« Michette, du café... »

C'était donc entendu, Christo viendrait habiter chez Nathalie, sa mère remerciait et remerciait encore... Elle était pressée, mais resta néanmoins encore un bon moment. Denise Loisel
était vive, rieuse, romanesque... Elle devait être
précieuse dans son domaine, à la radio. Nathalie versait du café.

« Je ne dormirai pas une seconde cette nuit...

Mais ce café est merveilleux ! » Mme Loisel tendait sa tasse. « Tant pis, avec P'tit et ses oreillons, de toute façon... Et sans Christo ! Sans la marmaille dans la maison... j'en parle toujours comme si c'étaient des tout-petits, quand Olivier a déjà dix-sept ans et Mignonne quinze... Ça va être d'un calme, d'un triste... Pour le moment, Christo est aussi chez l'oncle Ferdinand. Le temps de nous retourner. L'oncle n'a ni femme, ni enfant, ni bête, mais c'est impossible qu'il les garde tous les trois... Je vous suis reconnaissante, madame, follement... Olivier, quand il a su que c'étaient les oreillons, s'est sauvé au galop, il prétend que les oreillons ça vous rend impuissant. Il ne pense qu'à ça ! Qu'au fait qu'il est vierge. Au point que Mignonne dit : « Zut, qu'il perde donc enfin sa fleur et qu'on n'en parle plus ! » Vous imaginez la tête de ma belle-mère... »

Christo parlait comme sa mère, beaucoup, vite, il imitait comme elle les personnages, un vrai théâtre...

« Il croit que les filles se payent sa tête. Et c'est vrai que ce sont des petites garces... A les entendre, à quinze ans elles ont couché avec tout le monde ! En réalité, tout ça est vierge, parfaitement vierge ! Tout cela se passe comme de notre temps, les jeunes filles sont amoureuses, il y en a qui couchent, d'autres pas, ques-

tion de tempérament, et dans tous les cas elles
racontent des histoires. Le seul changement, c'est
que de notre temps on cachait qu'on avait un
amant, et maintenant on raconte qu'on en a eu
vingt. De toute façon, on ment ! Il n'y a pas
plus menteuses que les jeunes filles... Mignonne
en raconte, elle aussi, et je l'ai surprise à gifler
un monsieur ! un aller et retour, je ne vous dis
que ça ! A quinze ans... »

Le temps passait. Mme Loisel ne riait plus.
Elle parlait d'Olivier. L'obsession de sa fleur
avait gagné la famille, on ne parlait plus que
de ça. La mémé quittait la table, tant ça l'indi-
gnait, et allait s'enfermer pour pleurer. L'éducation moderne... l'amitié, la camaraderie, le
naturel, la sincérité... On parle de tout.

« Vous allez le rendre impuissant, sans oreillons, votre Olivier, dit Nathalie, sérieuse. Quand
on regarde l'eau sur le feu, ça l'empêche de
bouillir.

Oui... Denise, songeuse, contemplait ses belles mains avec juste une alliance. Il y avait aussi
le désastre des désaccords politiques : son mari
était communiste, elle-même une sympathisante,
et Olivier a pris le contre-pied... Jeune Nation...
Presque un dévoyé. Je ne voudrais pas être trop
sévère pour mes enfants.

Une larme coula sur la joue de Denise. Elle
sortit son mouchoir :

« Nous avons des enfants étranges, madame...
P'tit ment tellement qu'il me fait peur. L'autre
semaine, il m'a fauché un billet de cinq mille
dans mon sac. Je l'ai cherché partout, cinq mille,
c'est beaucoup pour nous... Je ne l'ai pas trouvé,
et pour cause... P'tit était en train de régaler toutes ses copines et copains de la rue. Il n'a que
cinq ans. Vous en avez de la chance de ne pas
avoir d'enfants !

— Vous voulez me donner Christo ? Ah ! vous
voyez bien !

— Mon Christo ! » Mme Loisel s'illumina...
« C'est un extraordinaire personnage, ne croyez
pas qu'il soit facile... Il se passe de tout le monde,
et il est régulier comme une pendule suisse... je
ne sais pas pour qui il se prend maintenant, mais
il y a quelque temps, il était astronaute... Je suis
heureuse qu'il vous arrive en si bonnes disposi-
tions. Surtout n'hésitez pas à lui demander de
se rendre utile, pour le ménage, la cuisine les
petits travaux... Vous n'imaginez pas les services
qu'il peut rendre dans une maison ! Il sait tout
faire, c'est une sorte de petit génie domestique...
Je vais téléphoner maintenant à l'oncle Ferdinand, qu'on vous envoie Christo. Je ne sais pas
si l'oncle est très content d'avoir les gosses chez
lui... mais c'est tant pis, il faut bien qu'il serve
à quelque chose, de temps en temps. Il n'avait
qu'à ne pas rester célibataire. Il aurait eu des

enfants à lui, il n'aurait pas besoin des enfants des autres pour être embêté. »

Tout à fait la tournure d'esprit de Christo. Sa mère tenait de lui, sauf qu'elle riait plus souvent.

# IX

*La caverne
des androïdes*

CHRISTO apparut une heure plus tard, traînant
une valise, un gros chandail bordeaux sur le
bras. Mme Loisel mère, la mémé, semblait avoir
acheté un stock de laine bordeaux, c'est elle qui
tricotait les lainages des enfants, et voilà quelques années déjà qu'ils étaient habillés de bordeaux, chandails, chaussettes, écharpes, gants,
passe-montagnes... Christo sortit de ses poches,
entre autres, une brosse à dents, un bout de
savon, et, de la valise en carton, un pyjama, deux
petits slips, deux petites chemises, deux paires
de chaussettes et un Jules Verne.

« J'ai pris juste un Jules Verne... J'ai pensé
que tu me raconterais maintenant le *Joueur
d'échecs* en entier, puisque tu ne l'as pas encore

commencé, à cause des vacances. Je coucherai
au sous-sol ? C'est maman qui me l'a dit, elle
m'a interdit d'avoir peur des automates la nuit,
je devais être courageux, puisque P'tit a les oreillons. Je vois pas le rapport.

— Bien sûr... Ta mère a voulu dire que ce
n'était pas drôle pour personne si P'tit avait les
oreillons, ni pour P'tit, ni pour elle-même, ni
pour vous tous... qu'elle craignait que tu m'ennuies, mais que, puisque P'tit avait les oreillons,
et qu'elle n'avait pas le choix, elle t'envoyait
quand même chez moi. Remarque que moi, ça
ne me dérange pas du tout, et que je suis bien
contente d'avoir un petit invité... Mais ta maman pense que tu devrais au moins être courageux, pour ne pas me causer des ennuis, puisque
P'tit a les oreillons, et qu'elle ne peut pas faire
autrement que de te mettre chez moi... »

Christo écoutait Nathalie avec attention, et
lorsqu'elle eut fini, il haussa ses petites épaules
pointues :

« Ce n'est pas parce que P'tit a les oreillons...
C'est bête. »

Nathalie coupa court à la discussion en se
levant. Jamais Christo ne l'avait vue debout, se
déplaçant... Si les chevaux de Marly s'étaient
mis à galoper, la colonne Vendôme unijambiste
à sautiller le long de la rue de Castiglione, il
n'aurait pas été plus impressionné... Harmo-

nieuse comme un bateau sortant de cale, grande
et large dans sa robe à la reine Pomaré, Nathalie tanguait et roulait avec aisance le long de
l'étroit couloir menant à la boutique.

Dans le sous-sol, la lampe à contrepoids au-
dessus de l'établi de Luigi, montée haut, donnait des clairs-obscurs violents, et Michette enlevait les objets qui encombraient un vieux divan
bosselé. Bien en évidence sur un bahut, se tenait
une petite Japonaise, une ombrelle ouverte dans
une main, dans l'autre, près du visage rose, un
masque... Christo ne l'avait encore jamais vue.
Pour faire le lit sur le divan, Michette avait
poussé de côté le clown et le prestidigitateur
avec sa dame horizontale... Le *Joueur d'échecs*
était à sa place, dos au mur, le bras gauche posé
sur un coussin près de l'échiquier peint sur le
coffre, le bras droit arrondi, et il regardait devant lui d'un seul œil, l'autre étant tombé à
l'intérieur de la tête. La peinture de ses joues,
du coffre, était écaillée, sale, l'étoffe du turban,
du manteau accroché aux épaules, fendillée,
poussiéreuse... Un vieux Turc décati.

« Il était plus frais quand il a joué avec l'Impératrice, dis, Nathalie ?

— Il y a des chances... Tout le monde vieillit,
les Turcs aussi.

— Maintenant il serait trop vilain pour jouer
avec une belle impératrice ? »

Michette voulait que Christo l'aidât à mettre les draps sur le divan.

« Passe de l'autre côté, tire bien... Ça a la tête farcie de bêtises... Une impératrice porte des chapeaux comme la vieille reine d'Angleterre, des perles autour d'un cou de poulet et une couronne qu'elle a arrachée avec les cheveux à quelqu'un... Donne-m'en un peu plus de mon côté, on n'est pas au milieu, ça pend... »

Christo n'allait pas discuter avec Michette. Sur les images, Catherine II ressemblait à Nathalie, elle était grasse, donc pas de cou de poulet, elle ne pouvait mettre sur sa tête en même temps un chapeau et une couronne, et de deux, et une impératrice ne se bagarre pas elle-même avec quelqu'un et ne lui arrache pas les cheveux. Bon, il n'allait pas discuter, il n'avait pas la tête à ça. Les oreillons de P'tit, ce déménagement... il était excité à en avoir du rose aux joues à travers le hâle des vacances qui tenait encore un peu. Mince et rapide comme un lézard, il se faufilait entre les meubles, les objets. En dehors de la Japonaise, il y avait quelques billards électriques en plus et aussi, à côté du Turc, un piano droit, avec une découpure en rectangle à la place du pupitre où, d'habitude, on appuie la musique... Dans le rectangle, un rouleau de papier perforé.

« On va t'avoir comme locataire, il paraît ?

Chic alors ! » C'était Luigi. « Viens que je te
montre comment marche le pianola, le juke-box
de notre jeunesse. Je dois le réparer; en attendant je vais te le faire marcher en lui passant
la main dans le dos. »

Un râle, long, profond, et le rouleau de papier
dans le rectangle bougea : des mains invisibles
se mirent à courir sur les touches, et la musique
éclata, s'inscrivant sur le clavier comme une
ligne d'écriture tapée sur une feuille de papier...
Les lignes longues et courtes, des exclamations,
des onomatopées. Les murs de briques nues ren-
voyaient les sons comme des balles de ping-pong,
elles vous martelaient le tympan avec, derrière,
ce râle ininterrompu, ce gargouillis... C'était un
morceau de bravoure, les gammes couraient d'un
bout à l'autre du clavier, des accords enfonçaient
les touches d'un seul coup, des trilles occupaient
une touche blanche et une noire... Michette
s'immobilisa, tenant à pleines mains l'oreiller
qu'elle s'apprêtait à enfoncer dans la taie. Nathalie, assise dans le rocking-chair éventré, se balançait en mesure. Luigi, devant sa table, feuilletait des papiers. Le pianola était faux et enroué,
mais Christo, fasciné, regardait le clavier sur lequel couraient des doigts invisibles. Puis le rouleau tourna plus lentement, les touches s'immo-
bilisèrent et le pianola se tut. Michette enfonça
l'oreiller dans la taie.

« C'est tout ce qu'il peut, le pauvre vieux... »
Luigi laissa ses papiers. « Je vais te faire
les honneurs d'un juke-box que je viens de
réparer. Si tu t'ennuies ici la nuit, tu le feras
marcher. Tiens, voilà un jeton, tu le mets là,
tu le récupères ici, et tu peux recommencer. »

Des flots de musique, toute une mer bleue et
or, inondèrent la cave et ses clairs-obscurs, les
paillettes du clown, le décolleté de la dame horizontale, le satin de la Japonaise nouvelle, la
glace de la jolie *Poudreuse,* une Mimi-Pinson à
sa fenêtre, des pierreries, des brocarts, les outils
métalliques sur la table de Luigi, le pic sous-
marin étroit et noir qu'était Michette, le bon
gnome, Luigi, les chairs ondoyantes de Nathalie... Dans les flots de toute cette eau immense,
Christo nageait, flottait, petit cheval marin, petit
hippocampe, semblable au cavalier du jeu
d'échecs que le vieux Turc gardait dans le tiroir
de son coffre. Le juke-box éteignit ses feux, la
musique s'arrêta. La fête était finie.

« Là-dessus, j'ai à faire... » Luigi se plongea
dans ses papiers.

« Amuse-toi sans parler à Luigi — Nathalie se
leva —, tu ne le dérangeras pas, même si tu fais
du bruit. Il a déjà oublié que tu existes... Maintenant que tu es installé, Michette va préparer
le déjeuner. Moi, je m'en vais rejoindre mon

Turc, je n'y ai pas touché pendant les vacances. A tout à l'heure, Christo... »

Nathalie ondoya vers la sortie, suivie de Michette, laissant Christo parmi les automates et les musiques, dans le dos d'un gnome très bon.

# X

*Jeux du sort*

Sɪ Christo n'était pas venu coucher dans la cave-
resserre-sous-sol de Luigi Petracci, il n'aurait pas
passé ses nuits seul, en compagnie d'automates,
de billards mécaniques, d'appareils à sous, de
juke-boxes, et de tout un matériel de bricolage :
tournevis, pinces, clefs anglaises, lampes, fils et
piles électriques, débris de verre, morceaux
d'étoffe, tôle, carton, ficelles, fil de fer, papier
d'or et d'argent, têtes de poupées avec et sans
perruques, pieds et mains, bras et jambes en
carton-pâte, en porcelaine... Seul entre quatre
murs... Il n'avait encore jamais été seul, ni de
jour, ni de nuit. Il couchait avec P'tit et Mignonne, dans la même pièce, Mignonne derrière
un paravent. Et le voilà seul, avec toute cette
place, et tout ce silence... Profond, grand, téné-
breux même de jour, rien que ces quarts de

fenêtres au ras du trottoir, avec la nuit le sous-
sol perdait ses limites. Paillettes, tarlatanes,
satins, se mettaient à briller d'un éclat théâtral,
clowns, musiciennes, danseuses, polichinelles,
singes, oiseaux, prenaient des poses spectaculai-
res... Christo n'avait pas peur, ce n'étaient que
des poupées, aussi sottes que celle de Mignonne,
des hommes adroits leur avaient fait faire quelques mouvements, qu'elles répétaient sans se las-
ser. Christo remontait des ressorts, mettait la
prise des automates électriques, mais la répétition des mêmes gestes, le sourire, le regard,
l'illusion figée, le mettaient vite dans un état
d'étrange exaspération. Les premiers jours qu'il
habitait chez Nathalie, il était très pâle et
nerveux.

« Tu t'amuses trop avec les automates, devina
Nathalie, infaillible, je parie que tu les fais
marcher toute la nuit.

— Un peu... reconnut Christo. Ils m'agacent.

— Alors n'y touche pas, nigaud... » dit Luigi,
vexé.

C'est quand Luigi se mit à réparer devant
lui la ronde des danseuses, pas plus grandes
qu'une petite main, que tout le reste s'évanouit
pour Christo. A partir de ces petites danseuses
qui tournaient sur elles-mêmes dans un sens et
puis dans l'autre au son d'une musiquette fine,
toujours comme sur le point de s'arrêter, il avait

mis la main dans l'engrenage. Tout le reste
n'existait plus, plus rien que ces cames et ressorts, la façon dont tout cela s'enclenchait, s'en-
traînait, projetait, tournait, avançait, reculait,
faisait basculer... Deux danseuses, sur les six,
défaillaient, reprenaient mal... Luigi, devant la
table, vérifiait le mécanisme, cherchait les pièces
usées, rouillées, en ajustait d'autres qu'il trouvait dans le fouillis sur l'établi, limait, graissait,
revissait, retendait... Les heures filaient, plus
courtes que de petites secondes. Lorsque toutes
les danseuses se mirent à tourner d'un seul élan
modéré, et que la musique reprit sans lâcher
une note, Christo se retrouva sur son tabouret.

« Demain, on va les brosser et leur donner
un coup de peinture... T'as une drôle de tête !
Ça va ? Mais il est huit heures ! Tu n'as pas
goûté, ça doit être ça... »

Ni l'un ni l'autre n'avaient remarqué Michette
qui s'était par deux fois présentée à la porte de
la cave.

Il vivait dans ce royaume du bricolage, tantôt à regarder faire Luigi, tantôt à jouer tout
seul, à combiner, à construire quelque chose...
Parfois il demandait conseil à Luigi, l'écoutait,
tendu, emporté ailleurs comme par un livre de
suspense, oubliant sa propre existence, ne sen-
tant plus son corps. Il n'imposait pas sa présence
à Luigi, devinait quand celui-ci voulait travail-

ler seul, et s'était organisé dans la cave un coin à lui sur une des tables de jardin. Il ne compliquait pas plus la vie de Michette, faisait lui-même son lit, mettait la table, allait faire un tour aux ateliers Petracci dans la cour du 34, et venait chez Nathalie comme avant, en visite, tant que les invités n'avaient pas encore envahi la salle à manger. Sa mère téléphonait tous les jours, et tous les jours elle s'arrêtait devant la boutique, à un moment ou à un autre, envoyait à Christo des baisers et des sourires à travers la vitre. Souvent, elle tenait en laisse les deux caniches qui gémissaient et aboyaient et tiraient sur leur laisse. Mme Loisel mère venait, elle aussi, dire un petit bonjour de derrière la vitre, mais de voir son petit-fils sans l'entendre, sans pouvoir l'embrasser, la mettait sens dessus dessous. Elle sortait un mouchoir et s'éloignait rapidement. M. Loisel arrivait avec sa 2 CV, tôt le matin, klaxonnait, faisait bonjour, bonjour avec la main, et filait.

Après quoi Luigi renvoyait Christo de la boutique. Les clients qui y venaient aimaient s'expliquer dans le privé, et Luigi lui-même ne tenait pas à ce que Christo lui posât des questions. Les exploitants des jeux automatiques ne sont pas toujours... Déjà Christo avait exprimé son point de vue sur les jeux de hasard : il devait bien y avoir moyen de calculer *tous* les hasards...

et gagner à coup sûr. Luigi avait coupé court : le hasard est incalculable et ne t'y frotte pas. D'ailleurs les appareils à sous et autres jeux de hasard automatiques sont interdits en France, mets-toi bien ça en tête. Maintenant il n'y a plus que des jeux d'adresse, comme les billards électriques... Et puis, parlons d'autre chose, veux-tu... Pourquoi mon client porte une chemise rose ? Je n'en sais rien ! Je n'ai pas remarqué sa bague. Ni qu'il avait une sale tête. Et puis, parlons d'autre chose, hein... Va où tu veux, mais ne traîne pas dans la boutique ! Oui, tu peux aller aux ateliers.

C'était là une faveur spéciale, à cause des circonstances particulières dans lesquelles il se trouvait. Christo montait l'escalier branlant qui prenait dans la cour pavée du 32 et menait directement dans le premier atelier, le plus grand, où il y avait les machines. Les ouvriers lui souriaient; Christo les connaissait de vue, mais ici, devant les machines, ils n'avaient plus la même tête. La première fois que Christo y était allé, André, un petit vieux, lui avait présenté les machines. Parmi les tours, soudeuses électriques, perceuses à forets de différentes grosseurs, scies sauteuses pour découper le bois, Christo avait ditingué seulement la cisaille : c'était comme un œil mi-clos qui le suivait de son regard as-

sassin à travers l'atelier innocent. « Tu parles
de ciseaux à ongles... » avait dit Christo en mettant ses mains derrière le dos, et André avait
hoché la tête : « N'y touche pas, hein ! » Et,
ensuite, à chaque fois que Christo passait par
le grand atelier, et que ses yeux rencontraient le
regard cerné de noir, cet œil oriental maquillé
de kohl, il baissait les paupières. En action, la
cisaille s'écarquillait jusqu'à ne plus ressembler
à un œil, et se contentait de couper les bandes
métalliques qu'on lui présentait.

Puis André, qui avait mené Christo auprès
d'un jeune ouvrier, dit : « Je te laisse avec Marcel, petit, il t'expliquera ses cames... » et s'en
était retourné à la cisaille. Christo, à côté de
Marcel, avait attendu, mais Marcel n'expliquait
rien. Il était penché sur un petit bonhomme tout
nu, du crâne rond sans perruque jusqu'aux jambes articulées, posé sur un socle contenant une
mécanique. Des fils métalliques reliaient les
membres du petit bonhomme nu à des pièces
dans le socle. Enfin, Christo n'y tint plus :

« Qu'est-ce que c'est ? Comment ça marche ?

— L'arbre à cames », dit Marcel, désignant
dans l'intérieur du socle un axe métallique sur
lequel étaient enfilées des pièces à découpes irré-
gulières, et il brancha l'automate : l'arbre à
cames se mit à tourner, et le petit bonhomme
plia un bras, le leva, tourna la tête à droite, la

tourna à gauche... Il faisait des gestes étonnamment humains, imités presque à la perfection.

« Comment ça marche ? » Christo était béat.

« Une came par mouvement... transmis par le fil aux membres de l'automate. Les découpes d'une came décident du mouvement et du temps qu'il prendra. Moi, je décide des découpes.

— Et les fils ? On les voit !

— Il sera habillé, bêta ! C'est un berger. »

Marcel avait un style télégraphique, pas bien explicite non plus, mais il n'était pas intimidant, jeune. C'était lui qui l'avait ensuite guidé à travers un local plus petit où se trouvait l'atelier d'outillage. Pointant son doigt, il disait sans s'arrêter : « Tour... perceuse... étau-limeur... Comme si Christo pouvait y comprendre quelque chose. De là, il l'avait fait entrer dans un couloir biscornu, où les planches jouaient sous les pieds et les murs, autrefois blanchis à la chaux, craquelés, étaient entièrement couverts de ferrailles, de franges, de glands de ferrailles. « Musée historique », avait dit Marcel, et il avait décroché d'un clou une grosse bague en fil de fer dans laquelle étaient, comme des clefs, passés des bouts de fer : « Entrailles d'automate, avait-il dit, il y a ici un exemplaire de la mécanique de chaque automate jamais fabriqué par la Maison Petracci. » Et il avait remis le gland de ferrailles à son clou.

Ce couloir menait à une pièce noire, mal éclairée : « Le cartonnage, avait annoncé Marcel, je te laisse, reviens me voir. J'ai un cagibi à moi, dans la cour, sous l'escalier.

— Alors, comme ça, tu t'instruis ? » L'homme du cartonnage était bougon. « Eh bien, tu n'apprendras rien de propre avec moi... Les Américains font en deux temps trois mouvements, là où moi je mets des heures. Je prends du papier maculé, je le colle feuille à feuille à l'intérieur du moule en plâtre... Un moulage fait d'après un modèle de Mme Petracci... Feuille à feuille, jusqu'à ce que cela devienne le corps du chien, en carton... Les Américains versent dans le moule une matière et la laissent durcir. Des cartonnages à la main ! quand les autres, là-bas, en deux temps trois mouvements !... Ah ! les cochons ! Impossible de savoir ce que c'est... Une sorte de caoutchouc... M. Luigi n'arrive pas à se renseigner, et pourtant il est malin. Passe par cette porte, fiston, c'est l'atelier de l'habillement. Les femmes te montreront la sortie quand tu en auras assez... »

A l'atelier de l'habillement, il n'y eut dès le premier jour pour Christo que sourires et gâteries, il aimait bien y aller. La grande Marie était la plus gentille, et il se mettait de préférence à côté d'elle. Un atelier encombré comme un débarras. Les plâtras tenaient mal au plafond,

découvrant de grosses poutres marron, les vitres
des fenêtres étaient si sales qu'on n'aurait pas
eu besoin de rideaux. Tout y était boiteux, les
tabourets, les chaises avec leurs sièges percés,
et jusqu'à l'une des ouvrières, la plus jeune des
cinq, Célie — la boiteuse, qui avait toujours
une chatterie pour Christo. Ne tenait bon que
la table, presque aussi grande que la pièce,
solide, lourde, épaisse, large. Les ouvrières
étaient assises autour de cette table, jonchée de
squelettes de jouets montrant leur mécanisme,
de poupées déshabillées, oursons et chats écor-
chés. Des bouts d'étoffe, des peaux de lapin
traînaient parmi les jouets ; au milieu, sur un
réchaud allumé, chauffait la colle forte. Les
murs disparaissaient sous des paquets de calibres,
d'après lesquels les ouvrières découpaient les
vêtements des jouets, taillés comme des vêtements d'hommes. On y avait aussi épinglé des
photos de stars de cinéma, et des reproductions
de tableaux de maître, échoués ici Dieu sait
comment. Les ouvrières mettaient aux oursons,
lapins, chats, des manches, des jambes de pantalon en fourrure, leur habillaient le ventre, cou-
saient le tout ensemble et branchaient ensuite
chaque jouet sur la prise au milieu de la table :
en les habillant on a vite fait de gêner le mécanisme, c'est délicat, ce travail. Les petits jouets
tout habillés, prêts à livrer, étaient rangés sur

des rayons : les gros, sur le plancher aux planches disjointes. Parfois l'on exécutait une très
grosse pièce, unique, comme cet éléphant de la
taille de Christo. Christo ne le vit que lorsqu'on
avait fini de le patiner et qu'il séchait par terre,
à côté de l'atelier d'habillage. Quand l'éléphant
levait sa trompe, un mince jet d'eau en sortait,
visant le lièvre qui lui faisait face et qui aussitôt ouvrait un parapluie ! Christo en riait comme si on le chatouillait, et quand il riait, c'était
tout à fait sa mère. L'éléphant avec son jet
d'eau et le lièvre à parapluie furent rapidement
envoyés à qui de droit, Christo n'eut pas le temps
de s'en fatiguer. Sans quoi cela aurait été comme d'habitude : quand il voyait un nouvel automate, il commençait par rire et par s'amuser,
mais, devant les gestes inlassablement répétés,
vite il s'énervait et devenait insupportable. Depuis que Luigi lui avait abandonné quelques
jouets mécaniques et que Christo les démon-
tait, les remontait, il était plus calme : de savoir
ce qu'ils avaient dans le ventre et comment ils
marchaient semblait le rendre indulgent pour
ces pauvres imbéciles qui recommençaient sans
fin le même truc. Le mécanicien qui avait su
combiner le mécanisme de ces gestes était malin
et le respect pour le mécanicien faisait oublier
à Christo les gestes dérisoires des automates.

# XI

*Genèse*

En dehors de Luigi, la plus haute autorité dans
le domaine de la mécanique, Christo admirait
Marcel, le jeune ouvrier qui l'avait invité à
venir le voir dans son cagibi, sous l'escalier de
bois, dans la cour. Luigi avait abandonné le
cagibi à Marcel pour ses travaux personnels,
trouvant, tout comme Christo, qu'il avait des
qualités exceptionnelles. Christo y allait tous les
jours. Marcel expliquait moins bien que Luigi,
certaines choses lui semblaient tant aller d'elles-
mêmes que Christo n'arrivait même pas à lui
faire comprendre ce que lui, Christo, ne comprenait pas. Marcel inventait des amusettes qu'il
allait vendre pour son propre compte sur les
Boulevards. Comment s'y prenait-il pour faire
du baratin, lui qui ne disait pas un mot pendant des heures, autant dire un muet, même

qu'on l'avait surnommé Marcel-le-Grand-Muet.
Quand ils étaient ensemble, Christo, bavard de
naissance comme sa mère, parlait encore plus
que d'habitude, pendant que Marcel se contentait de faire grimper un petit pompier le long
d'un fil : il suffisait pour cela de tirer d'une
main, à petits coups, sur l'anneau en bas de la
ficelle que l'on tenait à la verticale de l'autre
main; à chaque petit coup, le pompier faisait
un petit bond sur la ficelle. A force de voir Marcel monter des douzaines de petits pompiers,
Christo avait fini par apprendre à passer la ficelle
dans les trous des pieds et des mains du jouet
découpé dans du métal léger, mais il ne savait
toujours pas pourquoi le pompier voulait bien
grimper. Certaines des astuces de Marcel étaient
si simples qu'il ne vous restait qu'à vous excla-
mer : « Bien sûr ! Il suffisait d'y penser ! » D'autres étaient plus compliquées, et Marcel n'expliquait rien du tout, il disait : « Défais et regarde... » Et puis : « Refais et regarde... »

Marcel sortait du régiment, et avait tout du
gars du village qu'on aurait lâché en plein Paris
sans préambule. Mais, en réalité, Paris n'avait
pas de secret pour ce fils de Montmartre. Marcel
était, bien malgré lui, trompeur, ainsi son grand
corps semblait avachi, mou, quand c'était la
gloire d'une équipe de football. Et Luigi, qui
avait appris à le connaître, aimait bien l'avoir

à côté de lui quand il s'agissait de traiter une affaire, de signer des papiers : Marcel détectait les combines adverses avec une justesse infaillible. C'était aussi un excellent joueur d'échecs, et ce fut avec lui que Christo joua ses premières parties.

Après tout, les silences de Marcel-le-Grand-Muet étaient aussi profitables à Christo que les explications de Luigi. A force de démonter et de monter les petits pompiers qu'il emportait dans son sous-sol, de trembler d'impatience et de se casser la tête, il avait fini par piger. Un jour mémorable, celui où il apporta à Marcel le petit pompier en pièces détachées et qu'il le remonta et le fit grimper à la ficelle devant lui. Marcel le gratifia d'un sourire — peut-être est-ce par un sourire comme celui-là qu'il remplaçait le baratin de camelot ? — et dit : « Bien. » Ce qui déclencha chez Christo un tel mouvement de sympathie envers Marcel, qu'il se décida à lui confier le plus secret de ses rêves bien que leur amitié datât d'à peine trois semaines :

« Si je savais y faire, Marcel, je ferais un automate qui répéterait la même chose pour quelque chose. »

Marcel attendit un moment la suite, puis dit :

« Ce n'est pas clair.

— Mais si... Il répéterait la même chose pour dire quelque chose...

— Quoi ? « Buvez de l'eau Charrier » ?

— Non, hurla Christo, et d'impatience il essaya de courir dans le cagibi où il était impossible de seulement se mouvoir. Tu ne comprends pas ! c'est énervant ! Quelque chose de bon, de beau... »

Il se percha sur le haut tabouret de Marcel et, soudain tout rouge, dit rapidement :

« Un tableau que je ferais... Très beau... Comme celui de Luigi, dans la cave, encore beaucoup plus beau... Tu connais, son tableau avec une vraie horloge dans le clocher de l'église ? Moi, je ferais un tableau où il n'y aurait pas que l'horloge qui marcherait... »

Marcel réfléchit un moment, puis dit :

« Ce n'est pas clair. »

Christo souffrait :

« Quand toi, tu n'expliques rien du tout, je ne te dis pas : ce n'est pas clair ! Je me donne du mal ! J'essaye de comprendre !

— Il n'y a encore rien à comprendre.

— Si ! Par exemple, on ferait Nathalie...

— Aha... fit Marcel.

— ...avec son monde autour... Et Nathalie donnerait à manger à tout le monde. C'est pas beau ?

— Si.

— On aurait peint tout le monde, et il y aurait le bras de Nathalie sortant du tableau qui bougerait pour distribuer la nourriture...

— C'est pas plus riche que l'horloge du clocher.

— Oui... » Christo était démonté. « Alors,
qu'est-ce que tu proposes ?

— Rien.

— Alors ça ne te plaît pas ? Tu ne veux pas
faire un tableau vivant avec moi ?

— Si. Je ne savais pas que je devais le faire
avec toi, mais je veux bien.

— Oh ! »

Marcel sortit d'un tiroir un grand carton blanc
et le posa sur le bureau-pupitre qui avait échoué
dans le cagibi :

« Dessine comment tu vois les choses.

— C'est trop haut... »

Marcel poussa devant le pupitre un tabouret
comme celui d'un bar, Christo y grimpa, et le
silence s'installa sous l'escalier de bois. Tous les
deux travaillaient.

Quand Christo tendit son dessin à Marcel,
celui-ci, après un coup d'œil, dit :

« Si je savais jouer du piano, ce que je joue-
rais bien. »

Une de ces ellipses propres à Marcel, que
Christo devait déchiffrer ! Néanmoins, Marcel,
cette fois-ci, s'expliqua :

« Si tu savais dessiner, tu dessinerais tellement mieux que ceux qui savent dessiner. Ne

t'en fais pas. On y arrivera. Ne te presse pas. Dessine tous les jours que le bon Dieu fait. Penses-y. On fera cadeau à Nathalie d'un tableau mécanique pour son anniversaire, l'année prochaine. Ou dans deux ans. Ou dans trois. »

## XII

*Pour qu'un jour
tu te rappelles*

DANS ces conditions, les journées de Christo
étaient surchargées. Entre les heures passées
aux ateliers et celles à la cave où il dormait,
entre les coups de main à Michette et les visites à Nathalie, quand arrivait l'heure du dîner,
il était au bout de son rouleau.

Ce soir, ils étaient seuls, et Nathalie s'assit à
la table ovale avec Luigi et Christo. Christo
s'abattit sur sa chaise, il n'en pouvait plus.

« Et alors ? s'enquit Nathalie, ça ne va pas ?

— J'ai trop à faire, je n'y arrive pas...

— Ne t'excite pas, conseilla Luigi, tu vois,
moi, je ne m'excite pas... On gagne du temps à
ne pas s'exciter. »

Nathalie versait la soupe.

« Je peux pas... avoua Christo. Je veux aller vite, à peine je commence que je voudrais voir comment c'est quand c'est fini. »

Luigi trempait son pain dans la soupe :

« Je connais ça. Il y a des gens, ils voudraient que ça soit fini avant d'avoir commencé. C'est pas un système. Il faut se délecter tout au long de ce qu'on fait...

— Tu te délectes, toi ? » Christo resta un moment la cuillère en l'air, puis se remit à manger. « Je me délecte... » chantonnait-il.

Luigi hochait la tête :

« Regarde seulement comment tu manges ! Tu dévores ! Tu as déjà fini quand j'ai à peine commencé. Moi, je fais durer le plaisir. Je suis dans le vrai.

— Non ! cria Christo, Nathalie me donnera une deuxième assiette de soupe ! »

Nathalie versa à Christo une deuxième assiette de soupe.

« Ça se défend... » Nathalie mangeait sa troisième assiettée. « Ce n'est pas mal non plus d'être pressé dans la vie.

— Pas dans notre métier... Quand je dis notre, je veux dire celui de Christo et le mien... Dans notre métier, il faut de la patience d'horloger. Nous sommes des horlogers. Le premier truc que j'ai fait quand j'étais môme était une lune montée sur un mouvement d'horlogerie, elle hochait la tête... » Luigi ramassa sa serviette et se l'attacha autour du cou, — ce n'était pas mal pour un gosse, mais pas plus malin qu'un métronome. Un automate, voilà qui est plus intéressant. Tu prends un mouvement d'un être vivant, d'un chien, ou d'un homme, tu le décomposes et tu le reconstitues par petits bouts... Pour chaque bout, une came, et le passage d'une came à l'autre, sans heurts. Un constructeur d'automate doit savoir observer la vie comme un peintre, comme un poète. Quand j'ai fait mon célèbre *Rigolo,* celui qui se tord parce qu'il n'a plus de cors aux pieds, eh bien, je suis resté des journées entières à me tordre devant une glace... Comme ça... »

Luigi posa sa cuillère, repoussa la chaise et se mit à rire silencieusement, faisant tressauter son ventre, ses épaules, et tournant la tête à droite et à gauche, la rejetant en arrière... Quand ils eurent fini de rire, Luigi se remit à sa soupe.

Michette passa la tête dans la porte :

« On ne s'ennuie pas, dit-elle, réprobatrice, en attendant mes pommes-allumettes mollissent, je vous préviens... »

Elle apporta le roastbeef, pommes-allumettes.

« M-m-m ! fit Christo, c'est bon !

— Ne t'étrangle pas, vas-y doucement. » Luigi découpait sa viande, minutieusement. « C'est trop bon pour s'étrangler avec. Mais quand c'est un androïde, un automate à forme humaine...

quand c'est un androïde, c'est facile pour le modèle, on est là. Voilà qu'on vient me demander de faire un scorpion ! Qui fasse illusion. Pour un film. Parce qu'on ne peut pas faire tourner un vrai scorpion. Tu imagines ! Il m'a fallu aller au Muséum et étudier le scorpion. Notre métier demande des connaissances, de la patience, de l'astuce...

— Et de la passion », ajouta Nathalie. Elle ramassait délicatement, avec les doigts, des pommes-allumettes et se les envoyait aussi délicatement dans le bec. Christo, les coudes sur la table, contemplait Nathalie, oubliant de manger, oubliant les bonnes manières. Nathalie en resta une allumette en l'air :

« Qu'est-ce que tu as, Christo ?

— Je t'ai vue en automate... » Christo enleva précipitamment ses coudes de la table et déclama : « Pour friture et pâtisserie la graisse végétale Vita est la meilleure ! »

— Tu commences à avoir l'œil ! dit Luigi, on fera quelque chose de toi ! Je vais te confier un grand secret, Christo. Retiens dès aujourd'hui ce que je vais te dire... Je suis sur le problème d'un bras artificiel, d'une prothèse cybernétique. L'idée m'est venue à partir des recherches faites pour les avions extra-rapides où le réflexe du pilote doit être simultané et non consécutif à la pensée. Un geste-réflexe déclenché une secon-

de *après* la pensée peut être d'une lenteur fatale,
vu la vitesse d'un avion ou d'une fusée. La pensée doit déclencher ce qui a à être déclenché,
directement, sans passer par exemple par la
main... Disons, il y a une manette à tirer : il
faut faire de la sorte que la manette *réponde*
au cerveau, sans l'intervention de la main. A
partir de là, si on croit pouvoir obtenir un
commandement direct du cerveau, pourquoi le
cerveau ne dirigerait-il pas aussi bien un bras
artificiel qu'une manette ? Il s'agit d'assurer la
réceptivité de la prothèse à certains courants
électriques produits par le cerveau. Je te dis tout
ça pour qu'un jour tu te rappelles comment
quand tu étais un petit garçon, je t'ai parlé d'une
chose folle... Nathalie disait tout à l'heure que
notre métier demandait de la passion, et c'est
vrai. Sans quoi j'aurais abandonné. »

Luigi but de grandes gorgées de vin rouge :

« Il se peut, continua-t-il sans allumer la cigarette qu'il avait sortie d'un paquet, il se peut que
nous nous laissions gagner de vitesse par les
chirurgiens... Ils vont peut-être trouver le moyen
de greffer le bras d'un cadavre à leur amputé.
Pour te dire toute ma pensée, je crois même que
le bras artificiel a vécu, et que les amputés de
cette génération, ceux qui ont, disons, trente
ans aujourd'hui, sont les derniers à porter des
prothèses : à la génération suivante, les mutilés

auront des bras et des jambes greffées à leurs moignons. »

Christo en oublia de manger :

« Comment on en trouvera des pareils ? On aura un bras comme ci et un comme ça ? Un bras à moi et un autre à Nathalie ?

— Tu es d'un difficile ! Ça serait déjà trop beau. Aujourd'hui, une amputation de la main ou même du bras au-dessus du coude ça s'appareille. Un homme est diminué de 5% ou même, disons de 15, c'est selon... Il s'habille, mange tout seul, il peut faire toute sorte de travaux. Ne crois pas qu'il perde 50%. Mais quelqu'un qui a perdu les deux bras jusqu'à l'épaule est un homme mort... Aucune prothèse artificielle ne lui tiendrait au corps. En ce cas-là, la greffe est le seul espoir. Qu'on lui greffe quelque chose, même sans mains, quelque chose, tu comprends... Une sorte de bras de chaque côté, des rallonges, parce qu'entre deux rallonges il peut déjà tenir un objet, tu comprends... »

Christo grinçait de la fourchette sur l'assiette :

« J'aime pas ça... » dit-il sans lever les yeux.

Luigi se sentit coupable, et vite il enchaîna :

« On cherche. Tous. C'est comme ça : on va de plus en plus loin dans une direction, et puis, toc ! on bifurque : on perfectionne une lampe à pétrole, elle éclaire de mieux en mieux, et puis, stop ! fini, au musée ! On a bifurqué, inventé *autre chose :* l'ampoule électrique ! Il y a eu des automates actionnés par l'eau, le sable, les ressorts, les contrepoids... et toc ! il y a le moteur électrique, et l'électro-aimant... et toc ! il y a l'électronique, la photo-cellule. Depuis toujours les mages et les mécaniciens ont essayé d'imiter la voix humaine, on en a construit des têtes parlantes !... et toc ! on invente le disque, le magnétophone... L'homme ira de plus en plus loin dans la création artificielle à sa semblance, il donnera cette preuve de sa puissance. »

Michette passait la tête dans la porte :

« Luigi, on te demande à la boutique... »

Luigi alluma sa cigarette :

« La suite au prochain numéro... Je suis en retard. »

Il sortit précipitamment. Christo, songeur, poussait du doigt la pêche cuite, rebelle et glissante, dans sa cuillère.

« Christo ! réveille-toi !... Vous le rendrez à ses parents un peu toqué... » Michette desservait, apportait la cafetière. « On n'a pas idée de bourrer le crâne à un enfant de cet âge...

— C'est vrai... » Christo était de l'avis de Michette. « Déjà papa ne voulait pas m'expliquer comment ça marche, la radio et la télévision. Mais c'est parce qu'il n'en sait trop rien lui-même. Il connaît juste ses appareils à lui... Il y a quelqu'un qui sait tout, dis, Nathalie ?

M. Mercier en sait un bout... c'est un copain à papa, il travaille à la Recherche. Je voudrais tout savoir, moi... Dans dix ans, je viendrai aider Luigi pour le bras artificiel.

— Il faudra te dépêcher. Pense aux accidentés... à la guerre... »

Christo n'avait pas songé à ce côté de la question. Il poussa un oh ! désespéré. Il y avait des gens qui attendaient ces prothèses, et lui il faisait encore des fautes d'orthographe, ne savait pas accorder les participes... Il était sur le point d'annoncer à Nathalie qu'il abandonnait, mais se ravisa. Après tout, il n'avait que dix ans... Mais le temps, depuis qu'il était chez Nathalie, filait avec une vitesse de fusée. Il ne lui restait plus que quelques jours à passer chez elle.

# XIII

*Le secret
de leur cœur*

NATHALIE était pressée, le grouillot allait venir.
Elle avait perdu du temps avec cette Afat... Oui,
Béatrice de Cavaillac, que Lebrun lui avait un
jour amenée. Etrange... Pourquoi fallait-il qu'elle
vienne lui demander, à elle, d'entre tous les gens
qu'elle connaissait, aide, conseil et assistance
dans ses affaires amoureuses ! A elle, qui depuis
longtemps avait cessé d'être une femme, rien
qu'une masse de chair, quand, en réalité, Nathalie n'avait que quelque quarante-cinq ans...
A treize ans son premier amour, à quinze ans
son premier amant, à dix-huit elle était mariée,
à vingt divorcée, et son ex-mari partait pour les
Etats-Unis et emmenait avec lui la petite. En
1940, il y avait six ans qu'elle vivait seule. A la
voir, aujourd'hui, rien n'était plus difficile à

imaginer que son passé bourré d'hommes. Il est
vrai que lorsque ce passé était encore le présent,
on n'aurait pas plus pu imaginer le nombre
d'hommes qui avaient traversé la vie de Nathalie. Elle n'avait rien d'une coucheuse, elle n'en
avait pas le faciès comme disait son mari. En
1942, la guerre et l'occupation l'avaient menée
en prison, dans un camp; à la fin de 1960, elle
était depuis quinze ans Mme Petracci.

Maintenant la voilà obèse et peut-être bien
sereine. Mais elle pouvait tromper tout le monde,
sauf Luigi. Luigi savait. Ils étaient liés au plus
profond, dans le secret de leur cœur. Le bonheur a mille visages, il peut visiter les vieillards,
les estropiés, les monstres, les obèses. Il faut
savoir le reconnaître... D'ailleurs, qu'est-ce que
le bonheur ? Cherchez dans votre vie, ce ne sont
jamais que de courts instants, des éclairs... Un
revoir, une réussite, un mal disparu... C'est une
explosion, un instantané un plat parfois longuement cuisiné et vite mangé, jamais un long sentiment continu. Le bonheur est relatif, il est
par rapport à...

Nathalie prêta une oreille attentive aux histoires de Béatrice. Puisque Michette avait
ouvert, cette sotte, et que Nathalie se trouvait
coincée, autant écouter l'intruse... Béatrice n'en
demandait pas plus. Après tout, il y a de l'humain dans chaque être, chacun a son talon

d'Achille. Cette Afat couchait avec un Russe,
faut croire qu'un Russe, c'est compliqué. La
belle Béatrice, à peine fardée, les yeux rougis...
Elle était venue parce qu'elle était sûre que
Mme Petracci la comprendrait. Il y a des êtres
qui vous gênent, et d'autres auprès desquels
vous avez le droit d'être malheureux, roulé,
trahi, malade, bête, sale... Vassili disait qu'en
Occident on n'aimait pas se distinguer... On
cache ses excentricités, on préfère encore avoir
une double vie. Les excentricités de Montparnasse autrefois, de Saint-Germain-des-Prés aujour-
d'hui, sont artificielles. Les Russes sont naturellement excentriques et par là stupéfiants pour
les Occidentaux. Quand, en réalité, il y a parmi les Français autant de phénomènes que parmi les Russes... Mais ils se cachent, ils se cachent,
ils font semblant d'être comme tout le monde.
Vassili disait qu'on n'a qu'à lire Simenon :
il y a autant d'insolite dans la banalité que dans
l'exceptionnel... La banalité d'un petit fonction-
naire de la P. J. n'est qu'apparente, il est banal
pour ainsi dire par fonction, mais il suffit de
gratter un peu pour trouver l'insolite de la
banalité. Il n'y a pas de personnages épisodi-
ques secondaires, dans la vie, qui joueraient les
« utilités »... Vassili faisait le métier de chauffeur de taxi, mais il n'était ni épisodique, ni
secondaire. Cultivé, beau, malgré son âge, inso-

l'ite... Qu'allait-elle devenir, Béatrice ? Se marier
avec Vassili ? Mais il était marié, père et grand-
père... Que Nathalie lui permette un jour de le
lui amener. Enfin, elle se décida à partir.

Nathalie allait appeler Michette pour ouvrir
la fenêtre... Le parfum de Béatrice était trop
violent, on ne se parfume pas aussi fortement,
si ce n'est pour couvrir une mauvaise odeur.
Puis elle songea que ce serait indiscret par rapport à Béatrice, elle eut le sentiment qu'elle
lui devait le secret, et se leva pour ouvrir la
fenêtre elle-même.

Elle travailla tranquille jusqu'à l'heure du
dîner. Après le passage du grouillot, Michette
avait reçu l'ordre de ne plus répondre aux coups
de sonnette côté *Draculus*. A huit heures, Christo
arriva pour mettre le couvert. Il ne voulait
jamais laisser faire Michette. Comme ça, ça ne
le changeait pas de la maison : à la maison il
fallait que tout le monde s'y mette. Papa ne
voulait pas vivre dans une écurie, et comme on
était à l'étroit, si on ne faisait pas attention, ça
devenait tout de suite une écurie. Maman était
soigneuse, soigneuse, elle disait, quand on est
coquette on est soigneuse, toutes les femmes de
la maison étaient coquettes, mémé la première...
Il paraît qu'on n'a jamais vu une pareille jeunesse...

« C'est vrai, dit Luigi, comme Christo repre-

nait son souffle, je la vois passer... **Pas un cheveu blanc...** Et bien droite.

— C'est sa mentalité qui est vieille. »

Nathalie et Luigi s'abstinrent de sourire.

« Papa dit ça tout le temps. Qu'est-ce que
c'est, mentalité ?

— Une façon de penser, une structure de l'esprit...

— Une structure de l'esprit ? Un mécanisme... »

Christo partit dans ses pensées... Ce fut le
mot « communiste » qui le tira de ses rêveries.

« Mon papa est communiste... Nous autres,
on ne s'intéresse pas à la politique. Il n'y a que
papa et P'tit qui s'occupent de politique...

— P'tit s'occupe de politique ?

— P'tit est encore trop petit... mais il s'intéresse. Avant les vacances, quand il y avait la
grève à la radio, il est rentré, et il a dit : « La
maîtresse est communiste. » Papa était à la
maison, puisqu'il y avait grève, et il a demandé
à P'tit : « Et comment le sais-tu ? » P'tit s'est
expliqué : il n'y avait que la maîtresse qui n'est
pas venue ce jour-là... Parce que le premier jour
de la grève à la radio, papa a dit, je ne voudrais
pas qu'il n'y ait que les communistes qui ne
viennent pas... Mais personne n'est venu. Alors
l'histoire de P'tit est idiote. Il n'y comprend
rien. Mais il s'intéresse...

— Et les autres, pas ?...

— Olivier parle politique tout le temps, mais c'est pour embêter papa et maman. Pour dire le contraire d'eux. C'est une sale bête, Olivier.

— Christo ! »

Christo se tut. On était au fromage quand il dit :

« On mange bien mieux ici qu'à la maison... Pourquoi est-ce que je ne dois pas dire qu'Olivier est une sale bête ?

— C'est ton frère.

— Et alors ? »

Nathalie passa son petit peigne dans ses bandeaux :

« En principe, une famille ça se tient, ça s'entraide, ça s'aime... Pourquoi est-ce que ta mère est allée tout droit embêter l'oncle Ferdinand ? Parce que c'est votre oncle.

— Il y a du vrai là-dedans... dit Christo. Moi, j'aime maman... mais si j'avais une maman comme Jean-Pierre, je ne l'aurais pas aimée; et j'ai un papa comme personne, alors évidemment... Mais, si on a un frère comme Olivier, une sale... vous savez... alors, pourquoi je l'aimerais ?

— Tu peux aussi te tromper... Et même si, par hasard, tu avais raison, Olivier est jeune, il changera.

— Je l'aimerai quand il aura changé.

— Tu veux une pomme ou une orange ? Ou peut-être les deux ?

— Les deux... C'est pas trop ? Maman m'a bien recommandé de ne pas goinfrer. »

Christo s'installa avec son Jules Verne qu'il connaissait par cœur dans un fauteuil, mais s'y endormit aussitôt. Luigi le prit dans ses bras pour le porter sur son divan. Il était si léger que ça faisait peur.

# XIV

*La fleur*

La voix de Denise Loisel au téléphone était
étrange... le nez bouché, un rhume, des larmes...
   « Comment va Christo ?... Mme Petracci, il
nous arrive tant de choses à la fois. Juste comme
les enfants devaient rentrer... P'tit a la coqueluche !... Oui ! Je ne comprends pas où il a pu
l'attraper puisqu'il ne sort pas... Vous me gardez
Christo ? Que Dieu vous bénisse... Et puis... j'ai
une autre chose à vous dire... Je suis enrhumée,
oui... Nathalie ! Olivier a disparu ! Depuis trois
jours et trois nuits... Je suis à moitié folle d'inquiétude ! Je ne sais pas si je dois prévenir la
police... Son père dit, une fugue, il reviendra
bien gentiment... mais si vous voyiez la tête qu'il
fait, René ! Une fugue ! Même si ce n'était
qu'une fugue... Olivier est un enfant, il a pu se
laisser entraîner par n'importe qui, tomber dans
n'importe quel panneau... »

« Ah ! mon Dieu ! » disait Nathalie, et elle ne
trouvait rien d'autre à dire, parce qu'elle ne pensait rien d'autre, qu'ah, mon Dieu...

« On a fait le tour de ses camarades, personne ne sait rien ou alors ils mentent... ça se
tient, ces gamins, ils ne donneront pas un des
leurs... Madame Petracci, je deviens folle ! Trois
jours et trois nuits ! Il est peut-être au fond de
l'eau... ou écrasé, ou tué... à la morgue... On
viendra nous le faire reconnaître... Ou emmené
par un vieux dégoûtant... Il est si séduisant pour
son malheur... Il n'a que dix-sept ans... Je vous
quitte, madame Petracci... Merci, merci ! P'tit a
une crise... Je ne suis pas allée à la radio, je suis
là, j'attends. Ah ! les garçons !...

— Avec Christo, vous ne risquez rien.

— Peut-être ! Ce n'est pas dit. P'tit, c'est
déjà un petit monstre... Voilà qu'il a la coqueluche ! Je vous quitte, madame Petracci, je vous
dois une reconnaissance éternelle... Ah ! oui !
Surtout ne dites rien à Christo au sujet d'Olivier, il est si raisonnable, mais il a les nerfs à
fleur de peau. Merci, merci ! »

Elle raccrocha. Nathalie resta au-dessus de sa
planche à dessin, sans bouger. Elle imaginait des
choses, comme Mme Loisel. Cet Olivier... « Une
sale bête ! » Qu'a-t-il pu lui arriver ? Des faits
divers se présentaient à son imagination. Dix-
sept ans, un enfant... Elle se surprit à attendre,

elle aussi, et se sentit coupée du monde, sans
journaux ni radio. Une idée de Luigi, de l'en
priver, tant il craignait pour elle les nouvelles.
Il la croyait supersensible, à cause de tout ce
qu'elle avait vécu, quand elle était, à cause de
cela même, superindifférente. Il avait mijoté
cela avec le médecin, et elle n'avait pas protesté,
par indifférence. Aujourd'hui, il lui aurait fallu
la radio, pour savoir... La radio annonçait peut-
être... Rester là, entre ces murs qui ne laissaient
passer rien de ce qui arrivait aux vivants. Un
cachot. Une île déserte. Le téléphone sonna.

« Mme Petracci ? Ici Olivier Loisel... »

Nathalie avait réprimé toute exclamation,
pour ne pas faire peur à l'oiseau.

« Oui... Bonjour, Olivier...

— Est-ce que je pourrais parler à Christo ?

— Christo est sorti... Mais pourquoi ne passe-
riez-vous pas le voir ?

— Oui... Vous êtes bien aimable, madame...
Si cela ne vous dérange pas trop...

— Mais pas du tout ! Je serais contente que
quelqu'un de la famille le voie... Quand pouvez-
vous venir ? Aujourd'hui ? Demain ?

— Aujourd'hui... A quelle heure rentre-t-il,
Christo ?

— Je crois que vers six heures vous le trouverez sûrement.

— Alors, à six heures, madame... Je vous

remercie, madame... Allô ! Allô !... Est-ce que
je pourrais passer par *Draculus* ? C'est plus près
pour moi... »

C'était plus près pour lui ! Il craignait de rencontrer quelqu'un des siens... Nathalie hésita...
non, elle ne téléphonerait pas à Denise Loisel,
tant pis si elle s'inquiète encore une heure ou
deux. Savoir ce que le petit a dans le crâne.
Parfois des étrangers réussissent là où la famille
échoue. Nerveuse, Nathalie appela Michette, lui
dit d'aller acheter du jambon et de rallonger
la soupe.

« Du whisky, Michette, achète du whisky,
cria-t-elle, quand Michette avait déjà fermé la
porte, du bon ! Et prépare des sandwichs tout
de suite !... »

Du seuil de la porte, Michette la considéra
avec inquiétude : « Qu'est-ce qui va nous arriver — T'occupe pas ! Qu'est-ce que tu vas chercher ! Le whisky c'est pour Luigi, tu sais bien,
il aime de temps en temps prendre un verre. »

Quand Nathalie dit à Christo que son frère
venait lui rendre une petite visite, il ne voulut
pas la croire : « Nathalie, tu charries, je veux
dire, tu me montes une histoire... — Ton frère
veut te voir, parce qu'il y a longtemps qu'il ne t'a
pas vu... — Oh! à d'autres... Il doit avoir besoin
de quelque chose, je me demande de quoi... »

Olivier se présenta avec dix minutes d'avance,

et aussitôt, de but en blanc, Christo lui posa
la question : « Qu'est-ce que tu veux ? » et
quand Olivier répondit : « Mais rien de particulier... », Christo s'abîma dans un silence expec-
tatif. Nathalie passait si rapidement son petit
peigne dans les cheveux qu'elle avait l'air de se
gratter la tête.

« Qu'est-ce que vous préférez, Olivier, une
tasse de thé ou un whisky ?

— Mais rien du tout !... Je prendrais bien un
peu de whisky... »

Il semblait exténué. Une chemise pas fraîche,
un hâle profond sur les joues imberbes, hési-
tantes entre l'enfance et l'âge adulte, les cheveux tirant sur le roux-soleil, trop longs dans la
nuque, gardant les sillons du peigne mouillé...
Un pantalon fripé moulait à éclater sa minceur
enfantine et arrogante. Il ressemblait à ces auto-
stoppeurs dangereux et prometteurs qui font le
trottoir sur les bas-côtés d'une nationale... Voyez,
je suis l'Aventure ! Je suis jeune et imprévu ! Je
suis ce que vous n'êtes plus, ce que vous n'avez
jamais été... Il ramassait pour la troisième fois
son blouson qui glissait du dos de sa chaise,
emporté par le poids d'un petit transistor dans
une poche.

— C'est un nouveau ? » Christo l'avait aussitôt repéré, dépassant la poche. « Où l'as-tu pris ?
Il est bon ? »

Le sang colora d'orange la peau lisse d'Olivier :

« Il continue à poser des questions ! Il ne vous
dérange pas trop, madame ?

— Il ne me dérange pas... J'aime qu'il me
pose des questions. Indiscrètes de préférence. »

Nathalie prenait l'offensive. Olivier rit et le
sang orange inonda son cou :

« Vous avez de la patience, madame ! C'est
admirable. »

Michette apportait le whisky, la glace, les
sandwichs, du jus de fruits, posa le plateau sur la
table ovale dans le dos d'Olivier et, les bras ballants s'arrêta pour le regarder...

« Qu'est-ce que tu as, Michette ? » Nathalie
recommençait à se gratter la tête.

« Je m'intéresse... » Michette n'avait pas l'intention de s'en aller. « Depuis le temps que je
vois le gosse passer dans la rue... Le voilà grand
et sportif !

— Sportif, c'est le mot... » Olivier cligna de
l'œil dans la direction de Michette.

« Michette, tu as du lait sur le feu... Tu m'entends, Michette ! »

Michette ferma la porte derrière elle.

« Servez-vous vous-même... Du jus de fruit
pour Christo. Pour moi du whisky, bien tassé. »

Olivier était visiblement content de se donner
une contenance, dosait le whisky soigneusement,

et choisit le plus gros des sandwichs. Il reprit sa
place et demanda, mondain, entre deux bou-
chées, deux gorgées :

« P'tit va mieux ? »

Christo cessa de balancer ses pieds :

« P'tit va mieux ! Non, mais ça ne va pas,
toi ? »

Olivier s'arrêta de mâcher et l'angoisse inonda
son visage comme tantôt le sang :

« Qu'est-ce qu'il y a ?

— Maman ne t'a pas dit qu'il avait la coqueluche ? »

Olivier se remit à mâcher.

« Une calamité, ce môme... J'ai pas pu téléphoner. J'avais pas de téléphone sous la main...
La coqueluche ! Alors quand est-ce qu'on va
réintégrer nos foyers ? C'est combien le tarif
pour la coqueluche ?

— Vous pourriez téléphoner d'ici... » suggéra
Nathalie.

Olivier lui jeta un coup d'œil méfiant et implorant, avala la dernière bouchée, loucha sur les
sandwichs et, finalement, ne put se retenir d'en
prendre un autre...

« Ça ne presse pas — il parlait la bouche
pleine —, maintenant que j'ai des nouvelles.
Quand est-ce qu'on rentre, Ficelle ?

— J'en sais rien... dit Christo, je suis très bien
ici, je suis pas pressé.

— Ayez des enfants ! » Olivier entamait le deuxième whisky.

« Dis donc... tu as faim et soif ! Il ne te nourrit pas l'oncle Ferdinand ?

— J'ai fait du camping... » Olivier avait quand même baissé les yeux.

« Avec qui ? Où ? »

Nathalie n'avait pas besoin d'essayer de savoir, Christo se chargeait de poser les questions.

« Tu recommences, Christo ?

— Et Mignonne ?

— Quoi, Mignonne ?

— Qu'est-ce qu'elle fait, Mignonne ?

— La dernière fois que je l'ai vue, elle abîmait ses beaux yeux en pleurant sur son sort et mes turpitudes... Autrement, elle va bien. L'oncle Ferdinand, pour la consoler, lui achète tous les jours une bricole... des carrés et des bikinis...

— Elle nous reviendra pourrie !... Tu sais que papa a eu ses 10% ?

— N-n-on... Ça fait combien ?

— Dans les dix mille...

— Pour six... ça fait pas riche par personne... Risquer sa situation pour dix mille francs ! Moi, il me les faudrait par jour pour moi tout seul !

— Papa sait mieux que toi. » Christo n'avait visiblement pas d'autre argument. Il se reprit après un moment de silence : « Dix mille francs ça fait beaucoup de kilos de patates...

— L'homme ne vit pas que de patates... »
Olivier avait la bouche pâteuse, manger et boire
lui avaient donné sommeil. Il sortit de sa poche
une montre-bracelet en or, regarda l'heure.

Christo sauta sur ses pieds, très excité :

« Montre ! Qui te l'a donnée ? C'est l'oncle
Ferdinand ? Elle est chouette ! Pourquoi tu la
portes dans ta poche ? »

Olivier essaya de récupérer sa montre, mais il
était vaseux...

« Une suisse ! continuait Christo... Une Lon-
gines ! Tu sais, Nathalie, on a vu l'autre jour,
avec Luigi, une femme qui était mince, terriblement, et Luigi a dit : ces femmes c'est comme
les montres extra-plates, on se demande où elles
mettent leur mécanisme. Olivier, tu permets
que je l'ouvre ?

— Touche pas ! » Olivier se leva, il était
maintenant bien réveillé et menaçant : « Allez,
rends-moi ça ! »

L'excitation de Christo tomba. Il posa la montre sur la table et les yeux pleins de larmes se
précipita vers la porte... Nathalie se leva et le suivit, ondulante, laissant Olivier seul. Christo avait
déjà disparu dans le sous-sol. Nathalie, dans la
boutique, composait le numéro de Mme Loisel :

« Madame, Olivier est chez moi... Il va parfaitement bien. Il prétend avoir fait du camping.
Je n'en sais pas plus long... Il ne faut absolu-

ment pas vous en faire... Je crois qu'il en a sa
claque du « camping ». Vous n'aviez pas encore
prévenu la police ? Heureusement... C'est toujours désagréable, et on ne sait pas sur qui on
tombe... quand ça peut être très innocent. Oui,
il est toujours là... Je ne sais pas. Il m'avait l'air
d'avoir très faim et très sommeil. S'il ne veut
pas rester ici, je tâcherai de le diriger à nouveau
sur l'oncle Ferdinand... Pour le moment, ré-
jouissons-nous qu'il soit sain et sauf, pour le
reste, vous verrez bien... Oui, c'est comme vous
dites... Un vrai malheur que d'avoir un garçon
trop séduisant ! Mais ne vous en faites pas, ça
lui passera... »

Nathalie trouva Olivier endormi dans le fauteuil... Un grand corps d'adolescent, les jambes
minces allongées devant lui, les deux épaules
collées au dossier, la tête de profil, le menton
sur l'épaule. Nathalie le regardait dormir... elle
se sentait désemparée... La séduction s'en irait,
et que resterait-il alors de ce garçon, qu'y avait-
il derrière la jeunesse ? Aujourd'hui il était encore sollicité par tout et tous, comblé et misérable... Elle se remit au travail. Ils étaient seuls,
Christo avait disparu.

« Vous vivez pour la galerie... du moins, c'est
l'impression que vous me donnez », lui disait-
elle plus tard dans la soirée, après que, réveillé

en sursaut par le cliquetis des assiettes que Michette mettait sur la table, il était allé se laver les mains dans la cuisine, essayant d'arranger un peu sa tenue, de rentrer la chemise dans le blue-jeans, de lisser ses cheveux... « Une vraie putain que vous êtes, à mon avis... » lui disait-elle.

Dans le silence complet de ce rez-de-chaussée profondément enfoui dans l'épaisseur d'un gros immeuble, Olivier écoutait et regardait avec curiosité cette personne obèse dont il avait entendu parler par sa mère, par Christo et même par P'tit. Ce n'était pas une cent vingt kilos de foires, mais une divinité que l'on avait mise là, dans le secret absolu d'une architecture imprévisible, pour être adorée par des fidèles... Elle devait avoir plusieurs rangées de seins... Et cette divinité parlait de lui, sujet qui intéressait Olivier au plus haut degré.

« Et pourquoi ne serais-je pas une putain, dit-il avec défi, qu'est-ce que ça a de mal, une putain ?

— J'aime pas la promiscuité... » Nathalie essuya sa plume soigneusement et rejeta un peu la tête pour juger de son dessin. « Je suis une orgueilleuse.

— Alors, à votre avis, une star de cinéma qui a du sex-appeal est une putain ?

— Une femme qui plaît aux hommes n'est

pas une putain, jeune homme. Est une putain la
femme qui cherche à plaire coûte que coûte,
parce que sa matérielle en dépend... Une star !
laissez-moi rire ! »

Et Nathalie posa sa plume pour rire, les yeux
sérieux et la bouche méprisante :

« Les jeux qu'on te fait jouer... à ton " camping "... reviennent beaucoup trop cher, mon
vieux... à mon avis, on t'a eu... »

Nathalie disait ces choses à tout hasard, mais
elles ne semblaient pas contredire la situation.

« Ça, c'est vrai ! Je me suis fait avoir... »

Et, soudain, Olivier eut un sanglot sec... Nathalie remonta son châle sur ses épaules... Il parlait
maintenant, il parlait, une averse... Tout le monde autour de lui, même Mignonne, disait, qu'il
perde donc sa fleur, Olivier, et qu'on n'en parle
plus... C'est facile à dire ! Toutes les filles pré-
tendent qu'elles, c'est déjà fait, et se payent votre
gueule, ou elles disent, non, je veux pour débuter quelqu'un qui sait y faire, reviens quand tu
auras de l'expérience... Mais alors, comment est-
ce qu'on peut s'en sortir, et plus ça dure, plus
c'est difficile, parce que ça se sait et vous croyez
que c'est drôle qu'on t'aborde comme ça : alors
tu l'as encore ?

« Ils n'en ont peut-être pas fait plus que
toi ! »

Nathalie haussa les épaules.

Oui, peut-être bien... C'étaient des vantardi-
ses... Surtout les filles, elles en racontaient ! Mais
Dany, lui, c'était vrai, lui, c'était le surmâle, il
n'hésite pas, il passe à l'action. Jamais on ne
l'aura entendu faire un de ces baratins fétides,
jamais, à aucune fille. Quand il ouvre la bouche
sur le sujet, c'est pour raconter ses performan-
ces ! Dany allait avoir vingt ans. Il est en retard
pour son bachot, c'est sûr, mais tout le monde
sait qu'il est génial, vachement génial !

« Et comment le sait-on ?

— Il suffit de le voir ! Et des cancres, il y en
a eu avant lui. Tolstoï était un cancre.

— Tiens ! » Nathalie était sincèrement éton-
née. « En attendant, c'est lui qui t'a mis dans le
pétrin, si je comprends bien ?

— Et comment ! Il est venu me chercher
chez l'oncle Ferdinand, et il m'a dit qu'on allait
bien s'amuser, il y avait toute une bande, et cette
fois, c'était sûr, une fille avait le béguin pour
moi, elle n'attendait qu'un signe. Tout était
arrangé. J'avais rien à perdre, alors j'ai dit ça
me va... Eh ben... pour être arrangé, c'était
arrangé ! »

Nathalie, les yeux baissés, jouait avec sa
plume... Laissez venir à nous les petits enfants...

« On arrive... C'était plein de monde... Un
appartement genre antiquaire... On se serait cru
chez un recéleur d'objets volés dans les églises...

Et des statues de bois, et des chandeliers dorés...
et des enfants de chœur, et des filles. Un drôle
de genre, vous savez, un peu starlette, un peu
putain. Tout ce monde danse, bien sûr. Des
rapides surtout, et puis ça s'est mis à ralentir...
je veux dire les couples, et quand on voit un
couple qui se met à danser un slow pendant un
rapide, on sait ce que ça veut dire. On se tordait ! Je ne voyais toujours pas la fille qui avait
le béguin pour moi... Une chaleur ! Un buffet
terrible ! Quand on sait ce que ça vaut une bouteille de whisky, il y en avait comme si c'était
du schweppes... Moi, quand j'ai une bonne partenaire, j'aime bien le « bop », je m'occupe pas
du reste. Il y avait là une petite brune, je l'invi-
tais tout le temps, elle ne demandait pas mieux...
S'il n'y avait pas que je me réservais pour la fille
qui avait le béguin pour moi... Et voilà que je
vois surgir Dany et il me dit, le vieux qui nous
a invités veut te connaître. Je me dis, c'est plus
poli, je lâche la petite brune et je suis Dany.
Une bibliothèque, autant de livres que chez un
libraire, des tapis et des statues... Après le tam-
tam de là-bas, un silence... Dany me présente à
un des rigolos, l'autre me serre la main et ne
la lâche plus... »

Il y avait tant de points de suspension à la
suite que Nathalie leva la tête et se mit à passer
son petit peigne dans les cheveux... Et voilà que

Christo ouvre la porte, doucement, doucement...
Il tombait bien ! « Alors, puisqu'il est réveillé,
on mange ? » Nathalie fit non de la tête, et
Christo referma la porte.

« Et alors ? — Nathalie ramassa son châle...
— vous y êtes retourné d'autres fois ? »

Olivier était debout, les poings dans les
poches, les jambes écartées...

« Oui... madame Petracci, il faut que je vous
dise une chose, jurez-moi que vous ne le direz ni
à papa ni à maman. Il y a trois jours, la police
a fait une descente chez le rigolo en question...
On m'a emmené avec les autres... Je n'ai rien
dit ! je vous jure que je n'ai nommé personne !
Le type qui m'a interrogé m'a giflé, madame
Petracci ! Il a crié, voilà pour t'apprendre !
J'agis comme ton père ne le ferait peut-être
pas. Ça reste entre nous, je te donne ta chance...
Mais si jamais je te reprends ! File !... J'ai filé...
Les jambes au cou. Seulement, je ne savais pas où
aller. On m'a gardé deux nuits, j'avais peur de
rentrer chez l'oncle Ferdinand, il avait certainement alerté la famille... J'ai erré toute la journée, j'ai dormi sous une porte cochère, je n'osais
pas rentrer. Au matin, j'ai téléphoné au rigolo...
au type... enfin... Et que croyez-vous qu'il a fait ?
Il m'a injurié ! Il a hurlé dans le téléphone...
donneur, lâche, flic ! C'est toi qui nous a donnés,
fripouille...

D'un coup, Olivier s'effondra par terre, la
tête dans les bras... Les sanglots soulevaient ses
épaules, son dos, tout son corps pleurait. Nathalie se leva, alla s'asseoir dans le fauteuil près de
lui, se pencha, prit sa tête sur ses genoux...

— Une sale bête, ton type, dit-elle avec colère, quelqu'un qui peut penser des choses pareilles des autres, en est capable le premier. Mais à
quoi t'attendais-tu de sa part ? Je vais arranger
ça avec ta mère, petit... On racontera n'importe
quoi à l'oncle Ferdinand. Je prends tout sur
moi, ne t'inquiète pas. Lève-toi...

Nathalie vogua vers la porte : « Michette ! »
Il y eut un conciliabule à voix basse.

« Nous dînerons seuls, Christo ira avec Luigi
au cinéma. J'ai dit que tu étais malade. Les
oreillons peut-être... Qu'est-ce qui te ferait plaisir, petit ? Une petite omelette aux confitures ?
Tu coucheras sur le divan... Je vais aller téléphoner à ta mère, de la boutique, je n'ai pas
envie de mentir devant toi. »

Olivier, les lèvres pâles, la tête renversée sur
le dossier du fauteuil, gémit :

« C'est surtout papa... — Il remuait la tête
de droite et de gauche, puis, soudain, sauta sur
ses pieds. — J'ai envie de tuer, je préfère les
flics à cette ordure, des flics, c'est des flics... Mais
celui-là, il n'a que la beauté à la bouche, à sa
sale bouche, son ignoble bouche... Si jamais on

faisait quelque chose à papa, à cause... madame
Petracci, je le tuerais !

— Tu es mineur, mais tu n'es pas un nouveau-né, il est bien temps de vitupérer contre le
monsieur. Je vais téléphoner... Ah oui, j'oublie,
que devient le surmâle dans toute cette affaire ?

— Dany ? On nous a emmenés ensemble... Je
ne l'ai pas revu, on m'a tout de suite embar-
qué côté mineurs.

— Alors, tu m'attends ici, je vais à la boutique téléphoner. Qu'est-ce que tu penses d'un
petit séjour à la campagne ?

— J'ai rien à perdre... »

« J'ai envie de lui filer une gifle comme le
commissaire », songea Nathalie, et elle dit :

« ... mais tu as à gagner. Et comme tu es verni,
P'tit a la coqueluche. Entre-temps, ça se tassera
peut-être. Assieds-toi, tu grandiras aussi bien
assis. Je vais aller arranger ton départ... »

Ce soir, Michette n'alla pas ouvrir côté *Draculus*. Nathalie dîna rapidement avec Olivier.
Ils convinrent qu'il partirait le lendemain, à la
première heure, chez des amis de Nathalie, un
instituteur, dans un bled, à la campagne. Il y
passerait deux, trois jours, ça suffirait pour lui
donner une contenance, quelque chose à raconter au retour. Nathalie s'en fut à nouveau à la
boutique, téléphoner : il fallait organiser ce
départ.

## XV

*L'impasse
des objets*

OLIVIER avait dormi sur le divan de la salle à
manger. A neuf heures du matin, une voiture
l'attendait côté *Draculus,* dans la rue de P... :
l'instituteur, un vieil ami de Nathalie, un cama-
rade du temps de la Résistance, venait le chercher. Nathalie ne voulait pas qu'Olivier prît le
train : si jamais il changeait d'avis en route, pas
de risques à prendre avec ce garnement.

Christo n'avait pas apparu de la matinée. Ils
déjeunèrent comme d'habitude, tous les trois.
« Olivier est à la campagne... » dit Nathalie. Il
y eut deux coups de téléphone pendant le repas :
« Bien, bien... disait Nathalie. Merci... Alors
vous me rappelez ce soir. » A peine si elle remar-
quait la présence de Christo.

Tout l'après-midi, Christo semblait être dans

un étrange état d'excitation, faisait des entrées
et sorties brèves, brusques, bruyantes... Il ne
posait pas de questions. Puisqu'on l'excluait de
la famille, qu'on le traitait en étranger, en
bébé... Il n'allait pas se mêler à ce quelque chose
dont visiblement on voulait le tenir en dehors.
Il ne dit pas un mot sur la présence et la disparition de son frère. Tous ces coups de téléphone,
conciliabules, tractations et silences... Le secret
s'était introduit dans la maison avec cet Olivier
de malheur. Quand cela devenait grave, on ne
voulait pas de lui... Tout seul dans la cave,
Christo n'avait même pas le cœur à bricoler. Il
essayait de jouer au scaphandrier, une passoire
sur la tête et du carton ondulé autour du torse,
il sautait du haut d'une armoire au fond de la
mer et ramenait des objets trouvés dans une
épave... pierres précieuses et crânes humains,
pièces de monnaie précisant la date et la pro-
venance du voilier... Mais son cœur était triste
et lourd comme ses habits de scaphandrier.

« Christo ! appela Luigi, à la porte. Christo,
ta mère est dans la rue, elle veut te voir... »

Christo, fébrile, fit rouler la passoire par terre,
arracha le carton ondulé, courut à la boutique...
Derrière la vitre, Mme Loisel souriait, tenant en
laisse les deux caniches. Pourquoi sa mère était-
elle là, pas au travail ? Heureux et angoissé,
Christo faisait des signaux, sa mère parlait, pour-

quoi parlait-elle, elle savait bien qu'il ne pouvait l'entendre, les chiens tiraient sur leurs laisses, aboyaient et se démenaient, enragés de ne pouvoir rejoindre Christo, leur maître incontestable. Quand un client ouvrit la porte, les deux caniches bondirent, arrachant leurs laisses des mains de Mme Loisel... Ils arrivèrent sur Christo avec la force de leur amour et de leur excitation, sautèrent, lui léchèrent le visage, tournant dans la boutique encombrée, glapissant menu, poussant des coups de gueule de basse, respirant bruyamment, essoufflés, le nez chaud... Enfin Truffe, perdant toute retenue, s'adossa à Christo et un pipi coula à ses pieds. Patte s'immobilisa, la tête collée au genou droit de Christo, Truffe au genou gauche...

« Eh ben », fit le client, stupéfait.

Luigi ramassait un tabouret renversé et ramenait à la porte le tapis envoyé au fond de la boutique. Christo caressait les chiens, une chaleur lui grimpait le long des cuisses, jusqu'au cœur, jusqu'aux yeux, de bonnes larmes tièdes coulaient sur ses joues... Derrière la vitre, sa mère faisait de grands gestes et remuait les lèvres, très vite...

« Allez... » Christo ramassa les laisses.

« Voulez-vous les ramener, Luigi, puisqu'on ne peut pas les garder. Maman s'énerve. »

Luigi prit les laisses, et les caniches, tête basse,

le suivirent. Pendant que, sur le trottoir, Luigi
et Denise Loisel parlaient, ils restèrent assis sur
leur derrière, mornes, ne regardant même plus
Christo. Denise Loisel envoyait des baisers, montrait sa montre, il fallait qu'elle parte.

Christo courut chez Nathalie... Il avait essuyé
ses larmes, et n'était qu'un peu essoufflé et rose.

« Tu as couru ? dit Nathalie, sans lever les
yeux de son travail.

— Non... Patte et Truffe se sont sauvés, ils
sont venus me dire bonjour !

— Oh ! Ta mère doit être aux cent coups, à
cause des microbes.

— Oui, elle a causé, elle a causé... un vrai
cinéma !

— Elle n'a pas causé, elle a parlé ! Je te l'ai
dit cent fois ! On ne cause pas tout seul, on
cause avec...

— Elle a jacassé... Christo ne voulait pas se
rendre.

— Tu voudrais rentrer chez toi, mon lapin ?
Elle te manque, ta maman ? » Nathalie attira
Christo sous l'aile de son bras gauche. « Patiente
un peu, mon poulet... Demain, je vais commencer le Joueur d'échecs, et tu viendras m'aider. »

Christo se serra contre Nathalie, mit la tête
sous son grand châle, dans une obscurité, une
odeur de pain grillé et de roses qu'il aimait tant.
Peut-être tenait-elle tout de même à lui, un peu.

un tout petit peu, malgré tout. Cette sale bête
d'Olivier, cet Olivier de malheur...

Il traîna jusqu'à l'heure du dîner, mangea un
peu, comme avec dégoût. « Va vite rejoindre
le vieux Turc, mon lapin, ça n'a pas l'air d'aller... » Nathalie posa un baiser sur le haut de la
tête de Christo, là où les cheveux coupés courts
se mettent en spirale.

Le matin, il prenait comme d'habitude son
petit déjeuner tout seul, à la cuisine, et il avait
une faim extraordinaire. Michette préparait son
café avant de partir au marché. Nathalie dormait tard et ne prenait pas de petit déjeuner;
Luigi, levé le premier, à l'aube, travaillait
d'abord dans les ateliers encore vides, et quand
les ouvriers commençaient à arriver, s'en allait
au café-tabac voisin, où il petitdéjeunait à sa
manière.

Quand Michette revint du marché, elle trouva
Christo en train de laver la vaisselle de la veille.
Dégoûtants, tous ces mégots, les cendres, ils en
mettent partout... Ce matin, Christo était particulièrement actif.

« Mignonne, dit-il, n'aime pas laver la vaisselle. Et elle joue encore à la poupée... As-tu
jamais vu quelque chose de plus bête ? »

Michette déballait son cabas : pommes de
terre, un petit rôti de veau.

« Ben, elle est comme toutes les filles. »

Christo n'était pas d'accord :

« C'est une demeurée. Elle a quinze ans ! A quinze ans, elle pourrait avoir un môme à elle, vivant !... Aïe, je me brûle ! »

Il ferma le robinet d'eau chaude. Michette rangeait les assiettes, essuyait les couverts :

« Comment ça parle de nos jours. Un môme à elle ! Est-ce que tu te représentes !

— Ben quoi. C'est rien de bien extraordinaire. J'ai vu naître P'tit. Notre chatte en fait autant et plus souvent. »

Michette gloussa. Le matin, ses mèches noires et ternes étaient encore tenues par des barrettes métalliques qu'elle plantait dans l'épaisseur de la chevelure. Dans une heure ou deux, elle serait éméchée.

« Tu es moins moche le matin », remarqua Christo.

Michette posa devant lui une cuvette avec de l'eau pour les pommes de terre épluchées :

« Tu en as de ces compliments !

— Quoi ? » Christo s'était mis à éplucher les pommes de terre avec dextérité. « Je te les coupe en frites ou comment ? »

Michette le considéra un instant avec admiration :

« Tu es adroit, fit-elle, il n'y a rien à dire. »

Sentencieux, jetant les pommes de terre blanches et propres dans l'eau, Christo proféra :

« Quand on est une famille nombreuse, il
faut que chacun s'y mette... Papa dit toujours :
presque nombreuse. Nous ne sommes que quatre.

— Quand il faut acheter quatre paires de
souliers... Les mômes à soi, ça coûte cher, mon
petit bonhomme.

— Oui, mais c'est vivant. Moi, les poupées,
j'ai jamais pu les blairer. Il faut tout faire pour
elles. On leur pose une question et on répond
soi-même. C'est d'un bête ! « Bonjour, madame !
— Comment allez-vous, madame ? — Et vous-
même, madame ? » C'est tout ce qu'elle sait dire,
Mignonne ! Alors moi, un jour j'arrive et je lui
fais : « Bonjour, madame, et vous-même, madame ! » j'empoigne une de ses poupées, et toc je
la flanque par la fenêtre.

— Qu'est-ce que tu aurais attrapé si j'avais été
ta mère !

— Mignonne se défend elle-même, chez nous
on ne moucharde pas... Elle m'a acculé au mur,
elle m'a attrapé par les deux oreilles, et vlan
contre le mur et revlan contre le mur...

— Eh ben... » Michette rangeait la vaisselle
dans le buffet.

« Comme je te le dis... Une fois qu'elle m'a
bien corrigé, elle m'a lâché et m'a demandé :
Qu'est-ce qui t'a pris de jeter mes poupées par

la fenêtre. Premièrement, lui ai-je dit, pas *tes* poupées, mais *ta* poupée — Christo s'était arrêté d'éplucher les pommes de terre, et s'écoutait parler avec plaisir —, et, secondement, lui ai-je dit, je ne supportais plus que tu dises tout pour elles et toujours la même chose. Ben, qu'elle me répond, elles ne peuvent pas le faire elles-mêmes, il faut bien que je me substitue ! Comment peux-tu le supporter ! lui ai-je dit, et même lui ai-je crié, en ce cas tu n'as pas pour un sou d'imagination, tu dis tout le temps la même chose, tes malheureuses poupées sont aussi sottes que toi... Forcément, qu'elle me fait, elles ne peuvent que me ressembler puisque je fais tout pour elles. Mais qu'est-ce que tu comptes faire, Ficelle ? Il faut te dire que quand elle n'est pas contente après moi, Mignonne, elle m'appelle Ficelle... Tiens, ça rime...

— Epluche tes pommes de terre... Tu es allé la ramasser, la poupée à Mignonne ?

— Oui, bien sûr... Je le fis. Mignonne, ai-je dit, je vais m'occuper de l'installation de tes poupées, pendant ce temps tu n'auras plus l'occasion de leur faire des visites. Aussitôt dit, aussitôt fait...

— Veux-tu éplucher les pommes de terre...

— Bien sûr, chère amie... »

Christo reporta son attention sur les pommes de terre.

« Alors je leur ai fait une de ces installations !
Il faut que je te dise que Mignonne n'aime que
les toutes petites poupées, treize qu'elle en a.
Papa lui-même a trouvé ça épatant, et maman,
elle était médusée ! Et la mémé a dit, cet enfant
a du génie. On a pris un carton grand comme
ça... » Christo, le couteau dans une main, la
pomme de terre dans l'autre, montrait les dimensions du carton... « J'y ai découpé des fenêtres,
les portes... au rasoir, bien proprement... J'ai
fait une cloison. Et puis j'ai posé le carton sur
une table de chevet qui avait une tablette au
milieu... Ça m'a fait le rez-de-chaussée, le premier, le deuxième... Et j'ai commencé à meubler
tous les étages... Jusqu'au piano que je leur ai
fait aux poupées à Mignonne ! Tout, tout ! Les
rideaux, les chaises, les tapis... Tout, tout, tout...
On s'est bien amusés. Il fallait trouver ce qu'il
fallait pour. Du papier brillant noir pour le
piano... Des vieux mouchoirs pour les rideaux...
Et les draps sur les lits... Les chaises, j'ai fait les
pieds avec des allumettes et de la cire à cacheter
pour les faire tenir. Et des tableaux aux murs,
avec les cadres. Du Picasso. C'était joli, joli...
Rouge et blanc. Et aussi le divan. Et une radio...
Et la télé ! »

Christo se tut et continua à éplucher les
pommes de terre, de plus en plus vite.

« Ne t'énerve pas comme ça, dit Michette,

s'intallant en face de lui, tu parles, tu parles...
Passe-m'en quelques-unes. Je vais faire des pommes dauphine. Alors, Mignonne, elle était contente de sa maison de poupée ?

— Oui. » Christo ne levait plus les yeux, il
était maintenant renfermé et triste. « Seulement
ça n'a mené à rien. On ne pouvait pas continuer l'installation, tous les étages étaient pleins...
J'ai fait une machine à laver et encore, dernièrement, un frigidaire. D'une très jolie boîte
blanche en matière plastique dans laquelle il
y avait des vitamines de Mignonne parce qu'elle
est un peu pâlotte. Comme j'avais vidé pas mal
de boîtes à médicaments pour trouver celle qui
allait le mieux, mémé a fait toute une histoire
parce qu'on ne s'y reconnaissait plus, et elle a
dit qu'ils allaient tous s'empoisonner, alors j'ai
préféré jeter le tout dans les cabinets... et ils
n'étaient pas encore contents ! Alors j'ai dit que
je ne jouais plus, et que Mignonne n'avait qu'à
se débrouiller toute seule !

— Tu as bien raison... Elle est assez grande
pour ça.

— Mais le pire, je ne te l'ai pas encore dit !
— Christo ramassait les épluchures au milieu du
journal et les enveloppait pour les jeter dans la
poubelle. — Jusqu'à aujourd'hui, tu m'entends,
Michette, jusqu'à aujourd'hui Mignonne continue à faire : « Bonjour, madame, comment allez-

vous, madame ! » Elle a une maison, une cuisine, une chambre, de quoi loger toute une
famille nombreuse, et elle ne trouve rien d'autre
à dire, cette foutue idiote !

— Ce que tu parles mal, Christo...

— C'est vrai. Je ne devrais pas. J'ai promis
à maman.

— Je ne comprends tout de même pas, fit
Michette, songeuse, rangeant les pommes de
terre coupées en tranches dans un plat de terre,
qu'est-ce que tu veux qu'elle dise d'autre, la
Mignonne ? Les automates de Luigi ils font toujours la même chose, eux aussi.

— C'est vrai... » Christo devint tout rouge, et
serra ses maigres poings. « Je ne peux pas le
supporter. »

Michette haussa les épaules :

« T'es bête, mais bête... C'est des bouts de
bois. »

Christo repoussa le tabouret et sortit en courant. Il n'y avait personne dans la grande pièce.
Christo prit un illustré sur la table, trouva les
mots croisés et se mit au travail, debout, un pied
écrasant l'autre.

Michette entrait avec un plateau, des tasses
propres.

« Tiens-toi droit, Christo... Et puis — file.
Nathalie a sonné, elle va arriver. Laisse-la s'installer, si elle veut de toi, je t'appelle. »

Lorsque Michette appela Christo, Nathalie était en train de feuilleter des bouquins.

« Assieds-toi là et travaillons. On va commencer par Riga. Tu te rappelles, c'est à Riga que le vaillant patriote polonais Wronsky a été blessé dans un combat contre les Russes. — Nathalie taillait un crayon, disposait des feuilles de papier blanc devant elle. — Riga était aux Russes depuis 1710, mais la ville a été fondée en 1201 par l'évêque de Livonie et ressemble à une ville allemande du moyen âge... elle est entourée de fossés et de remparts... les rues sont si étroites que deux voitures peuvent à peine s'y croiser. Un pont flottant, en bois, réunit le corps de la cité avec le faubourg de la ville de Mitau... C'est du haut du pont que le panorama est le plus curieux... Allons-y. »

Et Nathalie se mit à dessiner :

« Voici le panorama, l'hôtel de ville... l'église de Ritterschaft... l'ancien château des grands maîtres de l'ordre teutonique... C'est haut, c'est pointu... On voit de l'eau. » Nathalie crayonnait et parlait. « Il faut te dire que Riga possédait autrefois une nombreuse flotte marchande et des vaisseaux de guerre qui parcouraient la Baltique... Elle faisait le commerce du sel, des harengs... »

Un, deux, trois panoramas... Bon... On choisira. Maintenant on fait un combat... Nathalie crayonnait en silence... Voici. Bon.

« Wronsky, blessé, reprit-elle, se cache dans le ruisseau qui longe la rue... Ça nous en fait trois. »

Christo, penché au-dessus de la table, la regardait faire.

« Quatre... dit Nathalie. Une place vide, la nuit. Wronsky essaye de frapper à la porte du docteur Orloff. Il est couché sur les pavés, il ne peut pas se lever, il tend le bras, c'est difficile... Est-ce que je mets à la fenêtre la vieille gouvernante d'Orloff, pour voir qui frappe ? Je peux même entrouvrir la porte et montrer le docteur... Cinq : Wronsky, couché sur une table, en chemise, les jambes nues, le docteur penché au-dessus... « Ne craignez rien, taillez dans le vif ! » crie Wronsky. Derrière, on voit le lit... Attends, on va fermer les rideaux des fenêtres... Ça te va comme ça ?

— Mets les bottes à côté... Il a enlevé ses bottes...

— Orloff a dû les couper pour pouvoir opérer : Wronsky a les jambes fracassées.

— Ça fait rien. Des bottes, ça fait joli, avec des éperons. Et là une cuvette avec un broc. Il faut bien que le docteur se lave les mains. »

Ce matin-là, ils arrivèrent jusqu'à la construction du *Joueur d'échecs*. On voyait déjà le Turc assis derrière son coffre, le baron von Kempelen et Orloff qui le regardent en rigolant et en se frottant les mains : l'impératrice Catherine II a mis la tête de Wronsky à prix, mais on va le sortir de Riga dans l'automate. Dans l'image suivante, on verrait le mécanisme à l'intérieur du coffre... Nathalie posa son crayon. Il lui fallait réfléchir, un dilemme se présentait : va-t-elle par ses dessins et le texte dévoiler déjà à partir de là que l'automate était un faux automate ? Et que ce sera Wronsky qui se glissera dans le coffre d'abord et dans le corps du Turc ensuite, et que ce sera lui qui jouera toutes les parties d'échecs ? Ou fallait-il garder le secret jusqu'à la fin de la bande dessinée ? Mais, voyons, puisque déjà elle avait montré Kempelen et Orloff qui se réjouissent de sortir Wronsky de Riga dans l'automate ! Christo était pour que Nathalie fît à l'intérieur, dans chaque dessin, la silhouette de Wronsky en pointillé, sauf quand le Turc jouerait en public...

« Quand on le regarde ? Alors on ne voit plus Wronsky ?

— Oui... Puisque l'automate est fait pour qu'on ne le voie pas.

— Tu as raison. Je crois que je ferai, en plus

de la bande, un livre. En couleurs... Il paraît
que le Turc a aussi joué avec Napoléon !

— Et puis, à la fin, tu le dessineras aussi dans
le sous-sol à Luigi.

— Avec toi à côté !

— Tu ne peux pas dessiner à reculons ?
D'abord le sous-sol, puis comment le père de
Luigi achète le Turc à une vente publique,
puis le Turc dans l'atelier, à Belleville...

— Ah non ! Tu veux toujours commencer
par la fin... J'ai pas d'imagination à reculons, ni
en désordre. »

Luigi ne rentra pas déjeuner, ils mangèrent
sur le pouce, et Nathalie se remit aussitôt au travail et n'arrêta pas de trois jours, avec Christo
à côté d'elle. On avait du mal à le sortir de la
maison, il n'allait que jusqu'aux ateliers, ayant
fait jurer à Nathalie que dès qu'elle reprenait
l'histoire du *Joueur d'échecs,* elle l'appelait...
Presque tous les croquis prêts, il s'agissait maintenant de choisir, d'éliminer, d'ajouter. Il y
avait des trous et des surcharges, ce n'était encore que le premier jet.

# XVI

*Le surmâle* (1)

CE jour-là, il était cinq heures quand Michette passa à Nathalie une communication téléphonique de la boutique.

« Oui, dit Nathalie dans le récepteur, oui... Alors, tu vas bien ? Ah ! oui !... Moi, à ta place... Mais, enfin, puisque tu es à Paris... Bon, venez tous les deux. »

Elle raccrocha : « C'est assez pour aujourdhui, Christo, j'ai mal aux reins — elle s'étira —, va faire ce que tu veux, moi je serai occupée. »

Christo s'apprêtait à dire quelque chose, ne dit rien et sortit, l'air sombre.

Olivier sonnait à la porte, côté *Draculus*. Il avait dû téléphoner du bistrot le plus proche. Dany, le surmâle, l'accompagnait.

Dany était chaussé de petites bottes, dont la tige arrivait à mi-mollet, par-dessus le pantalon

de velours. Un maillot bleu marine, les manches retroussées et, autour du cou, un carré de
soie glissé dans l'échancrure... Epaules de débardeur, cuisse longue... Une barbe noire, en collier étroit, soigneusement roulée autour du menton et des joues hâves. La bouche, au-dessus de la
barbe, prenait une importance capitale. Les yeux
petits, très noirs, le front bas. Même sur la Côte,
il ne serait pas passé inaperçu. Olivier se tenait
à côté de lui, frêle, clair, falot, un peu sot.
Dany baisa la main de Nathalie et alla s'ados-
ser aux rayons de livres, les jambes et les bras
croisés. Michette apportait le whisky.

« Merci, madame, je ne bois pas... Je ne fume
pas, non plus... »

Olivier jeta un regard à Nathalie, l'air de
dire, hein ça te la coupe !...

« Olivier m'a raconté que vous l'avez aidé...
dans cette malheureuse histoire... Je serais désolé
si à cause de moi il se trouvait si mal débuter
dans la vie. En vérité, il a eu une chance inouïe !
S'il n'était pas tombé sur un flic qui avait ce
jour-là d'autres chats à fouetter, il aurait été
stupidement marqué pour toujours. Il suffisait
qu'on le garde... avec la fréquentation des
dévoyés, en prison, dans les maisons de redressement, il était fichu... de toutes les façons.

— Vous parlez d'or, cher monsieur. Je croyais
pourtant que c'était vous qui aviez emmené

Olivier dans ce bel appartement où il se passe des choses répréhensibles... »

Malgré elle, Nathalie avait pris le ton de l'autre, parlait d'une voix plus grave comme pour se mettre à l'unisson de la basse qui doucement grondait dans la pièce.

« Je croyais rendre service à Olivier... Il faudrait que cela cesse, cette obsession de sa fleur, il finirait par devenir impuissant. Dans ce bel appartement... le maître de maison est un homme très cultivé, très bien élevé. Ce petit con d'Olivier l'a bouleversé paraît-il, et comme il a accepté la montre, — un très beau bijou, vous avez vu, madame ? — l'autre a cru qu'Olivier avait compris. L'innocence dépasse ces messieurs. Comment aurais-je pu deviner que cela allait tourner à ça ? La surprise-party dans les salons était tout à fait banale, il y avait là même des parents, tout y était fort décent, rien que des choses habituelles, avouables... D'ailleurs, le soir où les flics ont fait leur descente, il y avait aussi du monde dans les salons, ils ne s'y sont même pas arrêtés, personne ne s'est douté de rien... Ils n'ont emmené que les jeunes garçons trouvés dans la profondeur de la maison...

— Mais vous-même ? Vous vous en êtes tiré, je suppose ?

— Mal, madame, fort mal... On m'a gardé. Et ils m'ont cuisiné, je vous prie de croire. Bon,

ils m'ont relâché... Mes parents m'ont foutu à
la porte, ce sont des gens bien, mes parents. Je
n'ai pas vingt et un ans. Les seuls qui me
seraient venus en aide, ce sont nos hôtes du
bel appartement. Mais je ne mange pas de ce
pain-là... Alors, je m'engagerai. J'irai faire la
guerre... Curieuse histoire ! »

Nathalie passait son peigne dans les cheveux,
ramenait le châle sur ses épaules tombantes :

« Si j'étais à votre place, je ne le ferais pas.

— Et pourquoi pas ? Je devancerai l'appel,
c'est tout, il faudra bien que j'y aille, un jour
ou l'autre.

— Moi, je n'irais pas.

— Et comment vous y prendriez-vous, madame ?

— Je ne sais pas, moi... Tel que je vous vois
là, vous ne seriez bon qu'à tuer ou à vous faire
tuer... A votre place, je déserterais, je me ferais
fort des Halles, débardeur, je ne sais pas !
C'est vous qui êtes jeune et vigoureux, pas
moi...

— Je ne vous suis pas, chère madame, seriez-
vous anarchiste ?... Je trouve beaucoup plus élé-
gant de me montrer un soldat discipliné et de
voyager aux frais de la Princesse. Les pays chauds
m'ont toujours attiré.

— Ça ne vous fait rien de tuer ?

— Je n'ai pas essayé, madame. Ce n'est pas

sûr que je tue. Peut-être me laisserais-je tuer.
Au cas où l'on me donnerait le choix. »

Dany prit une chaise, s'assit à califourchon et
mit le menton sur le dossier :

« Je suis, madame, comme Edgar Poe, irré-
médiablement poète. Tout n'est que terreau
pour le poète : la guerre, les surprise-parties,
les messieurs pervertis, invertis et dégueulasses,
les fillettes qui pleurent et celles qui ne pleurent
pas, les clochards et les jeunes chansonniers qui
courent après le succès, la mode, les capitalistes
et le prolétariat, les records du monde et le
monde intérieur, les fusées et les sportifs à
l'échelle cosmique... Les lieux communs usés
jusqu'à la corde et le modernisme vieux comme
Jéhovah... tout n'est que terreau pour le poète.
L'inédit ne s'invente pas, ce n'est pas une spécu-
lation, il naît spontanément... de quels croise-
ments, de quelles amours, de quelles libertés
prises, de quelle inconscience... Il n'y a rien
de plus naturel et de plus indomptable que
le génie, madame, on n'en vient pas à bout...
Comme du désir sexuel... Les moines ont beau
fustiger leur corps, le désir les possède et les
hante... La guerre, la maladie, la faim peuvent
fustiger le génie, on n'en vient pas à bout. Et si
on lui coupait la langue, il parlerait par gestes, si
on lui arrachait les yeux, il continuerait à
tâtons... Je ne peux pas me laisser distraire par

le pain quotidien, au régiment je serai nourri.
Je ne demande qu'une chose : qu'on ne coupe
pas le fil de ma pensée.

— Vous m'intéressez, dit Nathalie. J'aimerais
bien savoir ce que vous avez à dire.

— J'aurai à dire. Un jour viendra où j'aurai
à dire. Je sens la sève qui monte et qui gronde.
Un jour, j'aurai à dire. Je tends l'oreille ! Je
sais que ça va venir. Je n'ai pas pitié de moi,
madame, je ne cherche ni le bien vivre, ni la
gloire, je ne crains ni le chaud, ni le froid, ni
les poux, ni la fièvre, ni le néant... Je ne crains
qu'une chose au monde : que *cela,* qui est en
moi, se perde. *Cela,* qui a la vie dure. Je suis
invulnérable aux changements de température, à
la politique, à l'amour, à l'amitié, à la douleur,
à la philosophie, aux religions et doctrines...

— Qu'est-ce que vous voulez y faire... » Nathalie trempa sa plume dans l'encre de Chine...
« Et quand croyez-vous que se produira l'heureux événement... la réalisation de ce que vous
portez en vous ? »

Dany s'accouda à la table de travail de Nathalie :

« Qu'est-ce que vous faites là, madame, sans
indiscrétion ?

— Une bande illustrée...

— ... Le *Joueur d'échecs*... Il s'agit de l'automate à ce que je vois. Une belle histoire. Robert

Houdin la ment si bien... Quel admirable menteur ! Si c'est mentir que de tirer un bouquet
et une colombe d'un chapeau haut de forme.
Un homme qui prestidigitait dans tout ce qu'il
faisait. Il a plus fait pour le *Joueur d'échecs* que
Poe, Robert Houdin, il a monté une pièce, Poe
ne l'a que démontée. Un poète n'est pas fait pour
détruire les illusions. Je suis pour Houdin contre Poe.

— A l'époque où Poe a écrit son *Joueur
d'échecs,* ce n'était pas une illusion, mais une
supercherie.

— Illusion, supercherie... Pourquoi fallait-il
qu'il essayât de démystifier les gens ? Poe, poète,
que faisait-il d'autre que de se démystifier lui-
même et de démystifier les autres ? Et l'alcool,
n'est-ce pas de la mystification ? La mystification est à la vérité ce qu'un diamant est à la
pierre synthétique.

— C'est plutôt le contraire...

— Pour trouver la vérité, il faut mentir. Le
*Joueur d'échecs* à été construit pour sauver la
vie d'un homme, le faux automate a aidé cet
homme vaincu à se gausser de l'Impératrice de
toutes les Russies... Où est la supercherie ? C'est
un acte de vérité et d'humour.

— Ecoutez, Dany — Nathalie commençait à
s'exciter —, Robert Houdin a peut-être inventé
de toutes pièces cette histoire du patriote polo-

nais et, de toute façon, Poe ne pouvait pas la connaître, il est mort avant qu'Houdin l'ait écrite. Alors, de quoi parlez-vous ?

— De la prémonition. Ce faux automate était une supercherie sublime. La cybernétique est venue confirmer son authenticité possible... »

Il se tut et Nathalie, qui s'était remise au travail, leva les yeux : elle rencontra un regard timide et vit un Dany, la bouche un peu ouverte par l'indécision au-dessus de ce poil noir et décidé de la barbe, un Dany inquiet, désemparé :

« Croyez-vous, madame, que c'est trop tard à vingt ans d'apprendre le métier de prestidigitateur ? »

Nathalie en perdit son latin...

« Peut-être, continua Dany, se levant, repoussant sa chaise et se mettant à marcher de long en large, peut-être que la poésie me visiterait dans la prestidigitation ?

— Peut-être... acquiesça Nathalie. Mais comment est-ce que cela se fait que vous connaissiez si bien l'œuvre de Robert Houdin ? Poe, je comprends, mais Houdin ?

— Il a tout lu, dit Olivier de son coin où on l'avait oublié.

— Comment donc ! J'ai lu des kilomètres de livres. Il n'y a pas de bornes, nulle part, et l'horizon s'éloigne au fur et à mesure que l'on avance... Ceci dit, il se trouve que je me suis particulièrement intéressé aux relations franco-russes lors du règne de Catherine II... Voltaire... Diderot... Rulhière... Et aux amours de l'Impératrice... Poniatowsky... sa correspondance avec le futur roi de Pologne... Ses couchages, son goût pour les hommes beaux et d'une certaine taille... Vous avez quelque ressemblance, madame, avec cette grande souveraine... »

Nathalie posa sa plume :

« Vous êtes un impertinent, monsieur... Catherine II était de celles qui envoient au bagne; moi, je suis de celles qu'on y envoie.

— Oh ! madame, je ne vous vois guère dans quelque bagne que ce soit...

— Dany, dit Olivier implorant, ne t'enferre pas, Mme Petracci a été dans les camps allemands...

— Il y a enfer dans enferrer ! Vous avez été enferrée dans les camps allemands, madame ? Il y a fer dans enferrer... Aux poignets, aux chevilles. J'ai vu le numéro de l'enfer tatoué sur votre bras et je n'en ai rien conclu. Je me priverai de dessert ce soir pour m'apprendre. Je ne réussirai aucun tour de prestidigitation ! Je vais vous démystifier : Olivier m'a parlé de vous, des automates de M. Petracci, du *Joueur d'échecs*... Je me suis renseigné avant de venir... Il n'y a que le point de vue sur cette histoire qui me soit personnel...

— Tu as fait ça, Dany ? » Olivier avait une petite voix triste. « Mais tu as tout de même lu des livres ?

— Tous les livres, mon petit poussin, tous les livres ! La chair est triste... Un travail énorme... Quand on s'enferre dans l'enfer des livres... Ils vous torturent d'illusions et de promesses, ils mettent en branle la pensée, le sang, les muscles... ensuite, débrouillez-vous... c'est l'eau et le pain qu'on ne peut atteindre quand on a faim et soif... Les hommes se sont inventé cet enfer qui prouve que l'humanité existe. Sans cet enfer, elle n'existerait pas. Pour continuer d'être, il faut à l'humanité créer immensément. »

Nathalie ne levait plus la tête, elle dessinait. Le dangereux personnage prit Olivier par les épaules :

« Nous allons, avec votre permission, prendre congé, madame... »

Nathalie allait dire : « Vous avez terminé votre numéro ? » mais se mordit la langue : il ne fallait pas le vexer, à cause d'Olivier. Elle dit, gentille :

« N'oubliez pas vos talons rouges, monsieur... Essayez de ne pas aller à la guerre, et revenez me voir. »

Dany sourit de ces lèvres nues qu'il avait, baisa la main de Nathalie, et sortit, poussant Olivier devant lui.

# XVII

*Le collectionneur
d'automates*

CHRISTO traînait dans la boutique. Pourquoi appelait-on boutique ce qui n'en était pas une, il n'y avait rien à y vendre... Un vieux bureau double, des fichiers, et des billards électriques à réparer, l'un contre l'autre. La porte sonnait dans la boutique et dans la cuisine : quand Luigi n'était pas là, c'est Michette qui venait voir de quoi il s'agissait.

Christo, devant un billard réparé, faisait courir la petite boule, Luigi, en blouse grise, tripotait des dossiers sur son bureau. La porte s'ouvrit et se mit à sonner interminablement : le client s'était arrêté sur le seuil. « Entrez, monsieur, et fermez la porte », dit Luigi agacé. Le monsieur entra.

Vêtu d'un costume sombre, l'homme était long et étroit, surmonté d'une petite tête blême

avec des cheveux rares et filasse. Il s'approcha
du bureau :

« M. Luigi Petracci ?... Heureux de faire votre
connaissance. Je suis le docteur Vacquier. »

Luigi se leva, sourit, avança une chaise... Il
savait bien qui était le docteur Vacquier, le
collectionneur d'automates, un grand amateur,
un connaisseur. Le docteur eût aimé que M. Petracci vînt voir sa collection, premièrement parce que cela lui faisait plaisir de la lui montrer
et, ensuite, pour ausculter deux ou trois pièces...
D'autre part, est-ce que M. Petracci ne connaî-
trait pas quelque pièce rare, intéressante, qui
enrichirait sa collection ? Luigi réfléchit... Les
antiquaires en avaient raflé beaucoup, mais tout
ce qui était dans le commerce, le docteur devait
le connaître ? Il y avait bien une vieille dame...
Elle possédait une petite merveille du XVIIIe
siècle, très connue, vous savez un de ces calli-
graphes suisses, poupée ravissante assise devant
une table en bois... il secoue deux fois sa plume
et écrit une phrase... C'est un garçonnet, nu-
pieds, culotte de satin, dentelles... Inventé par
Droz, sûrement, mais exécuté par qui, ça... Une
très jolie pièce. Ah ! il ne fallait pas brusquer
la vieille dame, elle était plus fantasque que
ses automates. Imprévisible !...

Christo, assis sur un tabouret, derrière les
billards, écoutait : ils parlaient des pièces rares

qu'ils avaient vu passer dans les ventes... les
hasards, la province, les marchés. Une même
passion, c'est comme des liens de sang. Luigi et
le docteur parlaient, se racontaient comme des
amoureux, se comprenaient.

« Moi, disait Luigi, je suis né dans l'outillage.
On ne m'a rien appris, tout m'est venu de ce que
je vivais dedans. Les cames, les ressorts, les
mécanismes, je connaissais tout ça comme un
berger connaît ses moutons. Mon premier automate, le marchand de couleurs du coin l'avait
mis dans sa devanture comme publicité pour une
pâte à récurer... J'avais dix ans. Tout le quartier me connaissait ! »

Le docteur hochait la tête : donc, déjà alors,
on prostituait l'automate, on le faisait servir
à la publicité ! Et aussitôt, la conversation prit
un tour passionnel. Le docteur était de ces pu-
ristes pour qui l'automate se devait d'être gra-
tuit, un spectacle, une valeur en soi... Le constructeur cherchait le geste spectaculaire, impres-
sionnant. Le petit calligraphe suisse ne servait
à rien, il ne démontrait qu'accessoirement l'ingé-
niosité de l'homme... or, aujourd'hui, ces œuvres
d'art sont considérées comme des amusettes !
Luigi n'était pas d'accord, mais pas d'accord
du tout ! L'art évoluait comme toute chose, pourquoi fallait-il que l'automate restât immuable ?...
Et je ne parle pas de la mécanique, de la techni-

que seules, mais du sens même de la chose...
A mon avis, disait encore Luigi, toute œuvre
animée par le cerveau de l'homme est toujours
une borne sur un chemin qui mène plus loin...
Dieu a créé l'homme; l'homme a créé l'androïde
à qui manque l'âme; un jour, la cybernétique
lui en donnera une...

Avec ses longs bras noirs, le docteur faisait
des grands gestes de protestation : justement!
l'automate perdait son âme quand il se mettait
au service de quelque chose... Voulez-vous me
dire, monsieur Petracci, si l'automate-distributeur de charbon, et qui sait même rendre la
monnaie, est sur le chemin de prendre âme?
Docteur! si cet automate-distributeur était fait
à la semblance humaine, vos sentiments vis-à-vis
de lui auraient été différents peut-être, et il
n'en aurait pas été moins utile pour cela! A
l'instant, j'ai eu un coup de téléphone d'une
usine, on y fabrique, entre autres, des automa-
tes-distributeurs d'œufs qu'ils vendent en Afri-
que. Ils m'ont demandé si je pouvais leur pro-
curer un *cri* de poule... dans notre métier, on
appelle ça des cris, les mugissements, aboie-
ments, beuglements... Déjà les noirs disent :
« La machine a pondu ! » Et si encore elle caque-
tait !... Je ne sais pas s'ils auraient trouvé la
machine plus belle si elle avait la forme d'une
poule. Peut-être. Mais nous ne sommes pas des

noirs. C'est tout de même curieux que nous
ne puissions trouver la beauté qu'à ce qui ressemble à quelque chose que nous connaissons...
Le docteur devint sinistre : non ! il n'aimerait
jamais ni la peinture abstraite, ni les services
ESSO, ni les distributeurs automatiques de charbon... ni même d'œufs ! Lui, il aimait le Doua-
nier Rousseau, les peintres du dimanche. Il
aimait *l'imitation* de la vie par les mains d'un
artisan, une imitation gratuite... Mais, docteur,
pourquoi le fait de créer un automate sur commande, avec un geste défini, demandé, lui enlè-
verait-il son charme ? Commande ou pas, l'inventeur d'une petite dactylo qui tape sur une machine à écrire et tourne la tête pour lire ses
feuillets, imite tout aussi bien la vie que les
automates de Vaucanson ou de Droz... Elle est à
mi-chemin entre le calligraphe, totalement inutile, et l'automate-distributeur de charbon.

Le ton montait, Luigi s'échauffait, lui aussi...
Voyons, docteur, le progrès est inévitable, de
toute façon... Finis la magie, le fonctionnement
mystérieux ! Les vieux automates *font semblant*
de vivre; ce que l'homme cherche maintenant,
c'est à leur donner une vie propre, c'est-à-dire
des réactions adaptées aux circonstances exté-
rieures... Déjà les tortues de Grey Walter se
déplacent, évitent les obstacles, et cela sans
ressorts, sans moteurs, sans tricherie. A peine

deux siècles nous séparent du canard de Vaucanson, de toute son astucieuse mécanique pour
que son canard fît semblant de digérer de la
nourriture... de tous ces magiciens qui répon-
daient aux questions, des faux joueurs d'échecs.
Tant d'astuce, de science, pour tromper le monde !... Si le petit calligraphe se trouvait dans
une maison qui brûle, il continuerait son ma-
nège, pour peu qu'on l'ait remonté, jusqu'à
ce que les flammes aient touché à son mécanisme,
et détruit le tout. Aujourd'hui, l'homme s'atta-
che à la construction d'automates qui essaye-
raient d'eux-mêmes à s'éloigner des flammes...
C'est là un fonctionnement mystérieux, la magie
nouvelle ! Ce que cela a à faire avec l'art ? Mais
tout ! Cela met en branle l'imagination, c'est un
excitant nouveau... Ne croyez pas que je voudrais démolir les automates anciens ! Pas plus
que l'Art Sacré ou des Renoir... L'art, ça ne
s'use pas, ne vieillit jamais... Mais, l'automate,
il touche à la technique... Vous portez une montre à votre bras, pas un oignon dans votre gous-
set, n'est-ce pas, Docteur ? J'ai ici en ce moment
un garçon de dix ans, eh bien, vous devriez
voir ses réactions devant mes automates ! Pour
un peu, il les aurait démolis avec colère... J'ai
essayé de comprendre ce qui le mettait dans un
pareil état. Peut-être l'impasse, ce qu'il appelle
la bêtise des automates.

Christo sortit de derrière les billards électriques et se sauva dans le sous-sol. Luigi appela : « Christo, Christo !... » Pas de réponse... Tant pis, il l'avait oublié derrière le billard et Christo avait dû être gêné qu'on parlât de lui... « Continuez, monsieur Petracci... — Oui, qu'est-ce que je disais ?... Oui, ce petit Christo est pris par une sorte de désespoir devant la répétition des mêmes gestes, il se met à crier : « Et après ? Et après ?... » Voyez-vous, docteur, si moi je suis né dans l'outillage, et si j'ai continué les ressorts par des piles, Christo continuera les piles par l'électronique, la cybernétique... La cybernétique vous intéresse-t-elle, docteur ? »

Le docteur s'y intéressait. Mais il se passera du temps avant qu'elle puisse satisfaire votre petit garçon, monsieur Petracci... L'intelligence que la cybernétique donne à la machine n'est valable que pour une seule fonction, comme l'automate ancien n'avait qu'un seul geste. Je veux dire qu'une machine à calculer, aussi compliquée soit-elle, ne peut servir qu'à calculer, elle ne peut pas laver votre linge... Oui, d'accord, une fonction ce n'est déjà pas si mal... Mais je pense à votre petit : il éprouvera toujours ce même sentiment des limites, de la carcasse... Comme celui que nous donne un disque... ou un film... qui nous font entendre ou voir quelqu'un qui est mort. Il est là, c'est sa voix, son sourire, ses

gestes... que nous pourrions faire répéter indéfiniment. C'est tout. Cela fait semblant, cela n'est
pas... »

Il y avait quelque chose de si pathétique dans
la voix du docteur que Luigi n'osa rien dire...
Il y eut un silence. Et ils avaient fait un si long
chemin dans l'amitié que soudain Luigi confia
au docteur ses préoccupations les plus secrètes :

« Mais imaginez, docteur, une prothèse... Re-
liée directement au cerveau... Qui obéirait à l'information communiquée par le cerveau comme
le fait un bras naturel. Il faut que tu te plies au
coude, que tu te détendes, que la main se saisisse
de cet objet...

— Vous poussez le rêve très loin...

— Pas plus loin que ne l'était la télévision il
y a une trentaine d'années. »

Bref, emporté par la conversation, le docteur
faillit oublier le véritable but de sa visite : il
voulait voir le *Joueur d'échecs*. On lui avait
raconté que c'était l'authentique faux automate
de Kempelen... Aussitôt Luigi se referma : oui,
c'est vrai, il avait en sa possession cette pièce
qu'on attribuait à Kempelen. Avec les proportions exactes de cet automate décrit ici et là. Le
coffre de cent vingt centimètres sur quatre-vingts,
avec un échiquier peint dessus, et dans le bas du
coffre, un tiroir contenant les pièces du jeu.
le Turc assis devant le coffre, un peu plus grand

que nature... son bras droit appuyé sur le coffre. Il jouait avec le gauche. Le mécanisme à l'intérieur du coffre était complètement détérioré, rouillé, cassé, il ne restait aucune des pièces... Il manquait la pipe que le Turc devait tenir dans la main droite... Enfin, vrai ou faux, Luigi n'avait pas l'intention de s'en départir. Il ne pouvait pas le vendre comme une pièce authentique, l'automate vaudrait alors une fortune... or, il ne pouvait en garantir l'authenticité; il ne pouvait pas plus le vendre comme une copie, parce qu'il le croyait vrai... Et d'ailleurs, de toute façon, il n'avait pas envie de le vendre et ne le vendrait jamais. Il n'était pas une vieille dame fantasque. Mais si le docteur y tenait, il pouvait le lui montrer.

Ils s'en furent au sous-sol et y trouvèrent Christo, qui, dans la lumière crue de la lampe à abat-jour vert, se balançait dans le rocking-chair... Et tout ce qui pouvait bouger ici, bougeait au son de musiquettes grêles et de petits ronflements mécaniques : Christo avait branché les automates électriques et remonté les autres... Dans le faux éclairage de la grande cave voûtée, les sourires figés des clowns, des poupées joufflues, des singes musiciens, des Chinois jongleurs, des ballerines et musiciennes à tournure... tous ces sourires de spectacle, plaqués sur la

cire, le carton-pâte, la porcelaine, accompa-
gnaient les mouvements à peine saccadés, hési-
tants, des têtes, des bras, des corps... Christo lui-
même se balançait comme un automate, mais ne
souriait pas. Quant à Luigi avec sa blouse grise,
le docteur étroit et long, vêtu de noir, le teint
blême, ils firent, dès l'entrée, partie des faux-
semblants.

« Christo, arrête-moi tout ça ! »

Christo sauta sur ses pieds et alla débrancher
les prises, et les automates à ressorts continuaient
seuls leurs manèges. Le docteur Vacquier, illuminé, jeta un regard à la ronde, découvrit rapidement le *Joueur d'échecs,* et n'eut plus d'yeux
que pour lui.

Le vieux Turc se tenait le torse rejeté en
arrière, les yeux baissés sur l'échiquier, peint
à même le coffre, la main droite appuyée à
droite de l'échiquier, le bras gauche plié au
coude au-dessus des cases... Il avait une sale tête
de fripouille avec cet œil qui lui manquait et
les longues moustaches noires grossièrement pein-
tes sur un teint gris. Son grand manteau, jadis
vert, son turban, étaient tailladés par le temps.

Luigi ouvrit les portes du coffre :

« Je ne l'époussette pas, je crains que les
étoffes ne tombent en poussière. Il est dans un
piteux état. Voyez, le coffre, il a bien les cent
vingt centimètres sur quatre-vingts... Deux com-

partiments, à gauche le petit avec une porte
simple, à droite le grand à double battant,
comme un buffet de cuisine. Le plus petit
devait être plein d'une mécanique de bluff...
Tout ça est rouillé et tordu, il manque la moitié des pièces, mais le bluff est toujours là. Derrière la porte à double battant, c'est vide, sauf
cette porte d'encoignure, vous voyez... En dessous des portes, le tiroir où logeaient les pièces
du jeu d'échecs; elles manquent presque toutes.
Regardons derrière... Christo, viens m'aider, laissez, docteur, laissez !... »

Aidé par Christo, Luigi tira le Turc en avant,
et ils l'inspectèrent de dos.

« Vous voyez... ici, juste derrière la mécanique, une autre petite porte. Maintenant, Christo,
soulève la cape, tiens-la... Vous voyez, là, au
niveau des reins, une porte, et une autre sur la
cuisse gauche. Il y a eu peut-être des pièces mécaniques dans le corps... c'est tout ce qu'il en
reste. Bon, revenons sur le devant. Tout est
grand ouvert, portes et tiroir. Kempelen ferme
d'abord le tiroir... L'homme caché dans la partie
étroite, derrière la mécanique, dos à la paroi
étroite, peut étendre ses jambes dans le tiroir.
Kempelen remonte la mécanique-bluff qui fait
du bruit, et ferme toutes les portes. L'homme
passe du petit compartiment dans le grand, pi-
vote, s'introduit dans le corps du Turc... peut-

être passe-t-il son bras dans le bras gauche du
Turc, ou bien déclenche-t-il quelque mécanisme...

Le docteur, accroupi, examinait l'intérieur du
Turc :

« Curieux, disait-il, curieux... Le torse est un
peu plus grand que nature... Malgré tout, il est
difficile à imaginer qu'un homme dans une position aussi invraisemblable puisse jouer et gagner.
Il devait étouffer là-dedans... C'est extrêmement
curieux. »

On tambourinait à la porte du sous-sol.
« Qu'est-ce que c'est ? » cria Luigi, furieux.
« Patron ! Monsieur Petracci ! Un accident ! »
Luigi courut à la porte, le docteur derrière lui,
et aussi Christo. Un ouvrier, haletant, se tenait
au chambranle :

« C'est André... le bras dans la cisaille... Il a
eu une faiblesse... Coupé net ! »

Ils couraient tous les trois, Christo derrière.
Luigi se retourna et cria : « Rentre, toi ! »
d'une telle façon que Christo s'arrêta pile. Et
rentra.

# XVIII

## *Les inventeurs*

L'ACCIDENT planait sur la maison. Le vieil André
avait eu un étourdissement et était tombé sur la
cisaille. Il n'aurait pas fait mieux s'il s'était mis
là exprès pour se couper le bras comme dans les
boulangeries on coupe une baguette. Une chance
que le docteur Vacquier se soit trouvé là, on a
pu aussitôt transporter André dans sa clinique.
Christo ne semblait pas avoir bien compris ce
qui s'était passé et pourtant il dit à Luigi :
« Dépêche-toi pour la prothèse, André attend
après. » Le curieux garçon.

Tous les jours, en revenant des ateliers dans
son cagibi, Marcel y trouvait Christo qui l'attendait. Il semblait occupé à réparer une montre
qu'il avait mise en pièces détachées et qu'il
remontait maintenant — il avait réussi à la faire
marcher — mais dès que Marcel entrait, il
l'entreprenait sur la question des prothèses. C'est

que Marcel n'était pas d'accord avec Luigi sur
l'intérêt de la prothèse cybernétique, tandis que
Christo ne voulait pas lâcher le rêve de Luigi.
Avant de descendre au cagibi, Marcel se lavait
les mains, se donnait un coup de peigne : l'atelier
était derrière lui, il allait passer à autre chose,
à un bricolage d'agrément et d'un rapport extra.
Et pendant qu'il allumait une cigarette de
récréation, Christo revenait à la charge :

« Luigi, quand il était petit, il a lu dans
Jules Verne que tout ce que l'homme a imaginé,
il peut le réaliser. Alors, le bras cybernétique
aussi.

— On ne se fatiguerait pas à te faire une bouche au sommet du crâne. Inutile.

— C'est pas utile qu'André ait un bras qui
bougerait comme le sien, sans qu'il y pense ?

— Nuisible. Les muscles de son moignon
s'atrophieraient.

— Luigi a dit, c'est pas vrai, ils travaille-
raient la même chose !

— Tu as dit à Luigi que je n'étais pas d'accord ?

— Bien sûr que j'ai dit.

— Pourquoi il ne vient pas discuter directement ? Le courant électrique venant du cerveau, il a peut-être un millième de volt. Combien il faut de relais pour qu'il puisse mettre
en marche le moteur de la prothèse ?

— Comprends pas.

— Bon, j'explique. Si tu téléphonais de Genè-
ve ici directement, tu entendrais mal; pour bien
entendre, il te faut des relais. Pour amplifier et
transformer le courant du cerveau, il te faut des
relais. Ces relais seraient grands, et lourds, et
chers. Et pendant ce temps, les muscles ne fiche-
raient rien. C'est absurde. L'idée est formidable, mais l'objet qui en sortirait, absurde. »

Christo s'en allait l'oreille basse et guettait
Luigi. Et si le moment lui paraissait propice,
il disait :

« Marcel, il trouve que le bras cybernétique
est une idée formidable et absurde. A cause des
relais...

— Ah ! oui ? »

Luigi semblait ne pas vouloir répondre, puis
se décidait quand même :

« Ecoute... La chose se présente de la façon
suivante : qu'est-ce qui fait bouger un bras naturel ? L'énergie mécanique contenue dans les
muscles. D'où vient l'énergie mécanique ? De
l'énergie chimique apportée par la circulation
sanguine qui se transforme au niveau des muscles en énergie mécanique. D'où vient l'énergie
chimique ? De la nourriture que l'homme absor-
be. Bon. Dans un bras artificiel, pas de muscles,
pas de circulation sanguine... Bref, rien. Il faut
que l'énergie mécanique, qui doit faire bouger

le bras artificiel, vienne de quelque part. On remplace les muscles par un ou des moteurs. On remplace la nourriture par une pile électrique. Maintenant, appelons, si tu le veux bien, les relais, des amplificateurs, c'est plus clair. Et c'est là la première erreur de Marcel : il dit que l'amplificateur est grand, lourd et cher. Cher peut-être, du moins pour commencer, mais grand et lourd — non ! On pourra en faire d'un millimètre cube... Tu m'entends, *un* millimètre cube ! Donc, le nerf, transmetteur du courant venant du cerveau, sera branché sur l'entrée de l'amplificateur et, en sortant, ce courant permettra de mettre en marche ou d'arrêter un petit moteur. Pour que le bras bouge exactement comme un bras naturel, il faudrait mettre un amplificateur par nerf et un moteur par muscle absent. Il faudrait probablement un moteur par mouvement. En ce cas, le bras artificiel répondrait au cerveau comme un bras naturel.

— Et sans moteur ?

— Sans moteur ? Puisqu'il faut une énergie mécanique, il faut bien qu'elle vienne de quelque part. Peut-être, un jour, pourra-t-on garnir le bras artificiel d'un micro-moteur atomique, alors on n'aura plus besoin de s'inquiéter de l'alimentation.

— Je voudrais que tu fasses ta prothèse sans

moteur. Dans une matière si sensible qu'elle se
contracterait et se décontracterait à la moindre
pensée.

— Tu prends le chemin de la fantaisie. On
ne sait pas encore lire les pensées, distinguer
une pensée de l'autre d'après un encéphalo-
gramme, alors comment choisir les courants pour
faire une chose ou l'autre ?... Abandonne.

— Bon, disait Marcel, informé par Christo
de ce qu'en pensait Luigi, je ne connais pas le
résultat de ses expériences. Je n'ai pas d'argent
pour en faire. Et d'ailleurs, je n'en ai pas besoin.
Je construis mes trucs dans la tête, dans le métro
ou dans le bus : j'habite loin.

— Comment tu sais que ça marche ?

— Quand je vois le total, j'exécute. Ça marche toujours.

— Ben, un pompier n'est pas une prothèse
cybernétique... »

Marcel eut quand même un mouvement d'humeur qui le fit sortir de sa réserve :

« L'année dernière, j'ai pris un brevet pour
une machine ménagère qui avait quarante pièces.

— Il me l'a caché, le gredin, dit Luigi, souriant quand Christo lui raconta l'histoire du
brevet de Marcel, je suis bien content pour lui.
Comme quoi l'homme avec son cerveau s'en sort
toujours. Marcel, il a construit sa machine com-

me Beethoven sourd composait ses symphonies :
avec son imagination seule. Sans pouvoir vérifier si c'est bien comme il l'imaginait. Mais si
Marcel croit que j'ai les moyens de faire des
expériences... J'ai vendu mon âme au diable,
mais ça ne m'a pas rapporté gros ! Je plaisante
évidemment... »

Christo était inquiet. Deux grands hommes,
Luigi et Marcel, en complet désaccord. En attendant, André n'avait pas de bras. Il ne pensait
qu'à André, qu'au bras d'André, il n'admettait
pas ce définitif, cet irréparable. Il préférait croire Luigi, mais les paroles nettes de Marcel l'im-
pressionnaient : « Absurde, disait Marcel, absurde ! » Et André n'avait pas de bras...

Nathalie travaillait mal... Souvent on la trouvait comme absente, accoudée sur sa planche à
dessin, perdue... Elle se remettait au travail, faisait semblant : « Je suis un peu fatiguée, j'ai
bien le droit d'être fatiguée comme tout le
monde... » Les gens qui venaient la voir l'impor-
tunaient plus qu'ils ne la distrayaient. Pourtant
elle sourit, contente, lorsqu'elle vit apparaître
Phi-Phi : il avait disparu depuis les vacances. Un
peu plus couleur de cire, un peu plus rebondi
de partout, immobile dans son fauteuil, lui
aussi il souriait, retroussant sa lèvre supérieure.

« Comme c'est calme ici... Une tombe... »

On entendit sonner une horloge, derrière le jardin noir.

« Le vent vient du Nord. On est tranquille, à cette heure personne ne viendra plus.

— On est tranquille... répéta Phi-Phi. Vous rappelez-vous comment, il y a longtemps, longtemps de ça... des années, — à propos, est-ce que vous provoquez toujours des raz de marée en éternuant ? — vous m'avez demandé alors : pourquoi Phi-Phi ? On était là comme aujourd'hui... mais c'était dans l'après-midi, et il faisait très chaud. Je vous ai expliqué : F. F. I... Phi-Phi ! J'étais encore un homme vivant alors. Maintenant, Phi-Phi me convient : c'est ce qui reste de l'homme. Très peu de cheveux et les ongles. Tout ce qu'il faut pour Linda.

— En somme, un nom prophétique... »

Ils se turent tous les deux, chacun dans ses pensées. Le silence était pesant. Phi-Phi, qui se tenait très droit dans son fauteuil, mollit, s'y appuya du dos, des bras...

« Nathalie — sa voix sourde tapa contre le silence —, je suis dans la merde jusqu'au cou...

— Vous voulez coucher ici ? »

Phi-Phi ne répondit pas tout de suite... Le silence devenait de plus en plus grave. Par un curieux phénomène d'osmose, Nathalie sentit l'angoisse se propager dans son corps, une faiblesse lui prendre les bras, les jambes...

« Coucher ici... Nathalie, vous savez toujours de quoi un homme peut avoir besoin. Avoir où coucher quand on est traqué. Je vous remercie, Nathalie. Je vais aller coucher sous les ponts. Un pont ne porte pas de responsabilité pour les gens qu'il héberge. »

Nathalie lâcha son pinceau et passa son petit peigne dans ses cheveux :

« Je suis aussi irresponsable qu'un pont... dit-elle. Les gens vont, les gens viennent... Vous pouvez dormir dans le fauteuil, si le lit vous fait peur.

— Tout me fait peur... Jusqu'ici j'ai tué sans responsabilité, avec autorisation spéciale. C'étaient des ennemis... Il n'y a pas la guerre aux Champs-Elysées. Pour tuer, il faut se cacher... si on ne veut pas payer. Et qui veut payer ?

— Vous n'êtes qu'un misérable... chuchota Nathalie. Ah ! misère, misère...

— Misère, misère... » répéta Phi-Phi après elle.

C'était le mot qui lui convenait. Un misérable... Pas un mot péjoratif, un mot atroce... Misère, misère... Sur le moment, il n'avait pas fait la distinction... il avait toujours eu le droit de tuer. Ça ne vaut pas le coup quand après on vous demande des comptes. Cela vous oblige d'y repenser... C'est dégueulasse. Ce sont des

choses dont on ne parle pas, une fois qu'elles
sont faites... Et Dieu sait qu'on va en parler et
en reparler. Par le menu. Avec des détails et
rien que des mensonges. Plein les journaux. On
lui demandera de s'expliquer... Il ne dira rien,
parce que cela l'emmerde. Il demandera qu'on
lui foute la paix. Qu'on lui coupe la tête,
sans faire tant d'histoires. Puisqu'on en a le
droit.

« Pas seulement le droit, le devoir... »

Et Nathalie fit cette chose énorme que de se
lever en présence de quelqu'un... Elle s'appuya
des deux mains sur la table. Redressée, elle
ondula un moment sur place, repoussa le fauteuil, se dirigea vers l'armoire.

« Des hommes comme vous, disait-elle au-
dessus du divan, dépliant les draps, poussant
l'oreiller dans la taie, tirant sur la couverture
— des hommes comme vous, il n'en faut plus.
On peut les supprimer, ou attendre qu'ils meu-
rent de leur belle mort. On a inventé le
D. D. T., mais que faut-il inventer pour se
débarrasser des hommes de votre sorte ? On ne
peut pas vous rééduquer, vous êtes trop vieux...
— Nathalie donnait des coups de poing dans
l'oreiller pour faire entrer les coins dans la
taie. Elle parlait, parlait comme pour s'étour-
dir. — Tous vos instincts sont faussés... Vous
avez des réflexes de bête. Un homme qui ressem-

ble à une bête ne peut-pas être heureux... On
ne force pas la nature... Ce n'est pas plus mou
qu'une machine... Quand on force, on casse.
Une machine, c'est ajusté, ce n'est pas un oreiller. Vous n'êtes qu'une machine, et vous ne
pouvez pas vivre sans âme... Un automate *ressemble,* il n'est pas... Vous ressemblez à un homme, vous n'en êtes pas un. »

Elle parlait, parlait et se mouvait dans la
pièce comme la mer par vent doux. Elle la remplissait, se balançait, indifférente à cet être sur
un banc de sable, et sa voix clapotait, s'élevait
et grondait de temps en temps. Elle ne se gênait
pas, et cela soulageait l'épave de s'entendre dire
qu'il n'était qu'une épave, un propre à rien, un
moins que rien. Si quelque chose pouvait le
soulager... Partager, cela soulage. Nathalie ne se
faisait pas d'illusions sur son compte, et c'était
une bénédiction, elle le gardait chez elle en
connaissance de cause. Tout naturellement,
comme on vient en aide à un automobiliste qui
a un accident sur la route. Même si l'accident
est dû à son imprudence criminelle et que, par
sa faute, il y a des morts, des estropiés. Les res-
ponsabilités on s'en occupera plus tard, tout
d'abord il faut ramasser les cadavres, emmener
les blessés à l'hôpital, prévenir les gendarmes...

Cadavres... gendarmes... crime...

« C'est la Série Noire », dit Phi-Phi.

Nathalie s'assit et enserra entre ses genoux un vieux moulin à café.

« Je te fais du café, puisque le café te fait dormir. Il faut que tu dormes, je ne supporte pas les gens qui souffrent, alors tu t'arrangeras pour dormir... Les gens qui n'ont pas de conscience, la peur du gendarme les tient éveillés. J'ai pas besoin de somnambules ici. »

Nathalie brancha la bouilloire électrique et se rassit dans son fauteuil.

« Tu verseras l'eau bouillante sur le café, dans le filtre, et tu poseras le filtre à sa place, sur le coin du poêle... »

Phi-Phi s'étira discrètement, étouffa un bâillement; Nathalie avait repris son pinceau. L'horloge derrière le jardin sonna une fois. « Sur la mer calmée... » se mit à chantonner Nathalie au-dessus de sa planche à dessin... L'eau n'avait pas commencé à bouillir que Phi-Phi dormait déjà dans son fauteuil. D'un sommeil de plomb, comme on dit. Ce fut Nathalie qui versa l'eau bouillante dans le filtre et prit ensuite plusieurs tasses de café. Elle, le café ne la faisait pas dormir. Luigi la trouva à une heure du matin au-dessus de sa planche. Phi-Phi dormait tout habillé, sur le divan...

« Qu'est-ce qu'il fait ici, celui-là ?

— Il a tué quelqu'un. Peut-être bien Linda... Ou un de ces messieurs... »

Luigi leva, silencieusement, les bras au ciel...
Comme Nathalie se taisait, il chuchota avec vé-
hémence :

« Un assassinat, ce n'est pas des oreillons...
J'ai toujours su que ce gars-là nous amènerait
des embêtements... Pourquoi reste-t-il ici ?

— C'est moi qui l'ai gardé. »

Luigi se tut et, pendant un long moment,
regarda Nathalie travailler :

« Bon, fit-il enfin, tu en as assez fait pour
aujourd'hui. Tu as dit qu'il te fallait aller jusqu'au n° 8, tu y es... Alors, viens. »

Nathalie posa le pinceau et sourit à Luigi. Un
sourire jeune et tendre. Il l'aida à se lever, ouvrit
la porte devant elle. Dans la pièce il ne restait
plus que Phi-Phi, une barre de plomb sur les
draps frais et propres. A les salir, à les friper. Un
élément étranger dans cette bonne pièce doucement chauffée, où flottait une odeur de café, et,
sur la table, les miettes de la gomme à effacer,
l'encre fraîche, sentaient encore la réflexion qui
guide la main, choisit, invente et crée.

## XIX

*La Recherche*

MÊME si Nathalie n'avait pas été si occupée par
Phi-Phi, elle n'aurait pas entendu ce qui se passait dans le sous-sol. On avait bien recommandé
à Christo de ne pas fermer les portes entre le
sous-sol et l'appartement, mais cette nuit, vers
les trois heures, il s'était levé pour les fermer
toutes. Dès qu'il avait allumé, les automates
étaient apparus dans leur faste nocturne, théâtral. Christo avec son pyjama fripé était bien
moins fastueux qu'eux. Ils étaient avenants, un
sourire de parade aux lèvres, attendant comme
des musiciens attendent le signe du chef d'orchestre, prêts à attaquer... Le rideau allait se
lever.

« Oh ! si vous y tenez !... »

Christo passait d'un automate à l'autre et remontait les mécanismes. Ensuite, il brancha les
prises de ceux qui marchaient à l'électricité.

« Allez, hop !... »

La cave se remplit de mouvements, de grince-
ments menus, de musiquettes grêles. Christo
regardait autour de lui : ils étaient décevants
comme à l'habitude, figés malgré le mouvement, pareils à eux-mêmes, et continuaient à
faire semblant. Christo s'assit dans le rocking-
chair et prononça un petit discours : « Je vous
exprime mon mépris ! Vous n'êtes que mes es-
claves. A votre place, j'aurais eu honte de rester
là et d'attendre mon bon plaisir... Essaie un peu
de tourner en sens inverse, imbécile ! » Il en
voulait particulièrement à ce clown-acrobate
étincelant de paillettes, presque aussi grand que
lui-même. Le clown ne tourna pas en sens inverse, se souleva comme toujours sur la barre
à la force de ses deux bras raides et bascula en
avant... puis recommença, regardant devant soi,
un sourire avantageux sur son visage blanc et
rouge, les gros sourcils noirs en accents circon-
flexes.

« Hou-ou-ou ! Je ne sortirai rien de toi... »

Christo était dégoûté; il détestait aussi la
petite bonne femme en plomb, une paysanne qui
portait sous un bras un chien et sous l'autre un
chat; elle se tenait sous un cadran de pendule
et à chaque seconde marquée par l'aiguille on
voyait le chat et le chien tirer simultanément
une langue rouge. Christo avait une certaine

indulgence pour l'oiseau en cage, qui sautillait,
tournait la tête et sifflotait très joliment. Et
pour la *Poudreuse,* la grande poupée habillée
d'une robe en taffetas gris, de la dentelle au
bas des manches et au cou, une boucle de sa
coiffure un peu défaite, sur l'épaule... Elle tenait
toujours d'une main son poudrier, de l'autre
en sortait régulièrement la houppette, levait le
bras et se passait la houppette sur le visage, tout
en tournant la tête et battant des longs cils noirs.
La *Poudreuse* plaisait très fort à Christo, c'était
même son idéal de beauté. Elle se poudrait et
se repoudrait... Le magicien en frac qui procédait
à une élévation de la femme couchée horizontale devant lui, se trouvait à côté du Turc. Ses
mouvements étaient si compliqués, la série de
gestes prenait tellement de temps que Christo
se mettait à espérer que cela allait continuer
d'une autre façon, changer... Il n'en était rien.
Christo rêvait, le rocking-chair se balançait. Ils
avaient beau l'agacer, cette nuit, il lui fallait
leur complicité à tous. Autour de la cave fré-
missante, tout semblait immobile et silencieux.
Les murs étaient épais et la nuit profonde.

Christo se leva et alla se poster devant le
Turc. Depuis le jour où Luigi avait présenté
le *Joueur d'échecs* au docteur Vacquier, le Turc
était resté éloigné du mur, le turban de travers
sur la tête renversée en arrière, montrant le

blanc d'un seul œil, l'autre béant, et on lui
voyait les narines du nez écaillé et écrasé... Les
moustaches noires se perdaient dans le cou...
Les plis poussiéreux de sa cape, tenue aux épaules, traînaient par terre... Ses bras semblaient
vouloir embrasser le monde entier. Christo s'approcha du Turc et ouvrit la porte de service
du coffre, celle du petit compartiment, derrière
le mécanisme-bluff. Il avait décidé de se rendre
compte par lui-même, entrer dans le coffre et
voir si un homme pouvait s'y cacher et comment... L'idée qu'il allait s'introduire au cœur
même du secret, refaire les mouvements qui
avaient permis une des plus sensationnelles su-
percheries de deux continents, le mettait dans
un grand émoi. Il s'imagina être Wronsky, avoir
les deux jambes coupées, et s'assit par terre, dos
à la porte de service ouverte. Puis, se soulevant
à l'aide des deux bras posés sur le seuil à quelque vingt centimètres au-dessus du sol, il se
hissa : les fesses passèrent les premières, ensuite
Christo ramena les genoux au menton, pivota et
se trouva à l'intérieur du petit compartiment,
la porte ouverte à main gauche, le mécanisme
qui devait le cacher du public à main droite.
Il essaya d'allonger les jambes : rien ne s'y oppo-
sa. Mais si la porte à deux battants était restée ouverte, les spectateurs auraient vu ses jambes... Wronsky, lui, n'en avait pas... mais les jou-

eurs suivants ? Il y avait bien le tiroir, en dessous... encore fallait-il pouvoir y glisser les jambes... Christo réfléchissait, essayant de ne pas
bouger pour ne pas s'écorcher aux pièces métalliques cassées. Il avait le visage plein de poussière, de toiles d'araignées... son pyjama allait
être dans un bel état ! Bon, il n'avait plus rien
à perdre, c'était fait, un peu plus, un peu
moins... Quand une araignée lui courut sur les
jambes qui sortaient nues du pyjama retroussé
jusqu'à l'aine, il fit un mouvement brusque et
se cogna contre la paroi au-dessus de sa tête.
Christo se poussa en avant sur les fesses et passa
dans le grand compartiment : c'était de là qu'il
lui faudrait essayer de se hisser dans le corps du
Turc. Il chercha une ouverture, de l'épaule, de
la tête, et n'en trouva pas.

Est-ce en se démenant, ou, peut-être, en secouant le coffre, qu'il fit se refermer la porte
par laquelle il était entré ? Il l'entendit claquer
comme la trappe d'une souricière, et aussitôt
ce fut la nuit noire. Christo jeta les bras derrière
lui, tâtonna... appuya... Rien. Alors il essaya de
repasser à reculons dans le petit compartiment,
mais se trouva trop à l'étroit... Le cercueil avala
le premier cri qu'il poussa, l'étouffa, le garda.
Christo se mit à hurler : sa voix s'écrasa sans
bruit contre les parois. Il s'immobilisa, muet de
terreur. Des araignées lui couraient sur tout le

corps. Dans la cave les automates bougeaient
avec des *dzin* et des *dr... dr...* à intervalles régu-
liers. Christo écoutait. Le sang battait follement
dans sa poitrine, ses oreilles, sa gorge... Il recommença à tâter autour de lui les parois recou-
vertes jadis d'une étoffe qui pendait, décollée,
déchirée : rien ne cédait, ni la porte à double
battant à main droite, ni le plafond où devait
se trouver l'ouverture par laquelle Wronsky
était supposé se glisser dans le corps du Turc...
Peut-être n'était-ce tout de même pas le vrai
*Joueur d'échecs ?* Christo s'essayait encore, cou-
rageusement, des épaules, de la tête à trouver
cette ouverture : s'il arrivait à pénétrer dans
le corps du Turc, il sortirait par la porte au
niveau des reins. Un insecte le piqua violemment au bras... Désespéré, il s'arcbouta, les
pieds contre la paroi, poussa... : rien ! C'était
solide, solide... Alors il se mit à se démener
comme un forcené, cognant à droite et à gauche, essayant de crier, étouffant... Les planches
du cercueil l'enserraient de plus en plus étroi-
tement... Christo s'immobilisa. Il était exténué,
à bout de forces.

Dans la cave, les automates aussi s'immobili-
saient, l'un après l'autre... Ne bougeaient plus
que ceux qui marchaient à l'électricité. C'était
presque le silence, impénétrable comme les
parois du coffre. Il y avait trois portes fermées

entre Christo et la chambre de Nathalie et de
Luigi. Les murs du sous-sol étaient épais. Christo
ne bougeait plus... une douleur aiguë dans la
poitrine, un immense bourdonnement dans toute
sa tête... La nuit devant ses yeux se teintait de
sang. Il essaya encore une fois de passer à reculons dans le petit compartiment par lequel il
était entré dans le coffre. Et, à force de contor-
sions, il y arriva !... Ramassé comme un fœtus,
se déchirant aux roues et leviers cassés, rouillés,
il se tourna de façon à avoir le dos contre la
porte qui s'était refermée et, avec le peu de force
qui lui restait, s'y appuya... Il y eut un craque-
ment, et Christo tomba en arrière, à travers
la porte qui, soudain, céda ! Il gémit et perdit
connaissance.

Luigi, qui se levait très tôt et allait maintenant aussitôt travailler au sous-sol sur la prothèse à pile électrique destinée à André, eut
la surprise de trouver les portes fermées, et la
cave non seulement éclairée, mais grouillante
de la vie électrique des automates. Le gosse
avait dû s'endormir avant d'avoir débranché.
Luigi appela : « Christo ! » Silence. Il s'approcha du divan : personne ! « Christo ! » Luigi
alla enlever les prises et les automates se figèrent... « Christo ! » Inquiet, il fit le tour de la
cave...

Il découvrit Christo par terre, derrière le *Joueur d'échecs,* le corps à moitié dans le coffre, à moitié sur le sol, la tête dans une mare de sang, le pyjama en loques. Luigi tomba à genoux à côté de Christo, l'appela, le toucha partout à la fois : il respirait, il était vivant, il brûlait ! Luigi bondit, faillit renverser cet imbécile de clown à qui Christo demandait de tourner à l'envers — le clown gémit et fit un demi-tour à l'envers — courant au téléphone pour appeler un médecin... Lequel ? Vacquier habitait à l'autre bout de Paris... Avoir un médecin à cinq heures du matin ! Enfin, il en trouva un, le médecin de quartier qu'on avait déjà eu deux ou trois fois pour Nathalie.

Avec Nathalie réveillée, à deux ils transportèrent le gosse sur le divan. Nathalie lavait les plaies et les bleus sur le petit corps maigre et pleurait. Le cuir chevelu était arraché par endroits, les cheveux collés. Des gémissements lamentables sortaient maintenant des lèvres de Christo, il bredouillait des choses... Nathalie lui mit un pyjama propre, le borda... Il brûlait, mais semblait dormir, les yeux fermés. Et le docteur qui n'arrivait toujours pas... Luigi sortit l'attendre sur le pas de la porte, côté boutique. Nathalie s'assit à côté de Christo. Les automates souriaient, stupides, immobiles, poussiéreux et invraisemblables.

« Qu'est-ce qu'il a voulu faire ? » Le docteur emmaillotait la tête de Christo, et ça faisait un turban comme celui du Turc. Personne ne répondit. Le docteur préparait maintenant ses seringues... « Qu'est-ce que tu as voulu faire, mon petit bonhomme ? » Christo avait les yeux grands ouverts; il les ferma.

On le laissa avec Michette, arrivée entre-temps. Une Michette bouleversée. Ah ! oui, Nathalie, Phi-Phi est parti... Et même qu'il a eu l'air de se sauver, côté *Draculus*. Elle avait enlevé les draps.

Dans la boutique, le docteur, assis devant le bureau de Luigi, écrivait l'ordonnance. Il conseilla le repos pendant quarante-huit heures... Les plaies n'étaient pas graves, des écorchures, mais le petit était assez sérieusement choqué, il ne fallait pas le laisser seul, il avait l'air d'avoir de la fantaisie, le gosse. Et puis, cette cave, les automates... l'atmosphère était impressionnante. Mais qu'est-ce qu'il a bien pu fabriquer ?

« L'atmosphère, dit Luigi, le petit sait à quoi s'en tenir ! Il connaît la musique... Il n'a pas peur des automates, il les méprise bien trop ! Ce qu'il a voulu faire, c'est vérifier par lui-même l'authenticité d'un automate. Je ne sais pas ce que son expérience a démontré : que l'histoire était fausse ou que l'automate était faux...

— Bon, je ne comprends rien à votre histoire... Vous êtes énigmatique comme un sorcier,
monsieur Petracci ! Moi, dans cette cave, j'aurais
des cauchemars... »

Nathalie, encore pâle d'émotion, emmena le
docteur chez elle. (Oui, il n'y avait pas trace de
Phi-Phi...) Un café ? Et, peut-être, un verre de
pastis ?... « A neuf heures du matin, madame !
je sais que j'ai cette réputation, mais quand
même... Bien, si vous insistez... » Le docteur, qui
n'avait pas vu Nathalie depuis plus d'un an,
la trouvait engraissée, elle ne se soignait pas ?...
Oui, elle avait repris tous les kilos perdus. Vous
savez, vingt kilos de plus ou de moins, elle
n'allait pas s'empoisonner l'existence, on avait
essayé de la mettre à un régime de camp ! Quand
elle ne mangeait pas, elle s'ennuyait, la vie était
belle à condition de bien manger... Ecoutez,
madame, à ce régime-là, votre cœur ne tiendra
pas le coup, je vous préviens... Et alors ? S'il
pouvait lui promettre de faire d'elle une femme
svelte, elle serait son homme ! Elle passerait par
tous les supplices, mais puisque c'était impossible — nous sommes d'accord, c'est impossible ? — elle n'allait pas s'enlever la joie de vivre
pour une misérable affaire de cœur. D'ailleurs,
elle avait d'autres soucis de santé...

« Qu'est-ce que c'est, madame Petracci ? »

Nathalie hésita :

« Non, rien... Parlons d'autre chose... Il faudrait que je téléphone à la mère du petit pour la mettre au courant... Le métier des parents devient de plus en plus difficile, docteur, les gosses ont pris sur nous une avance telle, qu'on ne les comprend plus. Déjà de mon temps, ce n'était pas une sinécure, mais il y avait plus de distance entre l'auto et la fusée qu'entre le fiacre et l'auto... Christo a un petit frère qu'on appelle P'tit, il a cinq ans, sa mère m'a raconté que l'autre jour elle lui a dit: « Cesse de tripoter « la télévision, tu vas la casser et te faire du « mal... » Savez-vous ce qu'il lui a répondu : « Ça ne risque rien, j'ai enlevé la prise ! » A cinq ans, docteur... Je ne vous dis pas qu'il sait pourquoi, mais il en sait déjà assez long pour comprendre que le danger passe par là...

— Oui, dit le docteur, et son visage fatigué, bouffi et poreux, prit une expression timide et gênée, moi aussi je suis dépassé... Mes garnements ne fichent rien, tous les deux recalés.

— Tout le monde est toujours recalé, docteur et puis ça s'arrange.

— C'est vrai, admit le docteur, c'est rare d'entendre dire, il est reçu... C'est toujours, il a raté son bac... Et, pourtant, il y en a bien qui le passent !

— Plus ils sont charmants et moins ils le

passent. Je vous sers, docteur ? Mais si, une goutte...

— Voyez comme vous êtes, madame Petracci ! J'ai des malades à voir... Il faut que je parte et même en courant. S'il y avait quelque chose, vous me téléphonez, sinon, à demain... »

Restée seule, Nathalie se pencha sur la planche à dessin. Le Turc, tant de fois dessiné, prenait soudain une expression étrange : quelque chose de sournois, de faux... D'une plume distraite, Nathalie ajouta des fioritures au coffre... Le Turc était un précurseur malgré lui. Faux, archi-faux, l'automate de Kempelen, mais les hommes allaient rendre vrais tous les miracles frauduleux... Il fallait qu'elle téléphone à la mère de Christo, dans la rue les nouvelles allaient vite, il ne faudrait pas qu'elle apprît par hasard que quelque chose était arrivé au petit...

Denise perdit son calme... C'en était trop ! Comment, quoi ? Elle ne parvenait pas à comprendre cette histoire du Turc, du *Joueur d'échecs*... Il s'est trouvé emprisonné dans le coffre ? quel coffre ? Ah ! mais ça n'a pas d'importance, le principal est qu'il s'en soit sorti ! Ce qui peut leur passer par la tête ! Nathalie essayait de la calmer... Mme Loisel avait tout de même un souci de moins avec Olivier qui ne bougeait plus de chez l'oncle Ferdinand... Non, non, il ne faut pas que vous en parliez comme d'un chef de bande, madame ! Qu'il se promène avec des jeunes gens ramassés autour des billards électriques du bistrot du coin, n'en fait pas un chef de bande, il ne faut rien exagérer... Mais il s'agissait maintenant de Christo ! Etre là, à côté, et ne pas pouvoir accourir, voir de ses yeux, le prendre dans ses bras ! Enfin, on en voyait le bout... encore trois jours !... Madame Petracci, Nathalie, je vous embrasse... Il y eut un sanglot dans la voix de Mme Loisel. Ma chère, chère Nathalie... J'attends un coup de téléphone de vous... Oh ! P'tit, il va bien, il ne s'en fait pas... Hier soir, elle avait trouvé dans la poche de son pyjama une photo découpée dans le journal : Brigitte Bardot ! Elle lui a demandé, pourquoi as-tu Brigitte Bardot dans ta poche, et P'tit qui répond : « Elle est joli-i-ie ! » Dites bien à Christo que nous l'embrassons tous... Patte et Truffe aussi. P'tit leur fait une vie ! Il s'ennuie tout seul, alors il est après les chiens toute la journée...

Nathalie reprit son dessin... Puis posa sa plume, et la main sur son sein, resta longuement immobile.

## XX

*Les rapports humains*

CÉTAIT étrange et triste de ne plus avoir Christo
avec soi. Ils l'avaient gardé bien au-delà du danger de contagion, trop heureux de faciliter à
Denise Loisel la convalescence de P'tit, devenu
un petit monstre. Christo passait tous les jours,
mais il fallait qu'il rattrape le retard à l'école,
et avec tout ce qu'on lui faisait faire à la maison,
pas un moment de libre ! Il embrassait Nathalie
et le voilà parti... C'était affreusement triste.

Phi-Phi n'était jamais revenu. Les premiers
temps après sa disparition, Nathalie se faisait
même apporter les journaux et les lisait attentivement, craignant d'y trouver le nom de Phi-Phi.
Mais il n'y avait rien, jour après jour, rien qui y
ressemblât. Heureusement, heureusement. Phi-
Phi avait-il rêvé, menti ? Toujours est-il qu'au

cun cadavre cité dans les jounaux ne faisait l'affaire. Pendant quelque temps encore, Nathalie continua à parcourir toutes les rubriques susceptibles de parler d'un crime (elle se gardait bien de lire le reste, puisqu'elle avait promis à Luigi de ne rien en faire)... Puis elle dit à Michette de ne plus acheter les journaux.

Avec le départ de Christo, le temps semblait s'éparpiller. Il y a des époques où l'on vit chaque instant, en détail, avec rien que des gros plans, des époques où tout est inoubliable, lourd de sens, où tout tire à conséquence, aura des répercussions un jour ou l'autre. Et ce n'est pas que l'on vive plus lentement, que le temps s'arrête, au contraire, il passe terriblement vite, mais il pèse plus lourd, il ne s'éparpille pas. Ainsi de cette époque où Christo vivait chez Nathalie : on aurait dit que sa présence donnait à toute chose ses trois dimensions, et même une quatrième, inconnue et féerique. Oui, il y a de ces époques... Et puis d'autres, où le temps s'éparpille. Il arrive que des jours, des mois, des saisons entières se perdent comme les feuillets d'un gros manuscrit qu'on a laissé tomber : page 156... et, tout de suite après, 163, 250... Impossible ni de retrouver les pages manquantes, ni de les rétablir. Evanouies, effacées. Nathalie ne savait plus où elle en était, tout semblait se

répéter comme les gestes des automates, l'hiver,
l'été... Elle ne retrouvait pas des paquets entiers
de jours, de nuits, qu'elle avait pourtant vécus.
Luigi travaillait, elle travaillait, trempait le
pinceau dans l'encre de Chine, lisait des livres,
le grouillot venait chercher ses dessins, Michette
faisait des brioches, il y avait la sonnette de la
porte, du téléphone... Les habitués venaient comme d'habitude. Lebrun pour l'instant avec une
petite blonde extrêmement jeune. Le docteur
Vacquier passait chez Nathalie au moins deux
ou trois soirées par semaine. L'Afat Béatrice ne
venait que trop souvent pour parler de son Russe
qu'elle n'avait pas encore réussi à lui amener...
Et ce sculpteur, Claude, à qui Luigi commandait
parfois des automates... Et l'instituteur avec sa
femme, des amis du temps de la Résistance, qui
avaient hébergé Olivier après sa fugue... Puis, un
jour, apparut un homme qu'on appela « le ban-
quier » bien qu'il ne le fût point, juste parce
qu'il semblait avoir des tonnes d'argent. Sa fille
avait été amputée d'une jambe lors d'un accident
d'auto et comme il avait entendu dire qu'un certain M. Petracci faisait des miracles dans le
domaine des prothèses, il était venu se renseigner. Maintenant, il revenait souvent pour parler avec Luigi de prothèses et il était prêt à toutes les dépenses pour l'aider dans ses travaux...
Avec Nathalie, il parlait de cet effroyable mal-

heur. « Un dépotoir de malheurs, voilà ce que je suis... » se disait Nathalie et, parfois, elle s'accusait d'insensibilité, est-ce que la graisse allait étouffer son cœur ?...

Les vacances de cette année, noyées dans les jours et les nuits, lui échappèrent entièrement. Elle les avait passées comme d'habitude avec Luigi et Michette à l'ancienne magnanerie et, pour Nathalie, ces vacances-là se confondirent aussitôt avec toutes les précédentes. Elle ne voyait plus fuir le temps qu'en regardant Christo : il changeait à vue d'œil. L'oncle Ferdinand l'avait emmené avec lui dans la maison de famille, quelque part dans l'Yonne, rien que Christo (les autres enfants Loisel, et surtout Olivier, il ne voulait pas en entendre parler depuis que Denise le lui avait confié avec Mignonne par-dessus le marché, pendant la maladie de P'tit). C'était un drôle d'oiseau, cet oncle Ferdinand, un vieux célibataire que les enfants incommodaient beaucoup. Aussi avait-il rapidement abandonné Christo dans la vieille maison moisie pour se rendre sur la Côte. Il faut dire qu'il pleuvait jour et nuit, et que la maison n'était pas favorable aux rhumatisants. Elle traînait parmi les grands arbres dégoulinants, comme une vieille lettre sans intérêt, emportée par le vent, délavée et que personne n'allait ramasser. L'oncle avait passé huit jours à raconter à Christo com-

ment à son âge il avait construit un poste de
radio à galène, ce qui, au lieu d'impressionner
Christo, lui avait fait situer l'enfance de l'oncle
à l'âge de pierre. Ils eurent des conversations
sur les superstitions, l'anticléricalisme, l'antimili-
tarisme, mais il pleuvait toujours et l'oncle n'y
tenant plus était monté dans sa voiture pour
aller chercher le soleil. Il aurait bien emmené
Christo, mais que dirait sa nièce, Denise ? Il
l'avait confié à la femme du jardinier.

Christo commença par dévorer, comme les
sauterelles une récolte, tout ce qu'il avait pu
trouver d'imprimé dans la maison. Soûl de lec-
tures, il mettait des bottes de caoutchouc, un
imperméable, et allait jusqu'au patelin voisin,
chez le libraire-bibliothécaire qui s'ennuyait à
longueur de journée et était tout heureux de donner au petit des conseils. Lorsque l'oncle au bout
d'un mois revint, hâlé et joyeux, il trouva Christo
toujours trempé comme une soupe, mais ayant
lu un nombre stupéfiant de livres de toutes
sortes...

Toujours maigre et pâle, Christo avait beaucoup grandi, changé d'expression. Son langage
aussi avait changé, conséquence de toute cette
lecture avalée massivement. Avec Christo devant
elle, Nathalie recommençait à distinguer les
jours les uns des autres, mais elle le voyait maintenant si rarement. Il était en sixième et, ses

moments libres, il les passait plutôt avec Marcel
ou avec Luigi qu'avec Nathalie, bien qu'il eût
pour elle toujours le même attachement passion-
né. Mais il partageait les intérêts de Marcel et
de Luigi. Quand il venait, c'était pour descendre
directement au sous-sol, voir Luigi travailler
sur la prothèse électrique d'André, « le bras
d'André » comme ils disaient. Cela ne marchait
pas très bien, André portait, ou plutôt ne portait pas sa prothèse provisoire, et les essayages
du bras électrique étaient décevants : il ne
semblait pas qu'André pût jamais s'habituer
à une prothèse quelle qu'elle fût. Luigi per-
fectionnait la sienne de son mieux : une pile
électrique et un petit moteur dans l'avant-bras,
les muscles du moignon pour l'actionner...

Depuis que Christo avait couché ici, le coin
où travaillait Luigi s'était agrandi, il y avait
maintenant un matériel différent : un généra-
teur d'impulsions... des petits montages électroniques élémentaires... un oscilloscope à écran
circulaire... Luigi travaillait souvent avec un
ingénieur électronicien, il n'avait pas les connaissances nécessaires pour faire les calculs, obtenir
des réponses de l'oscilloscope : s'il en était à
exécuter une prothèse électrique, toutes ses
préoccupations allaient au bras cybernétique.

Ce soir-là rien ne marchait. Luigi n'était pas en train, les choses lui résistaient, disparaissaient sous son nez, se cassaient, roulaient sous la table... Il en avait les mains moites... peut-être couvait-il une grippe ? Luigi alla s'asseoir dans ce vieux rocking-chair au cannelage troué, Christo se jucha sur un tabouret. Le bras cybernétique... Le bras cybernétique... Autour d'eux s'installa le grand silence tombal du sous-sol :

« L'homme vivant, c'est mieux, dit Christo —, répétant ce qu'il avait dit un long moment avant, c'est lui qui invente le bras artificiel et toutes les machines. C'est pas la machine qui a inventé l'homme. »

Luigi avait toujours une oreille complaisante pour les divagations de Christo, mais ce soir, non... Tout était trop compliqué.

« Là n'est pas la question », dit-il mollement, se balançant dans le rocking-chair. Il avait enlevé ses lunettes et fermé les yeux. Les allées et venues de sa chaise entre la lampe sur l'établi et Christo faisaient se succéder ombre et lumière sur le visage du petit. Autour d'eux l'immobilité souriante des automates comme toujours sur l'expectative : attendaient-ils le baiser d'un prince charmant pour que tout s'anime, se mette en marche ?

« La machine renforce indéfiniment les possi-

bilités humaines physiques et cérébrales ... reprit
Luigi, mâchonnant les mots avec dégoût.

— Mais toi, tu aimes « le bras à André », et
« le bras à André » il n'a pas de sentiment pour
toi. »

Luigi ouvrit un œil pour regarder Christo et,
sans lunettes, ne vit qu'une méduse flottant dans
le brouillard.

« Tu en es déjà aux sentiments ? On essaye à
peine de leur donner une mémoire, un cerveau
que tu veux déjà qu'ils *sentent*. En principe,
pourquoi pas ? Le savoir de l'homme va en
s'agrandissant et, en principe, il n'y a pas de
limites à cet agrandissement. Alors, si l'homme
arrivait à créer un homme artificiel à sa semblance, cet homme artificiel aurait peut-être
*aussi* des sentiments.

— Tu crois qu'on arriverait à créer une Nathalie artificielle ?

— Qu'est-ce que tu veux dire par là ? »

Luigi remit ses lunettes et Christo reprit sa
forme : celle d'un garçonnet grêle et pâle, avec
une culotte courte et un blouson à fermeture
éclair.

« Elle a avec chacun la manière qu'il faut...

— Oui... Les rapports humains. Quels seront
les rapports entre des systèmes cybernétiques, ça,
mon petit... Nathalie, elle se règle toute seule
sur ce qu'il faut à l'autre : la pitié, l'encoura-

gement, la gifle... Mais peut-être ces sentiments disparaîtront-ils, et il faudra à l'autre la chaleur thermique, ou une réponse urgente à une question quelconque, est-ce qu'on sait...

— J'imagine... On dit d'une voiture, une quatre-chevaux, mais on n'imite pas les chevaux, pas ? On ne met pas devant l'auto un quadrige de chevaux de carrousel pour qu'ils aient l'air de la traîner. L'homme artificiel ne ressemblera pas du tout à l'homme naturel, ça ne sera pas un androïde. N'est-ce pas, Luigi ? C'est pas utile. Alors, dans l'autre sens, quand on dit que Dieu nous a créés à sa semblance, ça ne veut pas dire que Dieu est un monsieur barbu...

— Là, tu as raison... Quand je dis que l'homme artificiel sera à notre semblance, j'ai en vue que, pour le créer, nous nous inspirons de nous-mêmes, de notre système de fonctionnement, pour le cerveau, l'automatisation, etc. Je ne dis pas que l'homme artificiel nous ressemblera comme tu ressembles à ta mère.

— C'est mieux, approuva Christo, mais pas entièrement satisfaisant. Nous sommes vivants, lui pas... »

Luigi pouvait très bien se représenter Christo devant un tableau noir, interrogeant un étudiant... Il sera probablement très grand et mince, avec des cravates mal nouées, et il dira comme

ça : « C'est mieux, mais pas entièrement satisfaisant... » Luigi sourit à cette vision d'un Christo professeur à la Sorbonne, et dit :

« On introduit déjà dans les machines cybernétiques des matières qui commencent à rappeler les substances organiques.

— Penses-tu que cela permettra de diminuer
le volume des machines ?

— On cherche, on cherche... Plus les organes
d'une machine sont grands, plus ils sont lents
et plus ils consomment d'électricité. Or, puisqu'il s'agit de diminuer les dépenses, l'homme
devient diaboliquement inventif. Il n'est pas
exclu que des matières nouvelles donnent des
possibilités... Nos machines sont déjà intelligentes, mais encore très bornées, et grossières. Tu
peux, par exemple, construire une machine qui
te démontrera un théorème, mais il lui faudra
plusieurs heures, là où l'esprit humain ne met
aucun temps, et donne l'explication de façon
immédiate.

— Ah ! »

Ils se turent, en compagnie de ces jouets anté-
diluviens, les automates, les androïdes stupides
qui n'arrêtent pas de faire la même chose, suffit
de les remonter, de les brancher.

« J'imagine... reprit Christo. Ces hommes qui
auront une puissance de tant de chevaux-va-
peur qu'on voudra, un cerveau électronique, des

microscopes à la place des yeux... mais les sentiments ? S'ils ont un magnétophone dans le ventre, ils pourront s'exprimer, mais il faudra quand
même tout d'abord inscrire sur la bande ce qu'ils
auront à dire...

— Pourquoi ? Il n'est pas impossible que la
bande soit impressionnée selon ce qui se passe
dans le système cybernétique même. Des réactions au son, à la lumière... Il n'y a rien d'impossible. Ça ne sera peut-être pas une langue,
mais ça sera un langage. Il n'y a rien d'impossible. Le moyen de communication entre les
êtres n'est pas forcément une langue, même pas
forcément des sons...

— Si c'est pour dans mille ans, c'est tout
comme jamais... Christo se frottait les yeux, un
tic qu'il avait attrapé dernièrement et qui lui
venait quand quelque chose l'absorbait, et qu'il
essayait d'y voir plus clair.

— L'oncle Ferdinand, dit-il, est très vieux,
il a au moins quarante ans. Il ne croit ni à Dieu
ni au diable, il mêle tout, les horoscopes et
Jeanne d'Arc... et les fantômes... et les soucoupes
volantes... et les cartomanciennes... et la télépa-
thie... Il se croit malin. Il est bête parce qu'il
est vieux. Ce n'est pas parce qu'on ne sait pas
expliquer qu'il faut en rire. Il faut chercher.
Le *Joueur d'échecs* était un faux automate, et
maintenant on en construit un vrai...

— Oui... pas tout à fait. La machine joue déjà les débuts et les fins de parties, pas le milieu... Il y a trop de combinaisons possibles, un nombre astronomique de combinaisons... On ne sait pas encore les introduire toutes dans la machine. Mais tu as raison : il n'y a pas de fumée sans feu... La fumée c'est le rêve; le feu est la réalité qu'il reste à découvrir. Tu as raison : les légendes, les contes de fées, les tricheries, les mensonges... tout va se réaliser. »

Christo se leva et s'étira comme s'il venait de se réveiller, ou comme s'il se tordait les bras de désespoir :

« Pour moi, on expliquera tout... ce qui me dérange constamment, c'est l'infini.

— N'y pense pas. Occupe-toi de ce qui est dans des limites. C'est assez grand, il y a de quoi s'occuper. »

Ce n'était pas dans le caractère de Christo de « ne pas y penser ». Il ne pouvait vivre avec, comme avec une maladie chronique. Il était bien trop fier pour éviter les difficultés, il apprenait à les supporter, à se dominer. C'était merveille que de le voir ronger son frein, battre du sabot sur le sol, piaffer et poursuivre ce qu'il avait à faire. Par exemple, le travail du tableau animé, ce tableau qu'il voulait faire pour Nathalie... Il y pensait et repensait, apportait des projets à Marcel, s'y prenait d'une façon et d'une autre... Et il n'avait pas besoin de Marcel pour savoir qu'il n'y arrivait pas. Les plus patients auraient abandonné, mais Christo grinçait des dents et recommençait.

« Ce qu'il a grandi ! songeait Luigi, maintenant je n'aurais pas pu le porter dans mes bras, comme la nuit où je l'ai ramassé évanoui, ici même, auprès du *Joueur d'échecs...* » Il se leva :

« Viens, Nathalie est seule peut-être. »

# XXI

*Le phantôme*

NATHALIE était seule, et elle était triste : la femme d'André, Marie, venait de la quitter et ça
n'avait pas été drôle. André continuait à délirer,
il ne s'habituait pas à ce bras tranché au beau
milieu : il regarde cette absence de bras, et il
pleure. Rien à faire pour qu'il porte sa prothèse. Marie a beau le raisonner, lui dire qu'il
serait temps d'accepter, de prendre les choses
comme elles sont... c'est comme ça, c'est comme
ça, qu'y faire... Il n'y arrive pas... Il ne peut
pas comprendre, ce bras il ne le voit pas, mais
il le sent comme s'il le narguait, lui mentait...
il ne sait plus ce qu'il doit croire, ses yeux ou ses
autres sens. Il délire...

Luigi repoussa son fauteuil avec irritation :
« Je leur ai dit cent fois que tous les mutilés

sentaient leur membre retranché, qu'il n'y avait
là ni délire, ni folie... C'est un phénomène général.

 — Oui, bien sûr, dit Nathalie, mais Marie
n'arrive pas à le comprendre, elle essaye de ramener André à la raison, en lui prouvant qu'il
invente... alors l'autre se met à hurler que ce
n'est pas lui qui ment, mais son bras ! Il le sent
même quand il n'en souffre pas, il sait comment
il est posé, tourné. Marie, ça l'affole...

 — Marie, ça l'affole ! » Luigi, qui s'était assis,
se releva. « Je ne sais pas ce que je lui ferais, à
cette femme ! » Elle détruit tout notre travail...

 « C'est vrai ! » Christo était tout aussi fâché
que Luigi. « Luigi leur a même porté des bro-
chures sur le *membre-phantôme*. Tu as vu. Nathalie, que cela s'écrit avec un *ph* ? Membre
ph-ph-phantôme ! Ça veut dire la même chose
que fantôme avec un *f*... Avec un *ph* ça doit
être plus scientifique. »

 Nathalie prit la défense de Marie. Ce n'était
pas facile à comprendre quand André montrait
le vide et disait qu'il avait mal à son pouce...
Mal à distance, dans le vide ! Marie, ça la fait
rire et pleurer.

 « Tu ne sembles pas avoir très bien compris
toi-même ! » Luigi irrité par Nathalie ! On aura
tout vu... « Les mutilés sentent leurs membres
retranchés, comme s'ils les avaient toujours, c'est

de connaissance commune, et ce n'est pas des
histoires, mais un fait vérifié pendant des siècles. Les mutilés n'inventent pas, c'est vrai ! Et
ils n'ont pas besoin d'en souffrir pour sentir un
membre amputé comme s'il faisait partie de leur
corps. Pourquoi ? — Luigi s'était dominé et
parlait calmement. — Un grand savant comme
René Leriche supposait que ce sentiment était
provoqué par les excitations périphériques issues
des nerfs du moignon; ce sont elles qui donnent
naissance au membre-phantôme. Mais il existe
une autre hypothèse, plus excitante : nous sen-
tirions notre corps *du dedans,* comme s'il était
délimité dans l'espace par un trait, nous senti-
rions notre silhouette, si tu veux... C'est l'hypothèse du *schéma corporel.* Tant que le corps
est intact, le schéma corporel, tel que nous le
*voyons de l'extérieur,* et tel que nous le *sentons
de l'intérieur,* sont identiques. Mais quand un
membre est retranché, alors ce que nous voyons
avec les yeux et ce que nous sentons en notre
for intérieur ne correspondent plus. *Objectivement,* un membre est amputé; *subjectivement,*
il fait toujours partie de notre corps. Objectivement, la matière a disparu; subjectivement, elle
persiste, elle existe. Pour les uns ce schéma corporel, le sentiment de la place que le corps occupe dans l'espace, serait inné; pour d'autres, il
serait le résultat de notre expérience. »

Luigi se tut et Christo donna son avis :

« Ça doit être le résultat de notre expérience, puisqu'on grandit, pas ?... Alors, si on veut être dans le vrai, le sentiment de nos limites doit varier, pas ? Il y a dix ans je me terminais là — Christo montrait ses genoux — et dans dix ans, je serai là. — Christo levait le bras verticalement. — Si on veut se conduire correctement, selon la place qu'on prend, ne pas faire de mouvements trop larges ou trop courts, il faut de l'expérience. Comme pour conduire un camion ou une 2 CV.

— Peut-être... Nous sommes, n'oublie pas, dans le domaine des hypothèses. Je ne te donne pas l'existence du *schéma corporel* comme une vérité absolue. Ce n'est peut-être qu'une notion métaphysique. Pourtant, dans un cas pathologique comme l'amputation d'un bras, le schéma se présente *matériellement*. Il y a compétition entre la matière subjective et la matière objective... des rapports entre le corps et la *psyché* qui nous échappent. Le *Leibseeleproblem*... Peut-être l'aurons-nous résolu, dans l'homme artificiel. Résolu, avant d'avoir compris.

— J'aimerais, dit Christo. Théoriquement, ça doit pouvoir se faire, pratiquement, reproduire les milliards de cellules de notre cerveau...

— J'ai mal au bras, interrompit Nathalie, où·en es-tu de la prothèse d'André ? Tu devrais y aller demain, il va mal, André. Même moi, j'ai mal à son bras-phantôme, non, vrai, je souffre... »

Luigi sourit à Nathalie :

« Je vais y aller. Je n'arrive pas à éliminer le bruit du moteur électrique dans la prothèse... A peine, à peine, mais on l'entend quand même. Par contre, j'ai reçu un gant des Etats-Unis, c'est hallucinant ! de la peau, exactement de la peau...

— Il faut que tu y ailles, Luigi. Je ne sais pas ce que ces deux-là trafiquent... Ils vont se rendre fous l'un l'autre. A force de travailler son mari, Marie dit que le bras d'André — le bras-phantôme — se raccourcit et qu'il va bientôt rentrer dans le moignon. »

Luigi souleva une chaise et la reposa avec fracas :

« Cette femme ! — et cette fois c'était la tempête. — Je ne sais pas ce que je lui ferais, à cette femme ! Elle se croit maligne ! Je lui ai dit cent fois de ne pas venir remuer ses pieds là-dedans ! Il faut qu'André continue à sentir son bras amputé comme s'il l'avait toujours... » Luigi prit sur lui et se mit à parler d'un ton professoral : « Ecoute-moi bien, Nathalie, ce n'est que comme ça que son bras artificiel pourra occuper la place du bras-phantôme et se substituer totalement au bras amputé. Il n'y a que

comme ça qu'il le sentira comme sien, faisant
partie de son corps. S'il se met à sentir que son
bras se termine au niveau du moignon, il restera pour toujours un mutilé, on ne pourra
jamais le *réhabiliter*, c'est-à-dire lui rendre le
sentiment qu'il est complet, comme tout le
monde. S'il ne sentait plus son membre-phantôme, il faudrait toute une rééducation pour le
lui faire retrouver, de façon que les contractions
des muscles du moignon soient en concordance
avec les mouvements du membre-phantôme. »

Nathalie et Christo se taisaient. Luigi se mettait si rarement en colère... C'était compréhen-
sible, il donnait tout son temps pour aider André, et on lui défaisait son travail dans le dos.
Il explosa encore une fois :

« Ça vient avec ses petites notions imbéciles
de *bon sens*... Je t'en ficherais du bon sens !...
C'est de ce pas que je vais y aller !

— Attends, dit Nathalie, je viens de terminer
ma bande... Michette a fait une brioche en l'honneur du mot *fin* ! Michette ! »        —

Nathalie posa son pinceau, se redressa et frappa au mur derrière elle. Michette apparut avec
la brioche et le café. Christo s'anima : était-ce
l'effet de la brioche ou du nouveau projet qui
surgissait en lui ?

« Puisque tu as fini ta bande, Nathalie, tu
pourrais faire la suivante avec l'histoire du bras

artificiel. A partir du pirate Barbarossa Hokus...
Comment il a perdu un bras dans la bagarre, et
le bras qu'on lui a fait... Tu trouveras toutes les
images dans un livre de Luigi. Et la main de
Gœtz Berlichingen... c'est un forgeron qui la
lui a construite, en 1509, avec un mécanisme
caché dans la paume. Et puis un serrurier parisien a construit un gantelet d'armure. Et puis tu
raconterais ce qu'on a fait au XIXᵉ siècle. Tu
pourrais inventer une histoire... un monsieur qui
va à la chasse, un monsieur de quelque chose, il
a un accident, et alors le chirurgien-dentiste de
Berlin, Ballif qu'il s'appelait, construit pour lui
une main animée. C'était la première. Et ça
finirait par la cisaille et André, et la prothèse
électrique de Luigi. Comment il emploie la force
des muscles qui reste dans le moignon pour acti-
ver le moteur électrique et mettre en mouvement les doigts de la main.

« N'exagérons rien !... Je ne suis qu'un simple mécanicien, un artisan..., rectifia Luigi, sévère, j'ai parfois de petites trouvailles, mais un
prototype de main électrique a déjà été exécuté
en 1940, à la Charité de Berlin, et depuis on en
a fait des centaines, aussi bien en France. Je
voudrais faire mieux, vous le savez bien — cette
main électrique, commandée par le cerveau... »

Nathalie toussa :

« Ah ! ce que j'ai mal, ce que j'ai mal à mon

bras ! » Elle se leva. « Ta mère a téléphoné,
Christo, il paraît que tu lui a promis de t'occuper de P'tit, tout le monde sort chez toi, ce soir...

— C'est toujours au moment le plus intéressant qu'on a besoin de moi... J'y vais ! »

Et Christo s'en fut, résigné et furieux, empor-
tant de la brioche pour P'tit et lui-même.

Nathalie marchait dans la pièce, la remplis-
sant des vagues ondoyantes de ses chairs, des
flots de ses vêtements. Elle dit, de mauvaise
humeur :

« Il faut toujours que les grandes personnes
viennent vous embêter avec leurs petites histoires... Elles ne s'occupent pas de ce en quoi elles
interviennent. Il a une mémoire extraordinaire !
Les dates, les noms... Tu ne trouves pas ? Tu ne
crois pas que tu lui en dis trop ? »

Luigi s'installait devant le café :

« Avec Christo, jamais trop. Il est sujet à
des angoisses métaphysiques, et j'aime mieux
pour lui les réalités médicales que la métaphysique. La médecine, au premier abord, c'est
rassurant. Il furète dans mes livres...

— Il a toujours fait ça. Quand il couchait chez
nous, il lisait tout ce qui lui tombait sous la
main, Alexandre Dumas et les livres de cuisine...

— Oui, mais tant que ce sont des livres de
cuisine, ça ne risque rien... Seulement hier il

m'a demandé : qu'est-ce que c'est que la *déper-sonnalisation ?*

— Et qu'est-ce que c'est ?

— Eh bien... c'est une perte du sentiment de l'existence de son propre corps... comme si ce corps était celui d'un étranger ou d'un cadavre. J'ai préféré dire à Christo que c'était un senti-ment *subjectif* vis-à-vis d'un membre paralysé, qui *objectivement* fait partie du corps... Ça l'a intéressé, il est en ce moment en plein dans la subjectivité à cause du membre-phantôme... J'ai donc noyé le poisson, parce qu'il s'était déjà mis à réfléchir à la dépersonnalisation.

— Les enfants d'aujourd'hui... Depuis que le monde est monde, on dit : il n'y a plus d'enfants. As-tu remarqué son langage ? Un intellectuel, non, vraiment... Et comme il a grandi ? »

Oui, Luigi l'avait remarqué.

# XXII

*Le surmâle* (2)

MAIS quand Nathalie perdait de vue Christo,
elle s'enfonçait à nouveau dans le brouillard et
ne cherchait même pas à en sortir. Les hommes
et les choses autour d'elle étaient sans consistance, semblaient fondre au fur et à mesure
qu'elle s'en approchait... Cela lui valut de vivre
une sorte de naufrage, et aussi étrange que cela
puisse paraître, ce fut Dany qui provoqua chez
Nathalie une colère telle qu'elle marqua l'heure
sur le cadran de sa vie.

Le surmâle avait sonné à la porte un après-
midi. Il se pencha sur la main de Nathalie dans
un baise-main mondain.

« Je suis revenu vers cette grotte que vous
habitez, Madame... Olivier m'avait amené ici,
mais je ne savais quel prétexte choisir pour vous
revoir. Me voilà et je suis ému... C'est ici le

point immobile de la toupie... Tout le monde descend ! Les étalons de tous les sentiments sont rangés dans vos placards, madame, avec vos draps. Ils vous donnent la mesure de toute chose... Il fait bon chez vous...

Dany prit une chaise et la transporta près du poêle.

« Qu'est-ce que vous venez me confier ? » Nathalie, un peu inquiète, posa sa plume. « Vous n'avez assassiné personne ? A propos de draps, je ne peux pas en sortir à chaque fois qu'un homme se trouve mal dans sa peau, j'en manque...

— Je n'ai assassiné personne, je suis amoureux...

— Bien... » Nathalie reprit sa plume.

« ...c'est une enfant. Je suis amoureux de son enfance. L'amour tient le coup. Il y a du désordre dans ce qu'on peut appeler le progrès, la courbe de son assimilation montre une fièvre de cheval, des hauts et des bas sensationnels... L'amour tient le coup. Mais si on parle de progrès... Qu'est le progrès non assimilé ou mal assimilé ? Il y a une poignée d'hommes partis en flèche, l'humanité leur court après. Où les rattrape-t-elle ? Au niveau de la consommation. Il y a ceux qui ont découvert les principes de la télévision, et ceux qui restent à regarder des images stupides.

— Ma génération, dit Nathalie, ne peut que constater et consommer, vivre des reflets fantastiques de la science... Mais vous, les jeunes...

— Le petit cerveau humain des jeunes est tout aussi incapable d'englober le tout que celui de leurs aînés. Nous vivons une époque de spécialisation de plus en plus exiguë. Dans la médecine, on soigne par centimètre cube... les yeux, le nez, les dents, le cerveau, la peau, les cheveux... Comme si l'organisme n'était pas un tout. Comme si le monde n'était pas un tout. J'ai décidé de faire ma médecine...

— Vous ne rêvez plus à la prestidigitation ? »

Dany se concentra, le front soucieux : il ne devait pas se rappeler son désir de se faire prestidigitateur. Il ignora la question :

« Un seul médecin ne serait pas capable de soigner le corps entier d'un homme. Personne ne pourrait tenir compte de tous les faits qui se produisent dans le monde... or, chacun de nos gestes provoque une série infinie de conséquences. La spécialisation divisera l'humanité plus sûrement que les classes de l'époque capitaliste... L'interdépendance du développement général ne fait pas de doute... »

Il parla encore, longuement. Nathalie l'écoutait, distraite... Dany l'agaçait. Elle lui coupa la parole :

« Ce qui m'étonne chez vous, c'est une absence totale de référence à ce qui a été fait dans les siècles précédents, et aux conditions dans lesquelles cela a été fait. Dois-je vous soupçonner d'inculture ?

— Non !... De spécialisation. Vous pouvez me soupçonner de spécialisation.

— Dans quel domaine ?

— La poésie !

— La poésie est un domaine universel.

— Ce n'est plus possible... » Dany hochait tristement la tête. « J'aurais beau faire. J'ai abandonné tout travail systématique. Je laisse les choses venir comme elles viennent. La montagne des connaissances indispensables monte. Petits exemples : j'ai déjà eu à connaître une guerre de plus que vous dans les livres d'histoire, celle que vous avez vécue, dont vous portez les cicatrices... Pour moi, les noms de vos héros ne sont déjà plus que des noms de rues. Les d'Estienne d'Orves, les Guy Mocquet ne me disent pas plus que vous les Léopold Robert ou les Colonel Moll. Les pauvres gosses, dans un petit siècle d'ici, que n'auront-ils pas à retenir pour passer leur bac ! Avec de moins en moins de mémoire, puisque les machines à calculer et autres feront pour eux la gymnastique cérébrale, et que leur cerveau s'atrophiera comme leurs jambes... Cet outil qu'est l'automobile se substitue à la marche...

— Michette ! appela Nathalie, du café et de la tarte... »

Elle n'avait pas envie de discuter avec ce nigaud.

« Allons ! » Dany s'installait confortablement devant la table ovale. « Voici les effets les plus harmonieux de la civilisation... »

Michette faisait cliqueter cuillères et tasses, Dany et Nathalie se taisaient. Derrière la fenêtre, dans un crépuscule sur le point de devenir nuit, les arbres tremblaient de leurs branches nues.

« Je verse ? »

Nathalie dit : « Verse... » Michette servit le café et la tarte et ferma la porte. Dany buvait son café brûlant avec un plaisir évident. Il commençait seulement à se réchauffer... Bien qu'habillé cette fois d'un pantalon noir, luisant sur les fesses, et d'un épais pull-over noir, au ras du cou, il avait dû .arriver chez Nathalie, gelé...

« On a parlé de vous, hier, ou plutôt cette nuit, madame.

— Ah ! oui ?

— Dans un café ouvert la nuit... Un homme qui vous porte une sorte de culte. »

Nathalie bougea comme si, soudain, elle se trouvait mal dans sa peau.

« Le voisin de table, continua Dany, a payé notre addition. Nous étions là avec Olivier et un autre copain... Un monsieur paisible, seul...

Le genre professeur. Il avait sur la table un journal avec une bande illustrée à vous. Et c'est comme ça que cela a commencé. Drôle, pas ? »
Nathalie ne dit rien.

Dany s'expliquait. Il arrivait souvent que les « vieux » leur parlaient au café, dans une boîte de nuit de Saint-Germain-des-Prés. Dany était passé maître dans l'art d'amorcer une conversation et, de fil en aiguille, de déclencher l'envie de faire plaisir à ces jeunes, sûrement désargentés : il suffisait pour cela d'ouvrir un volume de la N. R. F., de préférence de façon à ne pas laisser voir le titre — curiosité ! — de griffonner quelque chose qui ressemblerait à des vers, de parler avec quelques comparses par-dessus la tête des victimes psychologiques... Il était rare que la conversation ne s'engageât pas et que, finalement, on ne vous dît : « Laissez, laissez, c'est ma tournée... » Dany prétendait ne jamais pousser les choses jusqu'à la demande d'argent pure et simple : cela décevait les vieux, leur enlevait l'illusion de l'expérience, d'une plongée chez les jeunes... Il arrivait qu'ils s'exécutent, mais souvent ils se fâchaient et vous envoyaient aux bains, avec des commentaires déplaisants.

Nathalie reprit de la tarte et n'en proposa pas à Dany.

Le vieux qui avait payé l'addition au café, un vrai petit repas, était drôle et pas bête. Deux

ou trois fois, il avait remis Olivier à sa place...
Depuis l'aventure qui lui était arrivée, Olivier
devenait énervant. Finalement, le vieux lui a
dit : « Vous êtes un jeune con, et cela n'a rien
d'exceptionnel, j'en étais un moi-même... Ce
n'est pas si vieux... à l'époque où la dame qui
fait ces bandes illustrées était la femme la plus
séduisante que la terre ait portée... » Alors, bien
sûr, Olivier s'est ému et a dit qu'il la connaissait, la dame, et Dany aussi dit qu'il la connaissait, et le vieux s'est ému à son tour...

Nathalie écoutait avec un intérêt poli. Elle
ne posait pas de questions, aucune.

« Ça ne vous intéresse pas ? Nous, ça nous a
passionnés... »

Nathalie ne dit rien.

« Le vieux nous a raconté que vous avez été
mieux que belle, sublime ! Il vous aurait connue
dans un atelier de Montparnasse, vous étiez
assis côte à côte à dessiner des plâtres et des
modèles vivants... Un atelier dirigé par un grand
peintre; il était amoureux de vous, et tous les
élèves aussi. Et, un jour où le modèle n'est pas
venu, vous avez posé toute nue, pour rendre
service et pour gagner quelques francs... C'est
vrai, ça ? Mais vous ne vouliez coucher avec personne. Et puis, vous vous êtes mise à coucher
avec tout le monde... Ensuite vous avez eu un
grand amour, mais le gars est mort, un génie

paraît-il, et alors vous vous êtes laissé follement
entretenir et vous avez fait les quatre cents
coups. Ensuite, vous avez disparu, on vous disait
mariée et mère de famille. Et chacun vous a
adorée pour votre gentillesse et votre séduction...

« *Amen*, dit Nathalie, c'est ainsi qu'on écrit
l'histoire. Si vous êtes curieux de nature et si
vous voulez connaître ma biographie depuis ma
naissance, ajoutez à cela, et cette fois ça sera
vrai, que ma mère était garde-barrière et mon
père poseur de rails, et que je suis née dans la
maisonnette d'un passage à niveau au bord
d'une ligne de chemin de fer, pas loin d'Aigues-
Mortes. Il faut vous dire qu'à l'époque les bar-
rières de chemin de fer s'ouvraient au milieu
comme une grille, elles roulaient sur des gonds...
Il y avait quatre vantaux à fermer, à ouvrir, et
ils joignaient toujours mal... Ma mère venait
de fermer la barrière, quand un paysan arriva,
menant deux chevaux. Comme on entendait le
train s'approcher, un des chevaux prit peur et
il se jeta sur la voie par l'ouverture entre les
vantaux... Le train lui passa dessus. Ma mère
eut une telle émotion qu'elle accoucha séance
tenante. C'est comme ça que je suis née : d'une
catastrophe.

— Et ensuite ? demanda Dany au bout d'un
moment, comme Nathalie se taisait.

— Ensuite... Ensuite, j'ai grandi au bord de

la ligne. Elle était noire et caillouteuse. Il n'y
avait pas un brin d'herbe entre les traverses, et
les rails filaient jusqu'à l'horizon... Quand on
commençait à entendre le grondement et que le
train nous venait dessus, je me mettais à hurler
et me cachais dans les jupes de ma mère... Tout
se couvrait de fumée noire, ça sentait le charbon,
et, à chaque fois, je vivais la fin du monde. J'en
rêve encore...

— Et puis ? »

Cette fois-ci Nathalie serra son châle comme
réveillée par un courant d'air et dit d'une voix
querelleuse :

« Qu'est-ce que vous voulez ? Que je vous
raconte ma vie ? »

Dany baissa ses petits yeux noirs et observa
une pause :

« Rien ne va plus, dit-il. Vous ne voulez pas...
Elle ne veut pas. Et tantôt je me suis fait taper
sur la gueule en pleine rue.

— Qu'est-ce que c'est que ces mensonges ? »
Nathalie leva des yeux méfiants.

« Faubourg Saint-Honoré... En face du maga-
sin de chaussures « Cedric », j'ai fait des propo-
sitions malhonnêtes à une vieille mégère...

— C'est-à-dire ?

— Ça s'est très mal passé. J'étais un peu désespéré, c'est pour ça que j'ai eu cette idée... Je
traînais dans la rue depuis des heures. Je venais

des Champ's, exactement du Drug, où j'avais
eu des mots avec des copains au sujet d'un accident d'auto... j'étais témoin, et il paraît que je
n'ai pas dit ce qu'il fallait et je les ai mis dedans
du point de vue de l'assurance. Ils m'avaient
fait la leçon, mais j'ai tout mélangé, et ils
disaient que je l'avais fait exprès, qu'on n'était
pas idiot à ce point... J'ai cru qu'ils allaient me
descendre ! J'étais furax et j'avais peur, ne vous
en déplaise, madame... Vous ne savez pas de quoi
ils sont capables ces gars-là... Je me suis sauvé
et j'ai traîné toute la nuit, je n'osais pas rentrer
chez moi. Le matin, j'avais faim et pas le sou...
Quand on ne dort pas, on a encore plus faim,
n'est-ce pas, madame... Alors, je me suis dit, et
pourquoi ne pas essayer de faire la putain ?
Ce n'est pas facile pour un homme, parce que
si j'accrochais une jeune femme, même si elle
n'était pas belle, elle croirait à un hommage,
et si elle était d'accord, qu'est-ce que j'en ferais ?
Il fallait en choisir une suffisamment vieille et
moche, une qui ne pourrait pas avoir des illusions...

— Qu'est-ce que vous racontez ? Qu'est-ce
qu'il raconte... »

Dany continuait :

« Je me suis posté devant une vitrine, et j'ai
attendu. Il en passait de toute sorte, mais je ju-
geais que ce n'était pas ce qu'il fallait... Enfin,

il en arrive une... Un gendarme... des souliers de curé... un feutre noir, un pardessus noir, le teint rouge, des boutons, des lunettes... Je la suis et je lui glisse dans l'oreille : « Madame, est-ce « que la compagnie d'un jeune homme vous « serait agréable ? » Elle a mis du temps à comprendre que ça s'adressait à elle... Finalement, elle dit : « Comment, monsieur ? Qu'est-ce « que vous voulez ? » Et je deviens plus explicite, je lui propose des choses... Et voilà qu'elle s'arrête et qu'elle se met à ameuter la population ! D'abord, elle n'a fait que crier : « Sale « garnement ! La voilà, la jeunesse... J'appelle « un agent ! » Et moi, je ne pipais pas, je me disais, si je cours, on croira que je l'ai volée, la vieille... Et elle, elle se monte, elle se monte... et comme elle avait à la main un parapluie, elle me fout sur la gueule avec ! Un gros parapluie d'homme. Je suis resté en face d'elle sans bouger, muet, à me laisser taper dessus, en espérant très fort qu'on me prendrait pour son petit-fils insoumis. Les gens commençaient à s'arrêter quand la bonne femme s'est décidée à continuer son chemin... J'ai eu assez de volonté pour rester sur place à admirer les chaussures dans la devanture...

— Qu'est-ce que vous racontez, répéta Nathalie, qu'est-ce que c'est que ce langage... Vous mentez ou quoi ? »

Dany avança la tête et désigna d'un ongle pas très propre l'ecchymose toute fraîche en haut de la pommette.

« Le parapluie », dit-il.

Le visage de Nathalie se crispa :

« Allez-vous-en... — sa voix était altérée — allez faire la putain ailleurs...

— Non, fit Dany, je suis fatigué et je n'ai pas où aller.

— Fous le camp ! »

Nathalie commençait à se lever et Dany regardait avec un curieux petit sourire, pris dans le collier étroit et noir de sa barbe, ce monument qui s'élevait devant lui. Pourtant au premier pas de Nathalie, il recula : « Je plaisantais, madame... essaya-t-il de dire.

— Fous le camps ! »

Dany recula encore, mais maintenant il crânait, faisait des ronds de jambe, jouant de son écharpe qu'il tenait à la main, comme un chapeau à plume d'autruche. Il poussa la porte du dos, dit : « Je vous salue, madame ! » et disparut.

« Affreux garnement ! » souffla Nathalie comme la dame du faubourg Saint-Honoré, — et elle frappa au mur : « Michette ! »

Michette passa la tête dans la porte :

« Qu'est-ce que tu as à taper comme ça ! Je ne suis pas sourde !

— Du café !

— Il est devant toi !

— Du frais... »

Michette claqua la porte.

« Michette ! hurla Nathalie, et Michette revint en courant. A boire... »

Elle n'avait soudain plus de voix.

Michette, affolée, lui versa un verre d'eau et déjà ses mains tremblaient : « Qu'est-ce que tu as, Nathalie, qu'est-ce que tu as ? Tu es malade ?... J'appelle Luigi ? Un docteur ? — Tais-toi, tais-toi... Je vais aller m'étendre... » Michette l'aidait à marcher, ouvrait la porte de la chambre... « Tu peux aller, ma Michette... »

Michette se précipita dans la boutique... Luigi n'y était pas. Elle téléphona aux ateliers. Luigi était sorti. Mais où avait-elle la tête ! Luigi avait emmené Christo au Musée Grévin, c'était jeudi. Si Nathalie allait mourir... Elle revint sur ses pas, ouvrit doucement la porte de la chambre... Nathalie semblait dormir, la respiration était régulière. Michette s'en fut pleurer à la cuisine.

# XXIII

*L'âme au*
*Musée Grévin*

NATHALIE ne dort pas. Elle a fait semblant pour
Michette. Elle voulait être seule. Elle tient dans
sa main cette masse de chair qui autrefois était
un sein rond, plein, douillet et ferme... Elle tâte.
Elle sait. Passons. On est seul devant le malheur.
On ne le confie pas à quelqu'un qu'on aime,
Luigi le saura toujours assez tôt. Les autres, ils
auraient un dégoût craintif. La maladie, c'est
pas ragoûtant. Elle qui donnait l'impression
d'être toujours occupée, pas un instant de vide,
avait en vérité tout le temps de sentir ce qui se
passait dans son corps, ses artères, son cœur. Elle
n'écoutait pas, elle entendait malgré elle : cela
martèle et pèse, gonfle, se tend... Impossible de s'en
distraire. Ni de s'y habituer. C'était comme pour le

bruit : elle ne pouvait pas dormir avec le grondement de la ville, ou le mince bruit d'un robinet qui goutte, ni s'en distraire, ni s'y habituer. Elle entendait le bruit menu que faisait
la mort en s'installant dans son corps. Ah, comme
elle en avait assez de colmater les brèches, de
soigner ceci, cela, dans son pauvre corps obèse,
usé, déficient. Les autres circulaient, se passion-
naient, entreprenaient. Il lui avait fallu sortir
de la ronde, les mains s'étaient jointes, la ronde
continuait à tourner, pendant qu'elle devait rester là, assise, et ensuite devrait rester là, couchée...

Elle n'était pas vieille, pourtant, ne dodeli-
nant pas de la tête... Mais déjà elle comprenait
le regard absent des vieillards qui ne partagent
plus la vie de ceux qui vivent, et sont seuls à
se comprendre. Dans l'album de famille de ses
souvenirs, il n'y avait qu'elle pour reconnaître
les têtes. Surtout la sienne. Quand elle essayait
de le feuilleter devant les autres, ils ne savaient
que sourire, s'étonner, s'apitoyer peut-être... Ils
sont absurdes, puisque cela arrivera, immanqua-
blement, à tout le monde, à moins de cesser de
vivre avant d'en arriver là. Mais les souvenirs
sont comme vos tripes, personnels et intimes.
Dégoûtants pour les autres, nécessaires pour soi-
même. Chacun pour soi ! Tout ce qu'il y a de
plus confidentiel !

Nathalie gémit doucement... Etait-elle plus
malheureuse qu'au camp ? Même maintenant, la
vieille flamme jaillissait parfois bêtement. Elle
pensa à Kiki, un caniche qu'elle avait eu, il y
avait longtemps, longtemps. Kiki avait un cancer
dans le ventre, mais courait encore un peu... Il
arrivait qu'une taupe lui fît encore gratter la
terre avec la vieille ardeur : Kiki n'en avait pas
la force, il lui fallait s'arrêter aussitôt, ce n'était
que l'instinct... Il s'arrêtait, retombait, s'immobi-
lisait sur place, puis se mettait à donner la patte
à sa maîtresse : une fois, dix fois... Pour dire
qu'il lui voulait du bien ? Qu'il était sage ?
Qu'il était encore là ? N'était-elle pas comme
Kiki, à gratter la terre au passage d'une taupe ?...
En vérité, elle n'en avait plus la force, elle
faisait mine, elle donnait la patte à Luigi, à
Michette, dix fois, cent fois de suite... Elle devait
ressentir la même chose que Kiki : « Je suis là,
je vous aime, si vous pouvez, faites quelque
chose pour moi... Vous l'avez toujours fait, vous
m'avez toujours aidée... j'ai confiance ! De toute
façon, je vous suis reconnaissante. »

Des larmes roulaient sur les joues à peine
empâtées de Nathalie. Quand elle était seule,
il lui arrivait de pleurer. Il est bon parfois
d'avoir droit aux larmes, de ne pas être obligée de faire semblant. Droit à la lucidité, droit
de regarder la mort au fond des yeux. Bien que,

la lucidité... Y a-t-il tellement de différence entre
le néant néant et le néant conscient ? Quand
elle pleurait, ce n'était pas de regrets : il lui
semblait qu'avec les pleurs, la vie la fuyait
mieux, plus facilement, ils lubrifiaient les ori-
fices par lesquels la vie la quittait. Pauvre vie...
Elle avait de la tendresse pour elle, pour ses
laideurs, ses joliesses et ses beautés... Qu'y
faire ?

Nathalie se tourna sur le côté, sans lâcher
son sein... A l'heure qu'il était, elle aurait aimé
accélérer la marche de la mort. Si elle devait
être atrocement malade... Inutile de consulter
un médecin, elle ne savait que trop bien ce
qu'elle avait. Le sein... Pauvre Luigi, pauvre
Michette ! Mais si elle ne regrettait rien, pourquoi donc pleurait-elle quand elle sentait les
parfums de la terre humide du jardin... Oh !
c'est un réflexe comme de gratter la terre.
Ensuite, il n'y aura même plus de réflexe, et
elle attendra, elle attendra, tout entière prise
dans les glaces... Elle attendra que cela prenne
fin. La souffrance physique fait passer le temps.

Ce sale garnement... Le mensonge fait homme,
fait sale garnement. Le cynisme... Elle a été
jeune... L'amour. Les amours. Des montagnes
d'amours, magnifiques comme des montagnes, des
chaînes neigeuses, quel paysage, quels paysages,
rochers et gorges, vallons, prairies, aigles, edel-

weiss, aurores roses, brouillards sous les pieds,
nuages gonflés, ciel bleu, étoiles sous la main,
breuvages fantastiques, lait innocent... « Madame, est-ce que la compagnie d'un jeune
homme vous serait agréable... » Ah ! comme
tout devenait monstrueux, implacable. Le camp
immonde, sans espoir, l'ordure qui gagnait. On
lui avait pris sa petite fille, on lui avait pris
Christo... Ah ! sa vie, elle la vomissait ! Luigi,
Luigi...

On grattait à la porte. Elle ne bougea plus...
Michette et Luigi chuchotaient sur le seuil :
« Elle dort... » Ils sortirent sur la pointe des
pieds. Nathalie se souleva pour regarder l'heure...
C'était jeudi, Christo dînait avec eux. Dans
l'après-midi, Luigi l'avait mené au Musée Grévin. Nathalie se leva.

Lorsque Luigi et Christo revinrent de la cave
où ils avaient trafiqué ensemble sur un petit
automate qui venait de rentrer et que Luigi
essayait de réparer, Nathalie était assise à sa
place habituelle. Michette mettait la table...
Christo entra en flèche :

« On a été au Musée Grévin, Nathalie !...

— Enlève ta veste, va te laver les mains et
viens me raconter ça... »

Christo n'avait pas faim, il s'était gavé de
glaces dans un café des Boulevards, et de bon-

bons tout au long de la promenade... Il parla
surtout du miroir déformant qu'il y avait à
l'entrée du Musée. On entre par un couloir,
long, long, long et au bout, il y a des miroirs...
ce qu'on a pu rire ! « Regarde, Nathalie,
comment on se voit dedans... » Christo se mit
au milieu de la pièce : il s'étirait rentrant les
joues, il s'accroupissait arrondissant les bras,
gonflant les joues... Michette qui emportait la
soupière s'arrêta dans la porte pour le regarder
faire. Et tout le monde riait.

Christo se rassit, les yeux brillants.

« Et puis ? Ça t'a plu ? »

Christo se concentra. Il cherchait ses mots
pour bien raconter ce qu'il avait vu à la pauvre
Nathalie qui ne peut pas sortir :

« C'est immobile... Pire que les poupées de
Mignonne, autrefois. Il n'y a même pas Mignonne pour parler pour eux ! Ils sont là à ne
rien faire. Luigi, pourquoi on ne leur met pas
un disque dans le ventre ? Ils feraient semblant
de parler...

— Parce qu'on n'y a pas pensé...

— Tu devrais leur dire... C'est de la cire
fardée, imagine, Nathalie, quand il y a de la
matière plastique ! Luigi, pourquoi ils ne les
font pas en matière plastique ?

— Comment sais-tu que ce n'est pas de la
matière plastique ?

— Je croyais... Je ne sais pas. Il y a Brigitte Bardot, le chanoine Kir, Jean Cocteau... Ils ne disent rien, ils sont là comme ça... Chut !... ne dites rien. »

Christo se leva et prit des poses, dans le silence...

« Je ne sais pas si quelqu'un fait le ménage là-dedans, dit-il en se rasseyant, ils ont l'air poussiéreux. Comme s'ils étaient là depuis cent ans. J'aime mieux Marat et Napoléon... c'est moins vieux.

— Tu trouves Brigitte Bardot plus vieille que Napoléon ?

— Napoléon, c'est historique, c'est pas vieux. La baignoire en sabot, tu sais, dans laquelle il y a Marat tout nu, avec le sang et tout, c'est historique, c'est pas vieux... La Brigitte Bardot qu'ils ont là, c'est comme un automate à cames et, elle, c'est même pas un automate ! Luigi, pourquoi on ne les anime pas ? C'est honteux ! »

Luigi opinait de la tête :

« Tu as raison. En 1882, quand le Musée est né, c'était un *journal plastique,* il remplaçait nos *Actualités.* Aujourd'hui, c'est un objet désuet, qui nous fait l'effet d'une lanterne magique. Remarque, cela a son charme : on allait au Musée pour son actualité, et maintenant on y va pour son pittoresque... Personnel-

lement, je suis comme toi, je n'aime pas ça.
Tous les mannequins, qu'ils représentent des
personnages célèbres d'autrefois ou des vivants,
sont comme des pierres tombales. Tout semble
reculer dans le temps, dans ce silence poussiéreux. C'est une mauvaise simulation.

— Si au moins ils bougeaient ! renchérit
Christo.

— Bref, ce n'est pas un succès... conclut
Nathalie.

— Je me suis bien amusé... »

Christo ne voulait pas que son extraordinaire
après-midi ne fût pas un succès. Mais il était
honnête. Alors, il ajouta :

« J'étais pas bien... Un automate, on sait ce
qu'il a dans le ventre, ça s'explique. Ceux-là,
ils sont là, et ça ne s'explique pas... Peut-être
ont-ils une âme ?

— Qu'est-ce que tu dis là, Christo ? Tu me
fais peur ! » Mais la voix de Nathalie était
calme, rassurante « Une âme ? Artificielle ?...
On ne les a même pas animés, on n'a même pas
eu l'idée de leur mettre un disque dans le
ventre... On ne commencerait pas par l'âme.

— Qu'est-ce que c'est que l'âme ? »

Nathalie se donna le temps, se resservit de la
crème :

« Tu en as parlé toi-même... Tu as dit :
« Peut-être ont-ils une âme ? » Sans savoir ce

que c'est. Et tout le monde est comme toi. »
  Luigi ne se mêlait pas à la conversation.
Christo allait dire quelque chose, mais le téléphone sonna : Mme Loisel trouvait qu'il était
temps pour Christo de rentrer.

## XXIV

*L'âme ?*

NATHALIE accueillit gracieusement Béatrice et son Russe, le chauffeur de taxi. Depuis bientôt deux ans que Béatrice venait lui en parler, pleurant quand cela allait encore plus mal que d'habitude, se désespérant, c'était la première fois qu'elle avait réussi à le lui amener. Nathalie crayonnait, ayant pris soin de mettre une pile de livres entre sa planche à dessin et ses visiteurs : d'avoir les mains occupées la rendait plus libre, elle pouvait parler ou se taire, cela s'expliquait. Le Russe était habillé en chauffeur de taxi ou en livreur, avec une blouse gris chiné, croisée, et une casquette qu'il tenait sous le bras. Béatrice, en tailleur, avec une écharpe de fourrure et des bijoux, était belle comme une amoureuse. Lorsqu'elle enleva sa veste, Nathalie admira encore une fois la grâce

de son buste, ses hanches, ses épaules. Une vraie
belle femme. Le Russe ne la regardait pas.

Un homme pas grand, bien proportionné, aux
cheveux gris-blond, et des yeux qui se faisaient
remarquer, gris, le blanc injecté de sang. Une
certaine ressemblance avec la cisaille, ces cils
noirs autour du trou de l'œil.

« Vous ne voulez pas vous débarrasser, monsieur, il fait chaud ici... »

Il enleva sa blouse et — tiens ! — devint
luxueux. En bleu marine, bon pour une réception. Des mains soignées. Il devait avoir quelqu'un pour s'occuper de sa voiture.

« Vous permettez que je fume ? Non, je vois
que non... »

Pas d'accent, mais une trop bonne diction.
Il sourit timidement et remit son porte-cigarettes dans sa poche.

« Ça ne vous prive pas trop ? Sinon, vous
sortez pour fumer dans l'entrée.

— Entendu, madame... Vous avez une signature terrible au bras, madame, ce n'est pas de
l'indiscrétion de ma part, c'est de l'émotion...
Qu'arrive-t-il donc au genre humain ? Excusez-
moi d'entrer ainsi dans le vif du sujet, si j'ose
dire.

— J'ai tant parlé de vous ici, Vassili, que vous
n'avez pas besoin, je crois, de vous excuser...

— Vous voulez dire, Béatrice, que Mme Petracci s'attend de ma part à n'importe quoi ? »

Nathalie posa son crayon, arrangea son châle et laissa ses mains traîner sur ses genoux :

« Vous tombez un jour où les considérations sur le genre humain sont juste ce qu'il me faut, monsieur. Voyez, le crayon me tombe des doigts. La flemme... Le genre humain nous tiendra compagnie.

— Comme cela serait bon si cela se pouvait ! — Vassili sortit son porte-cigarettes, et le remit précipitamment en place. — Si on était assez grand pour pouvoir... Mais on s'apprête à rendre la communion entre les humains encore plus difficile, on est en train de tuer l'âme humaine...

— En quoi faisant ? »

Vassili prit une chaise, l'approcha du fauteuil de Nathalie, se pencha vers elle et dit sur un ton conspiratif :

« En essayant de nous préparer un monde sans souffrances. D'éliminer de notre vie toute souffrance. Oh ! comme je ne suis pas sûr que cela nous donnera le bonheur ! »

Nathalie mordit à l'hameçon et s'excita : comment pouvait-il dire cela en regardant le numéro sur son bras ? Souffrances physiques des corps, souffrances morales, l'âme mise à nu, nue jusqu'à l'os... Ce qu'elle avait appris là-bas de l'âme humaine ! Elle devenait immense, ne s'arrêtait même pas à la ligne d'horizon... « Mais

nous sommes d'accord, madame ! » Et Vassili,
son œil gris-blanc écarquillé, illuminé, levait
les bras au ciel. C'est dans la souffrance que
Nathalie a découvert l'immensité de l'âme...
Ce que l'âme devient *grâce* à la souffrance, on
peut ensuite l'offrir à toute l'humanité. On
était en train de leur préparer un monde sans
souffrance, mais qu'y deviendrait l'âme, celle
qu'elle avait rencontrée dans sa nudité ? Que
deviendrait l'âme si elle n'avait plus à passer
par les flammes, les flots et les trompettes de
cuivre ? Nathalie, avec son petit peigne, lissait
ses bandeaux, on ne vous tombe pas dessus
avec des insanités... qui vous touchent au vif...
Vous vouliez que le genre humain nous tienne
compagnie ? Pas dans ces conditions, monsieur !
Le genre humain a plus de sagesse que vous
ne le croyez, madame, il a créé le mythe de
l'homme qui a passé par toutes les tortures et
toutes les souffrances. La somme de toutes les
expériences humaines a créé cet être, ce mythe,
et l'humanité a su se donner pour Dieu le plus
misérable des hommes. Quand on ne compren-
dra même plus le sens de ce choix, dans un
monde où la souffrance appartiendra à un âge
révolu...

« Nathalie ! — Béatrice se penchait en avant,
écrasant ses seins contre le rebord de la table
ovale — quand on entend parler Vassili, est-ce

possible de croire qu'il n'a pas la foi ? »

Vassili, assis à côté de Nathalie, tournait le dos à Béatrice :

« Il n'y a rien à faire... » Il soupira. « Je ne sais pas ce qui fait croire à Béatrice que je suis touché par la grâce, mais elle y croit ! Je vais vous dire l'essentiel, madame... »

Et il continua de sa voix de conspiration, de confessionnal, pour elle seule... L'essentiel était l'impossibilité d'un monde sans souffrances. On cherchait ce qui pourrait anesthésier l'âme. Il était optimiste : on n'en trouverait pas ! Nathalie donnait des coups de poing sur la table... Il croyait ça ? Il croyait que les souffrances amélioraient l'âme, pour adopter son vocabulaire. Il croyait peut-être que les souffrances amélioraient les « droits communs » ? Rien du tout, si vous voulez savoir ! Il pouvait avoir raison, quand il s'agissait de ceux qui... bon, disons, de ceux qui souffrent pour les autres... Ceux-là, peut-être... Il se peut qu'ils sortent de l'enfer avec une âme sublime. On s'en passerait... Nathalie frappait maintenant du poing sur le genou de Vassili. Mais ce que vous dites du fils de Dieu, c'est vrai, l'humanité lui a prêté toutes les souffrances, elle n'a rien oublié... même pas la souffrance de se voir trahi...

Ils parlaient en même temps, Vassili pointait son doigt sur Nathalie, non, mais voulait-elle

comprendre qu'ils étaient d'accord ! D'accord,
eux ? Mais si... Un homme souffre, donne sa
vie pour le bien des autres, ses frères... il croit
que c'est leur bien, si fort qu'il se sacrifie de
toutes les façons... Il veut, coûte que coûte, au
prix des pires des souffrances nous enlever la
souffrance. Le malheureux ! Rien n'est prévi-
sible ! Lorsqu'on donne un médicament à un
malade pour le guérir, l'organisme se conduit
d'une façon imprévisible, le médicament le
plus logique devient parfois nuisible, vous faites
disparaître une maladie pour en provoquer une
autre, parfois plus grave que celle contre
laquelle vous vouliez lutter... Si l'on passe dans
le domaine spirituel, cela s'applique aussi aux
doctrines. Les conséquences d'une doctrine,
d'une religion, sont imprévisibles. Le Vatican,
conséquence du christianisme...

Béatrice se cacha le visage.

« Allons, Béatrice... »

Vassili recula sa chaise, se leva, alla tapoter
le bras de Béatrice, tira sur ses manchettes...

« Madame — debout, la tête penchée, il regardait Nathalie de ses yeux blancs et fardés
de cisaille —, je suis confus ! Je me conduis
comme la caricature d'un Russe... Chassez-moi !
Votre café est merveilleux, madame, et votre
hospitalité me rappelle le temps jadis, mon
pays... Permettre à un étranger, de but en

blanc... Nous, les Russes, la conversation ininterrompue sur des problèmes philosophiques...
Pardonnez-moi !

— Pourquoi se laisserait-on interrompre, monsieur ? Je suis pour la conversation ininterrompue... Du moins, aujourd'hui. Restez donc dîner
tous les deux... »

Vassili avait son taxi côté *Draculus*... Qu'il
aille mettre son drapeau noir et qu'il revienne.
Nathalie tapa au mur, Michette apparut et reçut
une commande sérieuse : il fallait qu'elle aille
jusqu'à la place, chez l'Italien qui restait ouvert
tard... Vassili partit avec Béatrice pour s'occuper
de son taxi, et ils revinrent avec deux bouteilles
de champagne et une de vodka.

La soirée s'était transformée, on ne sait trop
comment, en fête. Peut-être s'étaient-ils laissé
aller à se permettre des illusions ? Béatrice à
croire que Vassili l'aimait, Nathalie à se croire
mince et bien portante, Vassili... mais personne
ne le connaît assez, pour savoir sur quoi il aurait
aimé se faire des illusions... Et ils parlaient,
parlaient... Les paroles s'embringuaient, s'imbri-
quaient les unes dans les autres, devenaient
monologue, se fondaient en *tutti,* cela montait,
se chuchotait... Le bonheur, le bonheur... ça
les tracassait. Michette pouvait partir, ils des-
serviraient eux-mêmes. Vassili dans un coin du
divan, Béatrice à côté de lui... Ce clochard avec

sa petite voiture d'enfant dans laquelle il promène les déchets ramassés dans les poubelles,
et ses ulcères aux jambes, il se disait heureux !
Peut-être... Il faut une certaine base, à partir
de laquelle on peut parler d'un bonheur possible... Affreux, votre exemple, faux ! Mais vous
me comprenez mal ! Vassili, dans son coin du
divan, levait des bras suppliants... Je ne dis pas
qu'il faut être clochard pour être heureux... Je
dis, au contraire, que je veux être solidaire
de ceux qui veulent le bien de leur prochain, le
bien matériel aussi, vous m'entendez, matériel
aussi ! Faut-il vous rappeler que j'ai surtout parlé
de l'anesthésie de l'âme, et des imprévisibles conséquences des traitements scientifiques appliqués
à l'homme pour son bonheur. Vous direz : du
moins veut-on bien faire ! Mais Nathalie discu-
tait : il parlait de l'homme comme si c'était
un automate ! L'objet, l'inanimé, se construit
selon une théorie, et c'est l'homme qui le construit. Il corrige ses erreurs autant de fois qu'il
le sera nécessaire. Au bout du compte, il arrive
à faire coïncider théorie et pratique, il envoie
des fusées, va dans la lune, progresse dans la
connaissance des choses... Mais l'être animé, et
de tous les êtres animés l'être humain, est le
plus difficile à connaître, à atteindre. Parce qu'il
a une âme...

« Il a une âme ! Nous sommes d'accord ! Et

je vous répète, Natacha, que je resterai toujours
avec ceux qui veulent bien faire, toujours. Que
ce désir se réalise souvent très mal, que les
hommes à qui on applique ce désir du bien
faire restent tout aussi dépravés, avec des vices
millénaires... on ne peut pas sous ce prétexte
vouloir mal faire, dans l'espoir paradoxal que
le mal faire mènerait au bien... Natacha ! on
a vidé toutes les bouteilles, il est l'heure !... »

Vassili se leva. Béatrice aussi. Nathalie frissonna : il était l'heure... Minuit passé. Comme
Luigi rentrait tard. Elle allait se trouver seule.
C'était difficile comme de plonger dans l'eau
froide...

« Adieu, Vassili... Revenez me voir. A propos,
qu'est-ce que l'âme ? »

Vassili ouvrit les bras dans un geste d'igno-
rance impuissante et c'est Béatrice qui parla,
on ne se serait pas attendu à cela :

« L'âme, c'est ce qui souffre en nous, c'est ce
qui nous réjouit... »

Elle s'arrêta, Luigi se tenait sur le seuil, depuis combien de temps ?

« C'est l'axe de l'être humain, proposa-t-il,
sur lequel on enfile les cames qui actionnent
notre conduite.

— Je suis contente que tu sois rentré. On a
parlé de l'âme toute la soirée, mais on ne sait
pas ce que c'est. Vassili dit qu'on cherche à

nous préparer une vie sans souffrance, à anesthésier notre âme... »

Luigi jeta un regard sur les bouteilles vides :
« Je vois, dit-il, que vous vous êtes sérieusement anesthésié l'âme. C'est un vieux système
qui a fait ses preuves. Quand ça ne va pas, on
se soûle.

— Qui ne va pas ? Qui est soûl ?

— Maintenant on cherche à supprimer les
causes qui font que cela ne va pas. » Vassili
acceptait sans s'étonner l'apparition parmi eux
d'un gnome domestique, et l'associait à la conversation.

« On va peut-être supprimer l'amour malheureux ? — C'était encore Béatrice...

— Aussi bien ! Aussi bien !

— Et comment s'y prendra-t-on ? Un philtre ?

— Non, non ! Sans poison. »

Ils parlèrent encore tous ensemble, personne
n'écoutait personne... On changerait les hommes, on anesthésierait leur âme si bien qu'elle
deviendrait impénétrable à l'amour... Valait
mieux souffrir d'amour, que pas d'amour du
tout... Le vice de ce cercle était évident... Sans
souffrance pas d'âme, sans âme pas de souffrance... On trouvera, on bifurquera... Voyez la distance parcourue : Mlle de Cavaillac parle de
philtre, cet ami que je n'ai pas l'honneur de

connaître parle de changer les hommes...

Vassili se leva, claqua ses talons sans éperons :

« Vassili... J'ai un nom si compliqué que je ne me présente qu'avec mon prénom seul. Nous devrions être partis, chez nous on dit : « Ne « crains pas l'invité assis, crains-le debout ! » J'ai du mal à me séparer de Nathalie...

— C'est comme ça qu'elle est... » Luigi arrêta sur Nathalie la lumière de ses lunettes épaisses.

# XXV

*Le temps
éparpillé se fixe*

LE temps semblait tourner en rond. Et tous les
cercles avaient leur vice. Il se passa un temps
indéfini, les gens venaient, revenaient... C'était
le tour de Vassili, cette nébuleuse. Nathalie et
Luigi étaient seuls, elle, appuyée au dossier du
fauteuil, lui, sur une chaise auprès d'elle, tenant
sa main dans la sienne. Il faisait un intense silence nocturne que le vent derrière la fenêtre
secouait de temps en temps comme on bat un
tapis.

 « Vous n'êtes pas fatiguée, demandait Vassili, voulez-vous que je m'en aille ? Merci ! Si
vous saviez ce qui se passe derrière ces murs !
Toute la journée, je roule... Le soir, c'est comme
si on m'avait cogné la tête contre les parois

d'une cloche pendant douze heures de suite...
Mais il me suffisait de penser à vous, Natacha,
et à six heures du soir, dans mon taxi, place de
la Concorde, je plongeais dans le silence... »

Oui, il prendrait volontiers un verre, il habitait en banlieue, trop loin pour rentrer chez
lui dans la journée, il mangeait n'importe où.
Sa femme passait sa vie à les attendre, lui, et
leurs deux fils. Etudiants tous les deux. Ils sont
comme tout le monde, pas pires. Ils traînent.
Avec cette apparence de frivolité qu'ils ont tous.
On ne sait pas ce qu'il y a en dessous. Ils sont
de ces deux mille étudiants, sur quarante mille,
qui vont au café. De temps en temps, ils passent
des examens.

« J'ai une fille aux Etats-Unis, dit Nathalie,
je me demande comment elles sont là-bas, les
jeunes filles...

— Croyez-vous que cela soit très différent ? Il
y a des modes internationales chez les jeunes,
ils sont plus moutonniers que les adultes... »

Luigi rêvait un verre à la main :

« Si vous parlez des modes vestimentaires,
les extravagances, ça a toujours existé. Je dirais
même que chez les natures exceptionnelles, la
fantaisie vestimentaire prend des proportions
plus grandes... Moi, je me contentais d'exagérer
dans la casquette, mais j'avais un copain, il avait
de ces pantalons à carreaux, et une coupe de

cheveux !... C'est devenu un de nos plus grands
physiciens... Les jeunes, ils n'ont pas de moyens,
alors ils se payent des coiffures, des barbes...

— Ma mère, dit Vassili, quand elle voit des
blue-jeans, elle voit rouge. Elle a quatre-vingts
ans passés... Vous qui vous occupez de mécanique, monsieur, êtes-vous jamais entré dans un
café avec des billards électriques ? »

Nathalie et Luigi se mirent à rire.

« Je suis drôle ? Mais, tout de même, avez-
vous apprécié l'atmosphère de ces cafés à billards
mécaniques ? Personne ne parle à cause de la
télévision qui fait du bruit et que personne
n'écoute et, alors, de temps en temps : « Tape
« avec le flipper... » « Le spécial s'est allumé... »
Et, à nouveau, rien... C'est angoissant. »

Luigi avait sur les billards un autre point de
vue. Il ne l'exprima pas.

La soirée prenait sa tournure habituelle. Michette, la table mise... éclipses de Vassili qui
allait fumer dans l'entrée, disait des choses...
Le temps tournait en rond, se mordait la queue.
Vassili se plaignait longuement de ses fils. Il ne
leur faisait pas confiance, non... Ils veulent être
libres et indépendants et ils se font nourrir !
Tout ce qu'on nourrit, c'est leur ennui... En
Russie, les hussards qui se tiraient un coup dans
la tempe avec un revolver à barillet chargé
d'une seule balle, c'est la même histoire que

James Dean... Ils ont de la volonté pour risquer
leur vie, mais pas pour la vivre... Mais, après
tout, grand bien leur fasse, s'il n'y avait pas
leur mère, je les laisserais tomber, qu'ils se
débrouillent s'ils tiennent tellement à leur indépendance...

« Vassili, vous m'étonnez... »

Il s'excusait, il était rongé comme tous les
parents, mais quant à étonner Nathalie, ça non !
Vous êtes une femme rare, Natacha, rare ! Rien
ne vous étonne, ni la folie, ni la bêtise, ni l'ho-
micide par imprudence, ni les chèques sans pro-
visions, ni les amours épuisées. Nathalie ne voulait pas qu'on parlât d'elle, elle n'était pas un
sujet de conversation, revenons à nos enfants...
Oui, oui... Vassili se servait à boire... Pourquoi,
dans une famille, l'amour devait-il toujours aller
dans le sens descendant, du père au fils et non
du fils au père ? Tous les parents ont un amour
malheureux pour leurs enfants ! Ils sont bien
sûrs d'eux, les petits, ils savent qu'ils peuvent
se permettre n'importe quoi, ils abusent de la
situation... Réfléchissez ! Rappelez-vous ! Ça a
dû être exactement comme ça entre vos parents
et vous...

Luigi éloigna la bouteille de marc servie avec
le café : c'était un picoleur, ce Vassili, le plus
clair de l'histoire, c'était ça. On ne s'en était pas
aperçu la première fois qu'il était venu, parce

qu'on avait bu avec lui, parce que cela avait été
une fête...

Le docteur Vacquier arriva après dîner. Il
apprécia la situation : Vassili était ivre, mais
tenait fort bien le coup et déblatérait sur la jeunesse. Pour le docteur, Nathalie avait préparé
une bouteille de vin rouge comme il l'aimait.
Les mains blanches du docteur, presque aussi
blanches que les poignets étroits de sa chemise,
tenaient le verre de vin rouge comme une coupe
de sang. « Qui vous blanchit ? » demanda Nathalie. Oh ! il avait un vieux valet de chambre
qui savait tout faire, bien que, non, cela devait
être la gouvernante... Mais pour en revenir à
la jeunesse : elle n'intéressait pas le docteur,
les hommes, les femmes l'intéressaient quand ils
avaient déjà fourni leurs preuves. Les promesses... les promesses... Je n'aime pas les pochettes-
surprise. Mais qui vous parle des enfants, monsieur Petracci, je vous parle des jeunes gens. Les
enfants sont touchants, tendres, drôles, intelli-
gents... Je vous parle des garçons de seize, vingt
ans... Cruels, cyniques, arrogants, cabots, malheureux, arrivistes, fripouilles, conformistes jus-
que dans le non-conformisme. Vassili, vous ne
vous attendiez pas à un pareil soutien ? C'est
même trop, peut-être ? Comment ! Comment !
Je suis d'accord, mille fois d'accord ! Ce sont des
frénétiques ! Mais des frénétiques paresseux !

« Docteur, vous devez être très bien avec vos externes ? »

Sur la face blême du docteur, en haut du long corps habillé d'une somptueuse étoffe sombre, apparut une moue rigolarde. Oui, il n'était pas mal avec eux... quand on les prend un à un... Le malheur, le malheur est qu'ils ont des vues politiques de pur hasard, auxquelles ils croient dur comme fer... ensuite, un hasard les fait changer d'avis, mais entre-temps il leur arrive d'avoir à payer cher ces convictions de transition. D'ailleurs, les externes n'étaient plus des gosses... Le docteur était pour l'âge mûr, à partir duquel commence la vie consciente, la création, le travail véritable, où l'on vous demande de suivre les règles du jeu...

Soudain, la fièvre de la conversation tomba. Vassili s'était peut-être aperçu qu'on ne lui réservait plus à boire. Il n'avait pas insisté, mais s'assombrit, ne continua plus que pour la forme... bien entendu tous ces cancres n'aimaient pas lire, ils préféraient le cinéma pour y trouver une façon de vivre... une vie à base de sensations et non de pensées. Il leur fallait dans la vie des choses palpables... Vassili avalait tasse de café sur tasse de café, puis, soudain, prit congé, cérémonieusement.

« Pauvre Béatrice... dit Nathalie. Je me disais aussi... »

Tout le monde se tut et lorsque Lebrun fit irruption — toujours il entrait faisant sauter la porte comme la vapeur un couvercle — il trouva autour de Nathalie le calme habituel. Luigi et le docteur Vacquier s'en étaient allés au sous-sol : Luigi avait fait l'acquisition d'un automate très curieux.

« Seul ? fit Nathalie avec un regard vers la porte quand Lebrun s'installa dans un fauteuil. Où sont vos femmes ? »

Le visage de Lebrun se crispa comme s'il avait une crampe au pied. Michette desservait. Lebrun ne l'aida pas comme il faisait d'habitude et s'en fut griller une cigarette dans l'entrée. Quand il revint, Nathalie avait repris son travail, Michette essuyait la table ovale. Dès qu'elle eut fermé la porte derrière elle, il explosa :

« Nathalie, tant pis, je me jette à l'eau... Luigi nous l'a interdit cent fois, et il a cent fois raison... Mais, vu les circonstances... »

Nathalie attendait, la plume en l'air. Lebrun avait les joues bleues de barbe, les doigts jaunes de tabac, la chemise pas fraîche...

« J'ai vécu une nuit atroce et, pourtant, j'ai l'habitude. Hitler ne se vantait pas d'attaquer des blessés, il le faisait, mais il protestait quand on l'en accusait... Ceux-là, ils s'en vantent. La vie est invivable...

— Qu'est-ce que c'est ?... De quoi parlez-

vous ?... — Nathalie, une rougeur au front, posa
sa plume. — Quels blessés ? Des Algériens ?
Voulez-vous dire les choses clairement ?

— Oui, des Algériens... En plein Paris où la
vie continue comme si de rien n'était... »

Il était lancé, il exposait les faits, les commen-
tait, il ne se rappelait visiblement pas l'inter-
diction de Luigi, ne cachait rien de l'horreur.
Ah ! mon Dieu, mon Dieu... Nathalie bougeait
sur son siège comme si un grand vent s'était
levé autour d'elle. Elle serrait son châle autour
de ses épaules, sa tête entre ses mains pour empêcher les cheveux de voler, elle tenait sa jupe...

« Vous êtes insoupçonnable, disait Lebrun, et
votre appartement s'y prête... »

Oui, oui... Les mains appuyées sur la table,
comme si elle allait se lever... Elle voulait savoir
si on les protégeait. Oui, on les protégeait, on
avait des traditions professionnelles. Si cela se
savait ? Oui... Pas tellement... Au bout du compte, non, pas tellement... On fait évader les ty-
pes, mais anonymement, on n'est pas d'accord
pour se faire descendre ou perdre son boulot.
D'ailleurs, si on portait plainte, on viendrait
fureter à l'hôpital, tout le système d'évasion risquait d'être fichu... Mon Dieu, si Luigi savait ce
qu'il était en train de faire, il lui dévisserait la
tête... Allons, Lebrun, ne faites pas l'enfant...
Alors, comment fait-on ?

Lebrun se mit à expliquer à Nathalie comment on comptait faire.

Lorsque Luigi et le docteur revinrent du sous-sol, ils trouvèrent Nathalie seule, penchée sur sa bande illustrée : Lebrun, au bruit de leurs pas, s'était sauvé dans l'entrée, pour fumer... Ils parlèrent du curieux automate, Nathalie écoutait, et quand elle demanda : « Est-ce que tu pourrais nous animer un petit flic tabassant un Algérien ? » Luigi en eut la parole coupée comme par un rasoir.

« Voilà, dit le docteur Vacquier, la dernière maison où on ne parlait de rien est infectée. »

Lebrun, revenu, sirotait son marc. Luigi le regarda à travers ses lunettes épaisses, mais Lebrun ne broncha pas.

« D'où cela te vient-il ? demanda Luigi, une fois seul avec Nathalie. Qui t'a raconté que René Loisel s'était fait tabasser ?

— Personne, dit Nathalie sans mentir. Comment va-t-il ?

— Finalement, ce n'est pas grave. On lui a fait des points de suture sur le crâne... Ce n'est rien. A côté des huit morts... Il a eu de la chance. C'est sûrement Lebrun qui t'a parlé de la manifestation et du métro Charonne ? »

Nathalie ne répondit pas. Lebrun lui avait en effet parlé de la manifestation, entre autres, mais ne lui avait rien dit de René Loisel, d'ailleurs elle ne connaissait pas le père de Christo.

« Mais, puisque tu es au courant, continuait Luigi, sais-tu aussi ce qui est arrivé à Olivier ?

— Pas du tout », répondit Nathalie sans mentir...

Eh bien, à Olivier, il lui était arrivé la chose suivante : il avait été à la manifestation de son côté, avec une petite amie, et quand les flics ont chargé, ils ont poussé une porte et ils ont monté les étages... Voilà qu'ils entendent courir derrière eux, ils sonnent à une porte, et on les laisse entrer... Un couple âgé, tout à fait d'accord avec eux. Ils les ont gardés jusqu'à ce que tout se soit calmé... On a tort de me cacher les choses, tu vois, ça me fait du bien cette histoire... Alors, Olivier devient un homme ? Dorénavant, Nathalie voulait des journaux, inutile de protester, elle allait faire un malheur. Et une radio.

« On verra avec le docteur.

— Le docteur, tu peux te le mettre où je pense... »

Le miracle de leurs rapports était qu'ils savaient ne jamais se désunir, et lorsque le mouvement de l'un risquait de l'arracher à l'autre. cet autre le suivait : comme au lit. Lorsque Luigi comprit que Nathalie ferait ce que Lebrun lui avait demandé de faire, il la suivit sans discuter, comme si cela avait été entendu autant avec lui qu'avec elle. Il ne s'occupa pas

directement des inconnus aux cheveux crépus,
mal en point, portant des pansements, qui arrivèrent la nuit même dans la voiture de Lebrun,
filèrent le long du couloir *Draculus* sans allumer
la minuterie et s'engouffrèrent dans l'appparte-
ment... Ceux-là ne restèrent que quelques heures, une autre voiture vint les prendre avant
le jour. Nathalic ne se montra pas. La grande
cafetière était sur le poêle, et Lebrun alla chercher à la cuisine de la soupe. C'est là que Luigi
lui remit de l'argent : ce n'était pas de refus.

Quand Christo arriva chez Nathalie, le lendemain, il ne put parler de rien d'autre que des
flics qui avaient failli enfoncer le crâne à son
père, d'Olivier et de Claudine.

# XXVI

## Le grand hêtre

Les fenêtres donnaient toujours sur le jardin
désert, touché par les saisons seules. Depuis quelque temps, Lebrun n'amenait plus personne
chez Nathalie : il lui avait semblé rencontrer,
non loin de l'entrée *Draculus*, toujours le même
passant. Peut-être n'étaient-ce là que des fantas-
magories, mais il en avait trop peur pour Nathalie, plus peur pour elle que pour ceux qu'il lui
amenait et que pour lui-même. Nathalie ne
posait pas de questions et travaillait comme à son
habitude. Le bruit du plastic ne traversait pas
les murs épais, tout était parfaitement calme,
et Nathalie ne protesta pas quand Luigi emporta
à nouveau le poste de radio : elle en savait assez
long pour imaginer le reste. Clouée à sa chaise,
comme un arbre qui remue des branches, mais
ne peut s'arracher à la terre et, même s'il tombe,
tombe sur place, Nathalie, parfois, se mettait à se

balancer, sans un mot, sans un cri, et les feuilles
autour d'elle voltigeaient et tombaient soulevées
par le même grand vent qu'elle. Luigi laissait
passer l'orage, que peut-on contre l'orage ? Assis
à côté d'elle, il attendait. Et à chaque fois que
cela la prenait, les mêmes mots se mettaient
à résonner dans la tête de Luigi : « Monsieur,
le grand hêtre est tombé... » Cela s'cst passé
dans une propriété qu'il n'avait plus, près de
Paris, par une nuit d'orage... Il entendait cette
annonce du garde-chasse comme dans un haut-
parleur, accompagnée d'éclairs et du tonnerre,
shakespearienne, chargée d'un sens énorme. Luigi regardait Nathalie se balancer et entendait
en lui : « Le grand hêtre est tombé ! » Après
l'orage, il ne reconnut pas le paysage familier,
la chute de l'arbre géant l'avait transformé. Le
hêtre gisait, vivant, frais, gris-argent et vert, couvrant de son immense désordre ce qui l'envi-
ronnait, prenant toute la place, écrasant sous
lui d'autres arbres, arbustes, buissons, fleurs...
sa cime, ses feuilles qui n'avaient eu pour com-
pagnons que le ciel et les oiseaux, à portée de
la main, de la hache, de la scie. Il a fallu plusieurs bûcherons et plusieurs jours pour dépecer
ce corps de baleine; le tronc cassé à deux mètres
du sol, scié proprement à ras de terre, était
devenu une plate-forme en bois, ronde, avec,
autour, les racines grosses comme des pattes

d'éléphant, le tout ressemblant à une gigantes-
que pieuvre agrippée à la terre. Ensuite, on
s'était servi de cette plate-forme de bois pour y
poser un kiosque avec un banc, une table...
Pour que Nathalie puisse y venir lire ou ne rien
faire. Mais Nathalie ne voulait jamais y aller,
dans cette propriété, elle ne se déplaçait que
pour se rendre dans le Midi, à la magnanerie.
Alors Luigi avait vendu la propriété, et il n'en
restait plus pour lui que la voix du garde-chasse :
« Monsieur, le grand hêtre est tombé... »

Mais d'habitude Nathalie semblait calme, ne
s'intéressait plus ni aux journaux, ni à la radio.
Les principaux porteurs de nouvelles étaient
Christo et P'tit. P'tit, à nouveau grand et fort,
aussi grand que Christo, de cinq ans son aîné.
Après sa maladie, on avait craint un moment
qu'il resterait fragile, il s'était même mis à ressembler à Christo, mais il avait vite retrouvé ses
forces vitales, et le voilà à nouveau un gaillard.
Il allait maintenant à la communale et, comme les autres gosses de la rue, ne jouait plus
qu'avec des pétards. Et c'est lui, d'entre tous,
qu'un passant furieux amena un jour dans la
boutique de Luigi :

« C'est à vous, cet énergumène ? »

Luigi, sans se compromettre, attira l'énergumène qui hurlait, sous son aile :

« Et alors ? » fit-il.

Le passant, un monsieur décemment vêtu de tergal, était au comble de l'indignation :

« J'ai surveillé les manèges de votre petit-fils, monsieur. Il courait sur le trottoir, il regardait à droite et à gauche, il posait son cartable dans le ruisseau, parfaitement, dans le ruisseau... cette rue R... est d'une saleté !... et il amorçait son pétard, en douce ! Espérant que personne ne le verrait faire ! Quand il a vu que je le regardais, il m'a fait un petit sourire complice, l'air de dire : « Tu vas voir ! On va rigoler ! » Le polisson ! Lorsque le pétard a sauté et que les gens ont sursauté, il s'est mis à rire, à se tordre ! Moi, monsieur, je n'ai pas ri... En ce moment, où tout le monde vit sur ses nerfs, s'amuser à faire peur aux gens ! C'est comme cela qu'on élève de futurs O.A.S. ! C'est à cela qu'il joue, cet enfant ! Il prend exemple sur des bandits ! Il deviendra un assassin...

— Sale flic, hurla P'tit, je ne suis pas un O.A.S. »

Luigi avait du mal à retenir P'tit qui voulait se jeter sur le monsieur, se débattait et rugissait. L'autre bouillait, lui aussi :

« Si c'était mon fils, qu'est-ce qu'il prendrait ! Voici les pétards, monsieur, que je lui ai confisqués. Si vous n'êtes pas capable de surveiller cet énergumène vous-même, donnez-le donc à une maison de redressement... »

Luigi se mit à rire en imaginant la petite classe dans une maison de redressement, et P'tit d'horreur cessa de hurler. Avant de claquer la porte, le monsieur cria encore :

« On commence par les pétards et on finit par du plastic ! »

Michette amena P'tit, dûment mouché, essuyé, à Nathalie. Le goûter était servi.

« Il faudra que tu joues à autre chose, dit Nathalie, le monsieur a plutôt bon esprit, même si c'est bête de crier si fort...

— Sale flic ! »

P'tit se répétait.

« ...mais, tu sais, tes pétards me font mal à la tête...

— A toi ? dit P'tit, incrédule, tu n'entends même pas le plastic... D'ici on n'entend rien du tout, même si tout Paris sautait.

— Si tu poses encore une fois un pétard, dit Christo en entrant, nous ne t'appellerons plus que « Canal »... et Olivier te fichera une raclée...

— Je ne suis pas Canal ! hurla P'tit.

On frappait à la porte et, dès le seuil, Olivier cria :

« Assez ! La raclée tu l'auras ! »

P'tit sauta comme un pétard :

« Maman ! Papa ... »

Et il quitta la pièce en hurlant.

« Vous êtes tous après lui, fit Nathalie, mé-

contente. Mange un morceau de cake, Olivier,
il est tout frais... Michette l'a réussi. »

Olivier se versa du thé et mangea deux morceaux de cake, ce n'est qu'alors qu'il dit comme
en passant :

« Il nous arrive la chose suivante, Nathalie. .
Papa a reçu des lettres de menaces : ils veulent
m'enlever... »

Nathalie joignit les mains : « Mon Dieu !... »

« Oui, imaginez... Papa ne veut pas s'adresser
à la police, il ne lui fait pas confiance. Et il dit
que je suis assez grand pour ne pas tomber
dans un piège... que je n'ai qu'à faire attention. »

Christo, debout, plié en deux au-dessus de la
table sur laquelle il avait posé ses coudes, regardait son frère avec cette attention que d'habitude il prêtait au livre qu'il lisait dans cette
attitude.

« Il y a des copains qui viennent garder la
maison, continuait Olivier, mais c'est difficile,
tout le monde travaille. D'ailleurs, chez nous,
dans l'escalier, il y a un va-et-vient, on ne peut
pas emboîter le pas à chacun... Et puis, les gens
se fâchent : « En quoi ça vous regarde à quel
étage je vais ? » On n'a rien dit à la mémé, elle
est déjà morte de peur comme ça, toutes les dix
minutes elle sort sur le palier pour voir s'il n'y
a pas du plastic... Maman téléphone sans arrêt

du studio pour savoir si on n'a pas sauté et si je suis sain et sauf... C'est pas une vie !

— Tu veux venir habiter chez nous ?

— Non, merci, vous êtes bonne... Si vous le permettez, j'aimerais venir comme ça, à l'improviste... C'est plus difficile à pister... Je me repose. »

Cette manière de parler comme si recevoir des lettres de menaces était chose courante ne devait être qu'une attitude... Il avait les traits tirés, des ombres sous les yeux. On les rendra fous, les gosses ! Nathalie regarda attentivement Christo :

« Et toi, Christo ?... Qu'est-ce que tu en penses ?

— Moi ? Je n'en pense rien. Je suis occupé. Je n'ai pas le temps. »

Olivier sourit d'un sourire pâle, gentil :

« Monsieur vit en dehors du temps et de l'espace ! Il a raison... D'abord on a voulu faire comme si de rien n'était, n'en rien dire à personne, puis on a changé de tactique : tout de même les gens sont tellement dégoûtés par le plastic, qu'ils nous protégeront...

— Ils te protégeront, les Mesnard ? » Christo haussa ses épaules pointues. « Ils ont fait circuler une pétition parmi les locataires pour nous mettre dehors, Nathalie... On est un danger public qu'ils ont écrit !

— Tais-toi, Christo, papa sait ce qu'il fait. Christo ne voulait pas qu'on en parle, Nathalie, il nous a fait une vie !

— Ça leur fait trop plaisir de voir qu'on tremble... Moi, j'ai rien dit, même pas à toi, Nathalie !... »

Le téléphone sonnait :

« Oui, oui, madame Loisel, il est là... Il mange du cake. »

Olivier mangeait du cake, c'est vrai, mais sans appétit, pour se donner une contenance. Nathalie le regardait : quel souci, quel souci... Il y avait près de deux ans qu'il était venu ici pour la première fois, lors de sa « fugue »... Le duvet de poussin parti, il était toujours charmant, il avait grandi, se remplumait, s'élargissait un peu. Et il ne parlait plus de sa fleur, de ce côté cela avait dû s'arranger. Et voilà que d'autres menaces...

« Bon, dit-elle, n'en parlons plus, tu viendras quand tu voudras, coucher ou pas coucher. Et si tu allais chez notre ami, l'instituteur, qui t'a déjà hébergé une fois ?

— Non — et Olivier rougit violemment, une particularité de tous les enfants Loisel que cette facilité de rougir —, non, il y a de grandes forêts tout autour... D'ailleurs, je ne vais pas fuir, ça serait indigne !

# XXVII

*Fantômes armés*

OLIVIER passait voir Nathalie tous les jours et
même parfois, deux, trois fois par jour. Il lui
arrivait de rester coucher et alors Nathalie envoyait Michette prévenir les Loisel, car Olivier
ne voulait pas se servir du téléphone : il était
persuadé que leur téléphone était branché sur
la table d'écoute et il redoutait la police autant
que les menaces des autres. En fait, Olivier était
en plein dans un roman qu'il enjolivait à plaisir,
le vivant avec emportement et très excité par
son rôle.

Tout autour, on ne parlait que de ces lettres
de menaces et d'enlèvement, Olivier était as-
sailli de questions, le lycée se divisa, il y avait
ceux qui voulaient le protéger et ceux qui voulaient le mettre dedans... Olivier essayait de tenir
le coup, de ne pas perdre la boule, mais il était

fait pour jouer le rôle d'un héros comme un cerf-
volant pour braver le cosmos. La réalité n'était
pas de son domaine, il s'enfonçait de plus en plus
dans son histoire imaginaire, vivait l'enlèvement,
inventait des lieux, le dialogue. C'était passion-
nant. Après tout, dans ces conditions imprévisibles, Christo avait peut-être eu raison de
ne pas vouloir ébruiter l'affaire. Nathalie faisait
tout ce qu'elle pouvait pour donner à Olivier
l'impression que tout était normal autour de
lui, pour lui changer les idées, mais elle voyait
bien qu'il était à la merci de lui-même, de ses
phantasmes... Il vivait en imagination une aventure extraordinaire pendant que la réalité le
guettait peut-être.

Lorsque Michette vint lui annoncer : « Nathalie, c'est M. Loisel ! Il est venu par *Draculus*... » Nathalie s'affola. René Loisel n'était encore jamais venu chez elle, elle ne l'avait jamais vu. Il entra : un grand type très brun,
avec des yeux noirs un peu globuleux, les sourcils hauts, une moustache courte et fournie...

« Enlevé ? » Nathalie pressa les mains contre
sa poitrine.

« Je ne crois pas... Mais disparu... »

René Loisel s'assit. Les mains entre les genoux, il regardait par-dessus la tête de Nathalie
avec un mouvement d'épaules qu'elle connaissait à Christo.

« Non, je ne crois pas, répéta-t-il. Il est parti parce qu'il ne pouvait plus y tenir... Il fallait que cela se déclenche enfin. »

Dans son costume de velours côtelé, il ressemblait autant à un garde forestier qu'à un technicien de cinéma...

« Vous en êtes sûr ?

— Non... Non, je ne suis pas sûr... L'horrible, c'est qu'on ne peut pas être absolument sûr... Il y a une chance sur cent qu'on l'ait enlevé.

— Mais il y a une chance sur cent ! » cria Nathalie.

René Loisel se leva :

« Oui, dit-il, oui... Ma femme affirme que s'il était parti de son propre mouvement, il aurait laissé un mot... En ce qui me concerne, je crois qu'il aurait craint de laisser un mot, un « indice »... Mais tout cela est de la psychologie et, pendant ce temps, il est en train de faire n'importe quelle bêtise... Il faut connaître Olivier, il se joue son histoire, comme on joue aux Indiens. Nous avons dit aux enfants qu'Olivier était « en mission »... Cela ne veut rien dire, mais avec P'tit et Mignonne on est sûr que cela se saura immédiatement, partout. On n'a pas voulu le compromettre aux yeux de ses copains, de ses supporters... Pour eux, prendre la fuite, c'était le déshonneur.

— J'aurais bien voulu les y voir !... » Et Nathalie se gratta furieusement la tête avec son petit peigne.

René Loisel se rassit dans ce même fauteuil qu'il avait quitté :

« Aujourd'hui, madame, je me sens terriblement responsable... On laisse la politique entrer par les portes et par les fenêtres, et je n'imagine pas comment j'aurais pu faire autrement : mon père était un militant, et j'ai pris la suite, naturellement et sans à-coups. Mais Olivier est fait d'une pâte trop tendre... La politique, elle fortifie les uns, égare les autres... Elle donne des vrais militants, des romantiques et des aventuriers... Olivier, vous le savez, est un romantique. Je me sens responsable comme si je lui avais tordu le cou de ma main ! »

Olivier avait les mains de son père, pas grandes et bien formées.

« Qu'est-ce qu'on fait ? dit Nathalie.

— Je ne sais plus... J'ai fait le tour de ses amis. Je viens chez vous un peu pour demander conseil... Ma femme est allée chez Claudine... C'est l'amie d'Olivier, sa « fiancée »... Il en a déjà eu plusieurs, mais ma femme croit savoir que c'est la dernière en date. » Il sourit quand même. « Il se peut que Claudine sache où il est. Denise n'est pas encore rentrée...

— Et la police ?

— Non... Pas encore... Je ne veux pas rendre les choses trop difficiles pour le petit... S'il revenait tout seul.

— Avez-vous essayé Dany, le surmâle ?

— Je crois qu'ils sont fâchés depuis longtemps, mais c'est une idée. Je ne sais pas où il perche, par exemple... Si je téléphonais chez ses parents ? »

Soudain fébrile, il cherchait des yeux l'annuaire... « Dans la boutique, dit Nathalie, vous y trouverez aussi le téléphone. Par ici, cette porte...

— Non, dit René Loisel, revenant de la boutique, ils ne semblent pas au courant... Je me suis fait injurier. »

Il se tenait les bras ballants, un grand corps désemparé, les yeux douloureux, le sourcil noir... En temps ordinaire, il devait être plutôt rieur. Il n'y avait que P'tit qui lui ressemblerait, plus tard.

« Alors, ils sont peut-être tout de même ensemble ? »

Nathalie se cramponnait à cet espoir...

« Il y a peu de chances, ils ne se voyaient plus guère, Olivier avait perdu toute confiance en Dany. Je vous demande pardon, madame, notre famille vous donne beaucoup de soucis... Si seulement vous pouviez nous le ramener comme l'autre fois ! » René Loisel sortit son mouchoir et s'essuya le front et les doigts. « Le pauvre petit gars, il n'en pouvait plus d'attendre, il a trop d'imagination, il avait besoin d'un début d'exécution... Et, maintenant, je suis sûr qu'il n'ose pas revenir, de honte. Il ne saura pas quoi dire, comment expliquer... S'il venait chez vous, madame...

— Oh ! non ! Je ne lui ferais pas honte... » Nathalie eut même un petit rire à cette idée. « Il ne sait plus où il en est, votre Olivier. Il est fait pour ces histoires comme moi pour la haute voltige... La tête à l'envers et le cœur mal accroché. Dieu sait ce qu'il va inventer pour mériter votre estime et ne pas affronter votre mépris... Il sait bien que dans une affaire pareille c'est trop grave à vos yeux pour se permettre de jouer avec la réalité. Ça ne doit pas être facile une maison de militants !

— Je crois que vous ne vous représentez pas les choses très exactement, madame... On a ses idées... elles sont simples, je veux dire que ce n'est pas plus compliqué que d'inculquer aux enfants l'honnêteté, ça vient tout seul : il ne faut pas mentir, il ne faut pas voler, il faut défendre les ouvriers, travailler pour gagner son pain... Ne croyez pas que les enfants chez nous vivent dans une atmosphère intense... On n'est pas une famille Daudet à l'envers ! Et Olivier n'est fait ni pour tuer ni pour se tuer... »

Il s'interrompit abruptement pour ne pas dire : « Ni se faire tuer... »

« Oui, dit René Loisel, cela ne passe pas les lèvres... Cela dépasse l'entendement... »

Il prit congé de Nathalie. Elle resta seule.

Quoi ? Qu'est-ce qu'on pourrait bien faire ? Nathalie espérait Luigi, elle tendait l'oreille... C'était insupportable cet état, cette angoisse, il fallait quelque chose pour changer cela... Parler, raconter... Peut-être le téléphone ?... Téléphoner à qui ? Tout était immobile et le *Golem* de sa nouvelle bande illustrée, — l'automate animé par la science cabalistique d'un rabbin de Prague, — sa face chinoise par elle inventée, lui faisait des grimaces et détournait les yeux... Nathalie le regardait maintenant avec attention : cette manière qu'il avait de se tenir penché en avant, comme sur le point de tomber, comme s'il avait du plomb dans le front... Des pas ! Non... Si, les pas de velours de la nuit qui s'approchait, allait lui tomber dessus. Où était-il Olivier, où ?... Qu'avait-il encore fait de tel qu'il n'ose plus lever les yeux sur ses proches, sur son père ?... Il y avait vingt-quatre heures qu'il avait disparu ! Vingt-quatre heures... Quelle responsabilité ! Et s'ils le tenaient, si on l'avait enlevé, si on le torturait ? Comme il était là devant elle, il y avait de ça deux ans... oui, deux ans, quand Christo couchait dans le sous-sol...

L'adolescent avec son pantalon fripé qui mou·
lait à éclater sa minceur enfantine et arrogante.
Il avait grandi depuis, les épaules plus larges,
mais la peau toujours aussi tendre, un teint de
jeune fille. Il sera beau, si jamais il sera... Elle
essayait de ne pas s'imaginer ce qu'on était peut-
être en train de faire à ce corps... Si elle allumait toutes les lumières pour faire disparaître
les fantômes ? Non, avec les lumières elle les
verrait, au contraire, plus distinctement, plus
réellement. Le sang, les dents crachées, les cris,
les ordures... La nuit la prenait à la gorge.
D'une main d'agonisante, Nathalie trouva l'in-
terrupteur de la lampe, alluma... Le *Golem* lui
rit au nez ! et quand Luigi entra, Nathalie
poussa un cri... : Luigi ressemblait au *Golem* !

« Qu'est-ce que c'est ! cria Luigi. Nathalie !
Ma chérie ! Tu as mal ?... »

Oui, elle avait mal, oui... Elle racontait, vite,
vite... Ce monde, ce monde dans lequel on vivait, cette horrible horreur ! Luigi ! Luigi !
René Loisel a été là... il s'était passé une longue
éternité depuis, il avait dit qu'il donnerait des
nouvelles, et puis, rien... Rien, rien, aucune
nouvelle...

Luigi tenait la main de Nathalie, la pressait
contre ses joues mal rasées, son front nu... On
va réfléchir, disait-il, on va réfléchir... Est-ce
qu'on a interrogé Christo ? Il est observateur,

même si Olivier ne lui a rien dit... Non, **non**, on ne pouvait pas poser des questions à Christo, il se douterait aussitôt de quelque chose, on ne sait pas l'effet que cela lui ferait. Déjà quand on lui a dit qu'on avait envoyé Olivier « en mission », il a fait une drôle de tête, paraît-il. Préservons, au moins, Christo. Voilà où mène la politique... Ne dis pas de stupidités, Luigi, on ne peut pas vivre comme ça, d'ailleurs on aurait beau faire, on y reviendrait quand même. Si on téléphonait aux Loisel ? Non, tu imagines, à chaque coup de téléphone, ils doivent espérer et craindre... Ces familles saturées de politique ! Voilà à quoi cela mène, on fait vivre les gosses dans une atmosphère telle, qu'ils finissent par prendre leur mémé pour un kidnapper. Tout le monde, des croquemitaines... Bon, si ça te soulage, Luigi, gueule, gueule, mais tu me fais mal au cœur. Pourvu qu'il s'en sorte. Et qu'est-ce qu'on va dire quand il sera de retour ? Pourvu qu'il revienne, on verra après. Non, mais qu'est-ce qu'on va dire à ses copains ?... Mais si, il reviendra, mais si...

# XXVIII

*Le jeune homme
et la honte*

OLIVIER revint. Nathalie l'apprit par un bref
coup de téléphone. Puis elle reçut un mot de
René Loisel : ne connaîtrait-elle pas quelqu'un
qui pourrait emmener Olivier en Suisse ? Sans
poser de questions... Elle promit de chercher.

Qui ? Lebrun ? Vassili ?... Lebrun pouvait
être suspect, qu'arriverait-il si on l'interrogeait
à la frontière ? Vassili... un taxi... d'ailleurs, Vassili... Peut-être, tout de même... Ou, alors, Luigi !
Oui, c'était plus sûr. Et si, tout de même,
Vassili ? Ou Lebrun ? Tout le monde avait
une voiture, et quand on avait besoin... Claude
n'était pas sérieux, Vacquier avait sa clinique... Et, pourtant, il fallait faire vite,
vite. Nathalie se décida pour Vassili, composa

le numéro de téléphone et reposa l'écouteur dès qu'elle entendit un « Allô ! » : ce n'était pas sa voix, il ne devait pas être chez lui. Non, ça n'allait pas. Et Lebrun ne pourrait sûrement pas quitter l'hôpital pour, au moins, trois jours. Il n'y avait que Luigi.

On n'imagine pas ce que c'est difficile de passer inaperçu, de se cacher, de détruire des papiers, de se débarrasser simplement d'un vieux pantalon... Toute une affaire que de recevoir sans user du téléphone l'adresse pour aller chercher Olivier. Les consignes... prendre les vêtements, quelques livres... Il ne fallait pas que les voisins se rendent compte d'un trafic inhabituel entre les Loisel et les Petracci. Sans parler des enfants. Luigi partit de jour, la valise d'Olivier chargée en même temps que des cartons pleins de jouets. Il a fallu dire à Michette que Luigi s'absentait pour un petit voyage, mais que cela ne regardait personne.

« C'est rapport au gosse ?

— Tais-toi... » dit Nathalie, et Michette se tut.


Nathalie reprit son *Golem*. Elle chantonnait en travaillant, elle demanda à Lebrun de l'embrasser, elle commanda à Michette une crème au chocolat pour Christo...

Luigi revint content et fatigué. Décidément,

à son âge, la route c'était fatigant. A l'aller, jusqu'à la frontière, Olivier n'était qu'un corps inerte, un somnambule, mais une fois la frontière passée, il s'était réveillé dans un état d'allégresse extraordinaire. On a bien fait de l'envoyer dans la neige... Des gens charmants, ce peintre et sa femme. Pourvu qu'Olivier n'en tombe pas amoureux, ça en avait déjà l'air... Tout de suite, comme ça ?... Eh oui ! et ça semblait ne pas lui déplaire, à elle. Finalement, qu'est-ce que c'était, pourquoi a-t-il disparu ? La peur ?... Je l'avais pensé comme tout le monde, mais pas du tout ! Plutôt des rêves... Un coup de tête. Il m'en a raconté pendant qu'on roulait ! Et il s'en raconte, il s'en raconte à lui-même... Ne t'y trompe pas : il a eu peur, c'est entendu, mais parce que cela lui plaisait d'avoir peur et, je te répète, il n'a pas fui parce qu'il avait la trouille, mais parce qu'il suivait un scénario inventé par lui. Et quand il a compris qu'il s'était mis dans un mauvais cas, il n'y avait plus rien à faire : son scénario était incompréhensible pour les autres, on croirait qu'il était un lâche ! Je suis sûr qu'il était fier d'être menacé, qu'il aurait voulu vivre l'enlèvement. Du théâtre ! Je te dis, du théâtre !

« Alors, dit Nathalie, à ton avis, ça se calmera ? Et tout ce qui t'inquiète, c'est la femme du peintre ? »

Luigi, en robe de chambre et en pantoufles, était l'image même d'un soulagement bienheureux :

« Mission accomplie, mon général ! Pour le moment tout va bien. Ne dramatisons pas à l'avance. Ah ! oui... Olivier m'a donné pour toi le début d'un roman, écrit par un ami à lui qui tient énormément à avoir ton avis. Sans ton avis favorable, il laissera tomber. »

Une fois au lit, à côté de Luigi qui s'était endormi à peine couché, Nathalie prit les feuillets tapés à la machine. Elle était si heureuse qu'elle n'avait pas sommeil. Tapés, Dieu sait comment... Le jeune romancier était aussi un débutant en matière de dactylographie, quelqu'un avait dû lui prêter une machine à écrire. « Le jeune homme et la honte. » Drôle de titre... Les fautes de frappe l'agaçaient, mais bientôt ce fut comme si elle entendait parler Olivier : c'était sa voix, sa manière de former les phrases... Elle avait bien pensé que le romancier ami ce devait être Olivier lui-même, mais là, vraiment, le doute n'était pas possible. Les fautes, les lignes qui dansaient avaient cessé de l'ennuyer : peut-être allait-elle pénétrer dans l'intimité d'Olivier, le voir de l'intérieur ?

## LE JEUNE HOMME ET LA HONTE

*Je suis allé canoter. J'ai une barque sur l'étang de la forêt de Rambouillet. A cette époque de l'année, début du printemps, en semaine, il n'y a personne ici, et je ne connais rien de meilleur que cette solitude avec la chaleur au cœur, ce cœur qui n'est pas seul, qui a des parents, des amis, l'amitié et l'amour. Détacher ma petite barque, ramer sur l'étain de l'eau, voir soudain le soleil qui d'un coup d'épaule se fait une place parmi les nuages et dore tout ce qui lui tombe sous les rayons... Le plaisir total. Tout s'y met, les muscles, la peau, la tête claire et le rêve à la dérive. Une conspiration de tout ce que je suis et ce qui m'entoure pour me combler. Qu'est-ce que j'ai à être heureux comme ça? J'ai séché mon cours de sanscrit, mais aussi quelle idée de se mettre à étudier le sanscrit. J'ai vingt-trois ans, un métier, une fiancée avec laquelle je couche depuis un an, et qui bientôt sera ma femme. Cela veut dire que nous allons quitter nos familles pour vivre ensemble, elle et moi, et je ressens à cette pensée une émotion si vive que le sang me monte au front. Par cette extraordinaire journée de printemps, tout cela se présente à moi avec intensité. Je suis quelqu'un de ner-*

*veux, heureusement, le bonheur arrive à m'eni-
vrer. Le malheur aussi, ne l'oublions pas. Et
si j'ai séché le cours de sanscrit c'est que la
dernière fois j'y ai été très malheureux, parce
qu'il m'avait semblé qu'à mon arrivée il s'était
fait un silence, et que les autres avaient rigolé
en me regardant en dessous. J'ai vérifié mes
cheveux, ma cravate, ma braguette... tout semblait être en ordre... alors? C'est stupide. J'ai
dit : « Qu'avez-vous à vous marrer? » à quoi
on m'a répondu que personne ne se marrait,
parce que le sanscrit ce n'était pas marrant et
que, d'ailleurs, ils en avaient marre. Bien, peut-
être... En attendant, ils ont quand même rigolé
et si ce n'est pas le sanscrit qui les réjouit, ça
doit être moi.*

*Ça m'a contrarié. Mais je ne suis pas homme
à me laisser dorloter quand je suis agacé, je
prends plutôt la direction de la solitude. Je m'en
vais dans la nature ou à l'hôtel, pour ne pas
avoir à m'expliquer sur mon humeur et la tête
que j'ai. Mes parents ont eu à souffrir de mes
fugues. C'est comme cela que cela s'appelle,
n'est-ce pas : une fugue.*

*Ils faisaient des histoires, maman pleurait et
mon père une fois a failli y passer d'inquiétude
— il a le cœur malade. Mais moi qui les aime
tant, je recommençais, entraîné par n'importe
qui, n'importe quoi : la mauvaise ou la bonne*

*humeur, une femme ou un nuage, vraiment,
un nuage.*

J'étudie le sanscrit, la langue sacrée des brah-
manes, parce que je suis quelqu'un de passion-
nément curieux de l'homme. La langue dit
l'homme, l'étendue de son âme et de sa pensée,
son savoir, ses occupations, ses principes... la
langue, c'est la vraie histoire de l'homme avec
ses mensonges. La philologie est ce que j'aime,
ma passion, ma vocation peut-être. Mais je ne
veux pas dépendre de ma famille, non que m'entretenir pèse sur leur budget confortable, mais
pour toutes les raisons habituelles : fierté, principes, liberté. Alors, j'ai pris un « job ». Je
gagne ma vie dans une agence théâtrale où on
m'a tout de suite engagé comme polyglotte.
J'habite chez mes parents, alors mes mois me
suffisent. Ni Arlette ni moi, nous n'avons le
goût du luxe et, une fois notre matériel de
camping acheté, les vacances, par exemple, sont
dans nos moyens.

Mes parents n'étaient pas contents de me voir
abandonner mes études : puisque j'avais la
chance d'être paré du côté entretien, je devais
à mes dons de philologue de suivre ma passion
linguistique. J'en ai beaucoup discuté avec eux,
ils tiennent pour les cas d'espèce contre les
généralités, comme ils disent, c'est-à-dire que
moi dans mon cas, c'est-à-dire un homme avec

*mes prétendues capacités, le goût du travail et
la modestie des besoins,* moi *qui me ferais entretenir pour travailler et non me la couler douce,
eh bien,* moi, *selon eux, je me devais de ne
pas détruire mon avenir, mon « œuvre », mon
« apport » aux connaissances de l'humanité. Les
parents sont les parents, quand il s'agit de leurs
enfants, et dans mon cas, celui d'un fils unique
chéri, ils perdent tout jugement. Pour eux, je
suis un génie. Pour moi, je suis quelqu'un qui
a une passion pour une certaine discipline, mais
qui ne se permettra pas de s'y abandonner aux
dépens de ses principes. Je m'étais donné jusqu'à vingt et un ans, — la maturité, paraît-il, —
et j'ai coupé le cordon ombilical.*

*Malheureusement, je n'ai pas eu à faire mon
service militaire : je porte des lunettes. Autrement, je suis costaud. Mon père est chirurgien et
j'ai grandi dans les vitamines, la neige en hiver,
la mer en été, hygiène constante et réponse
immédiate à tous les bobos. Mon père est un
médecin sceptique et hargneux vis-à-vis de la
science. La foi est toute du côté de ma mère,
mais alors c'est le Lourdes de la médecine à
chaque nouvelle découverte. Elle y croit dur
comme du fer. Elle a pourtant toujours suivi
les prescriptions de mon père pour me soigner,
mais pour elle-même, elle avale tous les échan-
tillons de médicaments que l'on envoie à mon*

*paternel, à se demander comment elle est encore
vivante. Mon père ne se soigne qu'avec de l'alcool, en cas de grippe. D'ailleurs, il n'est jamais
malade.*

*En dehors de la médecine qui est l'ordinaire
de la maison — récit des opérations du cancer
dont mon père nous abreuve aux repas —, il y
a la politique. Mon père est d'extrême droite
avec précision, ma mère est contre, dans le va-
gue, moi je les chine tous les deux, mais j'aime
mieux être du côté de ma mère, côté échantil-
lons médicaux et douces croyances politiques.
Les violences de mon père me répugnent et je
me demande comment ma mère peut s'en ac-
commoder, ou, plutôt, je me le demandais étant
enfant, maintenant j'ai simplement refusé de
manger le pain de mon père, et tant pis pour
le sanscrit. Les vraies raisons de mon goût de
l'indépendance, il n'y a qu'Arlette qui les con-
naisse. Mes vieux, je les plains. Si je devais
discuter avec eux, la maison deviendrait un enfer. C'est déjà pas mal comme ça. Au lycée,
j'étais connu comme communiste, et pourquoi
pas, d'ailleurs, bien que je ne le sois pas, je
ne suis pas membre des jeunesses communistes,
et après ? C'est pas mal d'être communiste. En
fait, j'aurais plutôt des velléités catholiques.
Mais là, même Arlette ne sait pas tout de mes
sentiments. Je suis un mystique réaliste. Je crois*

*à l'union de l'homme avec les forces divines au-*
*delà de nos limites, mais cela ne me rend pas*
*contemplatif. C'est le métier de l'homme que*
*de faire reculer ses misérables limites; que de-*
*viendrait-on sans le suspens de nos découvertes,*
*sans la curiosité, le désir de savoir ce qu'il y a*
*derrière et encore derrière... On crèverait d'en-*
*nui. Moi, je ne m'ennuie pas. Je suis curieux*
*de savoir comment on va vaincre le cancer, et*
*comment est fait l'envers de la lune. Je crois*
*pourtant que l'angoisse me ferait tomber en*
*poussière si je ne me sentais pas en union avec*
*les forces divines de l'au-delà. Je me suis orga-*
*nisé ce petit monde philosophique à moi tout*
*seul, naïf, stupide et court, mais il me donne ce*
*minimum de confort intellectuel sans lequel je*
*perds les pédales.*

*Imaginez cette vie de famille! De la dyna-*
*mite. Depuis la guerre en Algérie, la mésen-*
*tente de mes parents a pris une forme aiguë, or*
*voilà six ans que ça dure. Le petit ira, le petit*
*n'ira pas, il défendra sa patrie, ce n'est pas*
*la défendre, il ne désertera pas, que si, il ira*
*en prison, pour, contre... De Gaulle par-ci, de*
*Gaulle par-là... Moi, je n'intervenais pas, bien*
*décidé à ne pas y aller, à ne pas déserter, à*
*m'opposer dans l'armée même. Telles étaient*
*mes hautes intentions. Et voilà que je me fais*
*réformer! Je ne suis pourtant pas aveugle! Et*

*je garde un soupçon quant aux intentions de
mon père dans cette affaire-là, le conseil de ré-
forme, les médecins qu'il connaît. Mes copains
aussi, ils me regardent ou de travers ou avec
approbation, pour des raisons opposées, à leurs
yeux valables, et fausses aux miens puisque je
n'y suis pour rien. Ils me jugent. Je ne veux
pas qu'on me juge. Personne ne peut ni savoir,
ni comprendre. Tout est toujours faux. Il n'y a
qu'Arlette qui sait et qui a confiance en moi.
Pour les copains, je suis ou un débrouillard et
un lâche, ou un type qui a profondément raison de tirer le bon numéro, même avec un coup
de pouce.*

*Ça n'a rien arrangé chez moi. J'ai pris un
« job » avec comme conséquence les discours in-
terminables de mes parents essayant de me pousser du côté des études. Dans nos rapports, tout
est faux, basé sur les silences. Mon père, je ne
le comprends pas; d'ailleurs, je ne sais pas ce
qu'il trafique.*

*Je suis là dans mon canot, sur l'étain de
l'étang, je rame doucement, je m'arrête, je rame.
Le soleil n'est plus le plus fort, le coude à coude
des nuages l'a eu, et le crépuscule s'apprête à
me dissoudre dans ses grisailles. J'accoste. J'at-
tache mon canot. Je remets ma canadienne et
m'en vais frissonnant rejoindre la voiture que
j'ai laissée sur le terre-plein, entre les arbres*

*immenses. Je suis trop seul. Trop seul ici, au
monde, parmi les hommes. Pour tout dire :
j'ai peur. Pas de la guerre, ni de la police, ni
du plastic, ni de menaces précises, mais d'être
l'infiniment petit, l'infiniment seul, dans l'infiniment immense...*

.. .. .. .. .. .. .. .. .. .. .. .. .. .. .. ..

Nathalie lisait. Il n'y en avait pas lourd, six
chapitres, une cinquantaine de pages en tout.
Le héros du « Jeune homme et la honte » ressemblait beaucoup à Olivier, mais Nathalie
avait du mal à déchiffrer les sentiments repeints,
camouflés, elle ne trouvait pas la clef de l'énigme.
Le talent ? Le cas Olivier la préoccupait bien
trop pour remarquer la littérature. Et d'ici le
jour où il reviendrait, Olivier considérerait ces
pages comme de l'enfantillage. Comme P'tit
quand elle lui disait : « Je t'ai déjà interdit
hier de toucher à ces crayons... » qui se récriait :
« Mais c'était hier, quand j'étais petit ! Aujourd'hui je suis déjà grand ! » Dans six mois,
Olivier dirait : « Depuis l'année dernière, mon
ami a beaucoup mûri. C'était une œuvre de
jeunesse... » Peut-être aussi méprisera-t-il ce
passe-temps oiseux, la littérature, pour se livrer à d'autres rêves. Au sanscrit, pourquoi pas?
Nathalie joua des omoplates pour mieux
éprouver le confort du lit et s'endormit.

# XXIX

## Le Golem

IL y avait longtemps qu'elle ne dormait plus, mais se lever lui devenait de plus en plus difficile. Luigi, était debout depuis des heures, malgré les fatigues de la veille. Nathalie n'arrivait pas à se lever. D'ailleurs, pour quoi faire : couchée, elle réfléchissait bien mieux sur son travail, elle n'avait pas besoin pour cela de s'asseoir devant une table; couchée, elle récupérait les forces qu'elle dépensait à se tenir droite, et elle se sentait plus douée, plus intelligente. Maintenant qu'Olivier était en sécurité, elle pouvait revenir à ses moutons, au propre et au figuré : il était temps qu'elle termine les deux petits moutons destinés aux ateliers, où on allait les faire lutter front contre front, cornes à cornes. Puis il y avait le *Golem*.

Nathalie choisissait pour ses bandes illustrées

des sujets qui lui permettaient de rêver au-delà.
Ceux qui parcouraient son *Joueur d'échecs* pou-
vaient-ils imaginer tout ce qu'il y avait derrière,
le monde de Nathalie Petracci... L'automate
dans le sous-sol, Christo, la nuit où il s'était
introduit dans le coffre... Tout ce que le vieux
Turc aura signifié dans sa vie... Qu'allait-il lui
arriver avec le *Golem* ?

Déjà, à force d'y penser, elle voyait parfois
Luigi en *Golem*. Absurde... Il pouvait, à la ri-
gueur, ressembler à ce rabbin qui avait fait
naître le Golem. Le rabbin qui vivait au XVIIIe
siècle dans le ghetto de Prague et s'adonnait à
la cabale. Le Golem était l'automate sorti de
cette science, un être hybride, ni homme ni
chose, ni vivant ni mort; un mannequin dans la
bouche duquel le rabbin introduisait un billet avec des signes cabalistiques. Le Golem devait servir le rabbin, sonner les cloches de la
synagogue, faire le travail le plus dur. Mais le
rabbin n'y avait réussi qu'à moitié, et le Golem
ne devait jamais devenir véritablement un être
vivant. Il ne faisait que végéter, et encore, rien
que de jour, tant que le rabbin laissait entre
ses dents le billet avec les signes qui attiraient les
forces vives environnantes. Et même un soir où le
rabbin avait tardé d'enlever le billet des lèvres
du Golem, ce dernier devint fou furieux, s'en-
fuit et brisa tout ce qu'il trouva sur son che-

min, jusqu'à ce que le rabbin le rattrapât et lui arrachât le billet de la bouche. Nathalie avait jadis lu « *Le Golem* » de Meyrink pour qui le Golem était un automate animé non pas de l'intérieur, mais par les forces qu'il rencontrait; un semi-être sans pensée, avec une existence d'automate...

*Et comme ce Golem qui se figea à la seconde même où la syllabe de la vie lui fut arrachée de la bouche, de même, semble-t-il, tous ces hommes vidés de leur âme tomberaient en poussière à la seconde si on éteignait dans leur cerveau, chez l'un une petite idée minuscule, un désir sans importance, peut-être rien qu'une habitude qui n'a pas de sens, et chez un autre, juste une sourde attente de quelque chose de tout à fait indéfini, d'illimité...*

Pourquoi est-ce dans la ville de Prague que naissent les êtres à l'image de l'homme, des semi-êtres sans pensée, avec une existence d'automate ? Les marionnettes anciennes qui réjouissent les petits et donnent un étrange malaise aux grands, et les dessins animés de Trnka... Le Golem du vieux rabbin qui s'adonnait à la cabale, et le célèbre robot créé par Capek... Un fil ténu, venant du fin fond des siècles et qui mène aussi bien aux automates de Luigi.

« L'âme, songeait Nathalie... Il faudrait faire des automates à la semblance non pas de l'homme, mais de Dieu. Si Dieu était ce que les hommes veulent espérer de lui. Créer un automate à la semblance de Dieu... » Elle tourna la tête vers la fenêtre, vers le jardin, ce lieu désert avec ses murs aveugles, et le perron d'en face dont personne, jamais, ne descendait les marches... Peut-être, le Golem ? Sa démarche, comme s'il allait tomber en avant, sa large face jaune, les yeux de biais, les pommettes hautes... Nathalie se sentait capable de l'apercevoir, elle portait en elle des forces qui pouvaient donner consistance à l'homme-automate, ni vivant ni mort... Peut-être était-ce le moment ? Puisque tous les trente-trois ans on peut le voir qui s'avance, devenant au fur et à mesure qu'il s'approche de plus en plus petit, et lorsque, minuscule, il est à vous toucher, il disparaît comme si vous l'aviez avalé ! Le roman (ou la légende) donnait même l'adresse du Golem, une rue, une maison précise dans le ghetto de Prague. Pour cerner cet être qui semait l'effroi, tous les habitants de la maison avaient accroché du linge à leurs fenêtres, et c'est alors qu'on s'aperçut de l'existence d'une fenêtre garnie de barreaux de fer et qui, elle, était nue, sans linge... Aucune ouverture ne menait au local qui devait correspondre à cette fenêtre.

Alors un homme descendit du toit le long d'une corde pour regarder derrière les barreaux, du dehors, mais la corde cassa et l'homme se brisa le crâne sur le pavé.

Nathalie huma l'air : cela sentait la gaufre, la vanille, Michette devait faire de la pâtisserie. Il faudrait quand même se lever... Nathalie fit un petit signe amical au jardin, à cette fenêtre garnie de barreaux, dans le mur aveugle... Toutes les autres avec leur linge à sécher, ont dû être murées. Nathalie se leva : au travail ! Elle commencerait peut-être par la maison dont une seule fenêtre à barreaux n'aurait pas de linge... puis l'homme qui tombe, la corde cassée... Cela sentait délicieusement la vanille. Nathalie passa dans la salle de bains.

# XXX

*L'Art sacré*

Depuis bientôt deux ans qu'il songeait à son
cadeau pour l'anniversaire de Nathalie, Christo
ne pouvait pas garder secrets ses préparatifs. Il
laissait traîner ses dessins sur des chiffons de
papier, des feuilles arrachées aux cahiers, des
serviettes en papier, le papier d'emballage neuf
des ateliers et celui, chiffonné, des paquets qui
pouvaient arriver à la maison, surtout lorsqu'il
était blanc. Pour la Noël, on lui avait fait cadeau d'un grand album, mais vers ce temps-là,
tout le monde était déjà fatigué de ses mystérieux gribouillages, si bien que Mignonne elle-
même lui avait laissé la paix. L'intérêt s'était
un peu ravivé pour les fêtes du Noël suivant,
lorsque sa mère lui avait donné des encres japo-
naises qui empestaient, mais procuraient à
Christo de grandes joies. On s'en servait en uti-

lisant, en guise de plume, une sorte de compte-
gouttes à bout d'éponge qui trempait dans l'encre. L'éponge donnait un gros trait vivant et
l'intensité des couleurs remplissait Christo d'un
contentement inouï. Une fois la curiosité de
l'entourage assouvie, il put reprendre son travail
en toute tranquillité. C'est à partir de ces encres
que le tableau d'anniversaire, qui n'était qu'une
idée en l'air, avait commencé à prendre forme.

Après avoir gâché une grande quantité de
papier, Christo était passé au carton ondulé mis
à l'envers. C'était joli, le carton buvait un peu
les encres et donnait des effets imprévus pour
l'artiste lui-même. Pourtant, le fond beige enlevait de l'éclat aux couleurs, et Christo n'était
pas sûr d'en être content. Il essaya du contre-
plaqué — c'était Marcel qui le lui fournis-
sait, — ne s'y arrêta pas longuement et, enfin,
trouva son bonheur avec la tôle. La tôle, voilà ce
qu'il lui fallait. La peinture sur tôle était devenue
possible grâce aux couleurs à l'huile, cadeau
de Luigi. Plus que tout, Christo se mit à aimer la tôle. Le fond noir qu'il faisait à ses personnages permettait des effets merveilleux à
son sens, et il en éprouvait un contentement
semblable à celui de trouver la solution d'un
problème. Et personne, sauf Marcel, ne pouvait
soupçonner la patience dont Christo faisait
preuve, même aux sommets de sa passion... Il

était de la race des bâtisseurs de cathédrales,
mettait dans son travail toute sa conscience,
toute la lenteur nécessaire, toute la foi qu'il
avait en Nathalie. Ce qu'il faisait était de l'art
sacré. Maladroit et appliqué, ne sachant pas
tricher, Christo mettait ses sentiments à nu
le mieux qu'il pouvait. A celui qui n'était
pas dans le secret du monde de Nathalie et de
Christo, cette œuvre allait paraître incompréhensible et, même folle, mais si, un jour ou
l'autre, elle tombait sous des yeux étrangers à
cette histoire, il s'en dégagerait peut-être la force
d'attraction que possèdent les dieux nègres et
les œuvres des peintres de génie. Dans l'art, c'est
tout ou rien : créer dans la complète inconscience ou dans la conscience la plus haute...
C'est le mi-chemin qui donne les pires résultats :
savoir un peu, pouvoir un peu, c'est cela
notre lot quotidien sans saveur, la gargote de
l'art. Si jamais ce tableau mécanique devait être
terminé, et si un amateur de curiosités le trouvait par la suite dans le bric-à-brac de l'avenir,
il s'en réjouirait.

Et, pendant tout ce temps, pris entre le lycée,
les visites à l'atelier de Luigi, les devoirs à faire
et son travail pour le cadeau d'anniversaire,
Christo ne voyait presque plus Nathalie. Tout
ce qu'il faisait était en fonction d'elle, les livres
et les chiffres, la lune et le clair de lune, toute

beauté, la musique, les tableaux, le soleil et le paysage, il ne voyait, éprouvait et pensait que par rapport à Nathalie. Il l'aimait tant qu'il n'avait plus de temps pour elle. Quant à Natha-lie, Christo lui manquait tous les jours, tous les jours étaient troués par cette absence; elle l'at-tendait comme si le petit était un navigateur parti embrasser le monde entier et découvrir des Amé-riques. Elle le suivait, immobile dans son univers à huis clos, en compagnie de ses personnages, du Golem, du Juif errant, Coppelius, Galatée..., as-sise entre la magie et la science, le faux-sem-blant et la réalité. Ces temps derniers, Nathalie voyait Christo si rarement qu'elle avait même té-léphoné à Mme Loisel : il allait bien, un peu nerveux. Comme c'était jeudi, il avait encore disparu aux ateliers, chez Marcel, probable-ment...

Christo était, en effet, chez Marcel. Quand il entra dans le cagibi, Marcel posa le bout de métal qu'il était en train de limer et dit :

« Montre. »

Christo déroula la feuille de papier sur le haut pupitre de Marcel : c'était bien la millième fois qu'il lui montrait son projet de tableau animé !

« Je ne peux pas faire mieux... »

Marcel n'avait encore rien dit que Christo avait déjà des larmes dans la voix : ça sera

comme d'habitude, il va dire : « Recommence.
C'est pas bon. » Mais Marcel se taisait. D'impatience, Christo essaya de tourner en rond dans
le cagibi, ce qui n'était pas possible.

« Tout d'abord, commença le Grand-Muet, il
faut que je m'y reconnaisse dans tout ce monde.
Tu m'écriras sur chacun, qui c'est... Ensuite, tu
m'indiqueras les mouvements que tu souhaites. »

Christo sentit dans tout le corps une telle faiblesse qu'il put à peine remuer les lèvres : c'était
donc que Marcel acceptait son projet ! D'une
main malhabile d'excitation, il se mit à anno-
ter son œuvre : tout d'abord, il écrivit, au milieu, *Nathalie*. Assise au centre, les bras largement ouverts... à sa droite, agenouillé devant
elle, de profil, *Luigi* le crâne ouvert comme une
boîte avec, à l'intérieur, de petits rouages; à la
gauche de Nathalie, les enfants : *Christo* entou-
rant d'un bras *P'tit,* tous deux prêts à s'envoler
dans les airs, avec de petites ailes, des ailerons...
Au-dessus de Luigi, ce personnage horizontal,
c'est *Phi-Phi,* une main tendue vers Nathalie,
l'autre agrippée au dossier de son fauteuil. Il a
des ailes qui pendent comme des chiffons.

« On le reconnaît bien, Phi-Phi, dit Marcel,
c'est lui tout craché... avec ses dents de canni-
bale. Il n'en a que cinq, à ton avis ? Mais tu te
souviens encore de Phi-Phi ?

— Je me souviens de Phi-Phi à cause de ce

qu'il était pilote, et puis à cause des dents. Tu
veux que je lui en fasse trente-six ? De toute
façon, grandes comme elles sont... y a pas la
place.

— Et alors, toi et P'tit, vous êtes bien petits...

— On est des enfants. Et puis ça ne rentrait pas.

— T'as fait P'tit plus grand que toi, c'est pas
normal.

— Est-ce qu'on peut se faire grand soi-même ?

— Puisque tu es l'aîné, tu peux... Mais il y en
a, du monde. C'est plein. Avant d'aller plus
loin, indique déjà les mouvements de ceux-là.

— Nathalie, elle tourne la tête de droite et
de gauche. Je lui ai fait des couronnes de fleurs
sur la tête, puisque c'est son anniversaire. Elle
ouvre et ferme les bras, en rond...

— Ça, c'est pas possible. Ils sortiraient du
cadre. Laisse ses bras tranquilles.

— Bon, dit Christo, et l'expression de douleur sur son visage n'avait rien d'enfantin.

— On réfléchira. Si on les fait monter et descendre, elle aura l'air de faire de la gymnastique.
On réfléchira. Ça te va ?

— Bon, répéta Christo. Alors je lui ferai de
très grands bras. Luigi baisse la tête pour baiser le pied nu de Nathalie, il la baisse et il la
relève, il la baisse et la relève. Les rouages dans
sa tête, il faut que ça marche tout le temps :

Luigi, il pense tout le temps. Je n'ai pas pu lui mettre dans la tête les prothèses auxquelles il pense, c'est trop petit. Je les ai mises séparément, en grand. Elles plient au genou et à la cheville. Tu as jamais vu les pieds nus de Nathalie ? Ils sont petits, petits, et tout lisses, on dirait des petits pains au lait, on en mangerait.

— Je n'ai pas vu les pieds de Nathalie. Je regarde pas les gens aux pieds. C'est l'affaire de l'artiste. Ensuite...

— Ensuite... Nous, les gosses, on bat des ailes, c'est des petites ailes, elles vont encore pousser... Si tu pouvais me faire donner du talon pour que je m'envole avec P'tit ? On irait jusqu'ici et on retomberait...

— A ce compte-là, on ne sera pas prêts pour l'anniversaire dans trois ans... On réfléchira.

— Tu peux laisser Phi-Phi où il est. Il n'a même pas besoin de remuer les ailes, c'est des chiffons. Il ne bouge pas.

— Continue.

— Tu ne pourrais pas le faire bâiller ? Tu veux bien qu'il bâille ? Bon, je n'ai rien dit. Alors ici, encore au-dessus de Luigi et de Phi-Phi, c'est l'Afat Béatrice, motorisée, sur un char antique. Le char, il faut que les roues tournent. Ici, c'est simplement des fusées qui volent : lune et retour, lune et retour... C'est décoratif. De ce côté, au-dessus de nous deux, P'tit et moi,

et au-dessous des fusées et de la lune, dans ce
coin, Marcel, ces gens-là, ils ne font rien, leurs
fronts se touchent, et ils ont une tortue qui se
promène dans leurs jambes, elle se heurte aux
pieds et repart... Et là, c'est une petite machine
à calculer...

— Tiens ! Je n'aurais pas deviné... Elle n'y
était pas la dernière fois.

— J'ai ajouté... Tu veux bien, hein ? Marcel,
dis !

— On réfléchira.

— Il y sortirait des chiffres... Ça serait si
joli ! »

Il y eut un silence pénible : Marcel ne voulait
pas se prononcer.

« Là, continua Christo d'une petite voix, sous
le bras gauche de Nathalie, c'est Mignonne, elle
berce un bébé... vers Nathalie, si ça se peut.

— Tu l'as réussie... Elle est bien jolie, je la
reconnais. Pour les cils, tu charries.

— Mignonne, on la reconnaît aux cils; les
gens, ils ne veulent pas croire que c'est des cils
à elle... Ici, je t'écris *Olivier* : j'ai pas la place
dedans, il est trop mince. J'écris Olivier sur le
canot de sauvetage, aux pieds de Nathalie, sur
les vagues bleues. Il sort un bras pour s'accrocher
à sa robe.

— Un canot de sauvetage ?

— Oui... Tu sais bien, il a failli se noyer

l'été dernier. Cet imbécile d'Olivier, il nage
mieux que tout le monde, c'est même comme ça
qu'il a failli se noyer. Il en fait toujours plus
qu'il ne peut. La fille, là, à côté de lui, tu peux
pas la reconnaître, elle n'a pas de visage...

— Et ces deux-là, près de Mignonne ?

— C'est des copains à Olivier, ils se tabassent... Si tu veux bien...

— A cause de Mignonne ?

— Est-ce que je sais ? Ils sont toujours en
train de se tabasser... Là, ces têtes frisées, c'est
des Algériens. Rien que des têtes, toutes frisées...
Je les ai bien faites, les frisures, hein, Marcel ?
Chaque cheveu qu'on leur voit ! Dis que c'est
bien fait, Marcel !

— Tu m'as encore ajouté des Algériens... Bon,
bon, c'est bien fait, puisque ça n'a pas besoin
d'explications. Et à leurs pieds, c'est quoi, du
plastic ?

— Des bombes, bien rondes, avec des flammes... Dans les flammes, j'ai écrit S.O.S... C'est
mieux qu'O.A.S., tu ne trouves pas ?

— Je trouve. Ça dit bien la chose, S.O.S...
J'approuve. Et comment on va le reconnaître,
tout ce monde, s'il n'y a rien d'écrit dessus ?

— Nathalie, on la reconnaîtra, forcément.
Elle n'a même pas besoin de visage. Elle a sa
grande robe, son grand cou, son grand châle.
Luigi, on ne voit pas qu'il est chauve, c'est vrai,

à la place de la calvitie, il y a les rouages..., mais qui lui baiserait les pieds, à Nathalie, sinon Luigi ?

— A mon sens, n'importe qui.

— Ben alors, je ne sais pas... Il a sa blouse grise...

— Tu réfléchiras... peut-être que tu réussiras son profil ?

— M-m-m... fit Christo. La tête de l'Afat Béatrice, je la découpe dans le *Ciné-Journal,* je prends une jolie tête, c'est tout... Tu sais, ça se fait, j'ai vu à la fête, il y a un décor avec des trous, et tu passes la tête dedans. »

Marcel acquiesça : il trouvait l'idée bonne.

Il y avait Michette, en bas du tableau : sortant à mi-corps des vagues bleues, elle offrait à Nathalie une brioche sur un plat.

« Ta brioche ressemble à une couronne.

— Tiens, c'est vrai. J'ai pas fait exprès. Une grosse brioche ressemble à une couronne. Maman et papa, je les ai mis chacun dans un coin du tableau, en bas, à droite et à gauche, des grands profils tournés vers Nathalie, la tête en l'air. Ils ne bougent pas.

— C'est facile, approuva Marcel.

— Voilà... Et là, en haut, à droite, un grand soleil, avec un cadran au milieu pour indiquer comment passe le temps des gens. C'est tout. »

Tous les deux, ils regardaient le tableau, en

silence, plongés dans leurs réflexions, les yeux
rivés au papier. Christo sentit la main de Marcel se poser sur sa tête...

« C'est très bien, dit Marcel. Il n'est pas
symbolique, il n'est pas allégorique, il ne vous
fait pas la leçon... T'es pas très adroit, c'est
vrai, t'as fait ce que tu as pu. Il y a des artistes,
ils ont l'adresse exercée, et les yeux et le cœur
aveugles. Toi, tu as le cœur neuf et les yeux
perçants; à regarder ton tableau, il vous anime
l'imagination. Quand tu apprendras à te servir
de ta main... Rappelle-toi qu'il n'y a pas mieux
comme outil que la main, quand on pense bien,
et qu'elle est bien dirigée de là-haut — Marcel
se toucha le front — c'est ça qui met en mouvement la mécanique... Il y a des machines qui
remplacent les mains, et des qui remplacent
l'intelligence... Pour remplacer l'âme, il n'y en
a pas encore. On a encore rien trouvé de mieux
que la main pour faire les choses. On y reviendra, à la main, c'est sûr. L'âme, elle vous descend tout droit dans la main, c'est fait pour. »

Christo sentait la main de Marcel sur sa
tête, et le bonheur qu'il vivait à cette minute,
il ne devait pas en éprouver souvent de pareil
dans la vie qu'il allait vivre : pour lui, pour son
travail, Marcel-le-Grand-Muet, faisait un discours.

« Tu vas voir, dit encore Marcel, roulant soi-

gneusement la feuille de papier avec le projet
de Christo, le clown et la *Poudreuse* t'agacent,
ils bougent pour rien, comme si c'était une telle
affaire que de bouger, et il y a quelqu'un derrière eux qui se vante de son astuce... Tes gens,
ils bougent pour le cœur, pour l'idée. Ils recom-
mencent pour mieux vous pénétrer. C'est beau.
Je te ferai une musique. »

Et Marcel posa un baiser sur le sommet de la
tête de Christo, là où commence la spirale des
cheveux. C'était, entre eux, à la vie et à la
mort.

# XXXI

*Galatée
et les insomnies*

FILAIENT les jeudis et les dimanches, sans que
Marcel fît signe à Christo. Et Christo venait à
nouveau souvent voir Nathalie. Elle seule était
encore capable de le désennuyer et de lui donner
des rêves assez puissants pour le distraire de l'attente. Au lycée, il travaillait si mal que même le
professeur de mathématiques qui le considérait
comme un enfant prodige commençait à croire
qu'il n'en était rien : ce qu'il avait pris pour du
génie ne devait être qu'une précoce mais brève
illumination. Si chaque *Wunderkind* tenait ce
qu'il avait promis de devenir... Christo ne sortait
de son indifférence ennuyée que chez Nathalie.

Elle était là, au-dessus de sa planche à dessin,
ils se taisaient, disaient une chose ou l'autre...
« Aurais-tu aimé être Pygmalion ? » Christo ne
répondit pas, aussitôt parti dans un monde où le
pouvoir lui était donné d'animer toute statue,

tout tableau de son choix. Il animait la Vénus de
Milo, les statues des Tuileries, et elles marchaient, souriaient... Tantôt il les imaginait en
couleurs, tantôt blanches... après tout, c'est blanches qu'il les préférait, c'était plus beau, plus
étrange et, en même temps, plus décent que
de les lâcher nues, en couleurs, dans les rues de
Paris. Pour une raison ou une autre, Christo
n'animait que les statues représentant des femmes, peut-être à cause de Galatée ? Même chose
pour les tableaux, rien que des femmes... La
Joconde, les femmes de Rubens, des Saintes Vier-
ges qu'il envoyait dans la rue, avec leurs habil-
lements étranges. Elles se faisaient remarquer,
et pourtant, c'était moins grave que la blancheur des statues. Il fit part de ses réflexions à
Nathalie.

« Tu n'y es pas, dit Nathalie, tu n'aurais ce
pouvoir que si tu étais le créateur de ces images.
Galatée est née de Pygmalion, sans quoi elle n'aurait pas pris vie pour lui. »

Aussitôt Christo se désespéra : dans son tableau
à lui, il n'y avait que des personnages de toute
façon vivants. Il n'y avait pas à animer une
Nathalie déjà vivante... Nathalie suivait sa pensée
à elle :

« C'est pas une histoire scientifique. Je vis
parmi des scientifiques, rien que des scientifiques,
j'en ai assez de la science. Ça, c'est une histoire

spirituelle. Pygmalion s'était voué à l'art, c'était
sa seule passion. Il ne voulait ni la partager, ni
s'en distraire. Il ne voulait pas, en plus de l'art,
aimer les femmes ou, ce qui aurait été plus grave
encore, une femme. Il vivait comme un moine.
C'était un fanatique. Alors Aphrodite décida de
punir cet homme qui refusait l'amour, qui ne
voulait aimer aucune femme vivante aux dépens
de l'art : si c'est ainsi, qu'il aime donc une œuvre
d'art, une statue par lui créée comme on aime
une femme vivante ! Tu comprends la cruauté
d'Aphrodite ? Et Pygmalion aima cette statue
qu'il appelait Galatée. Il l'aimait, et il ne pouvait ni parler avec elle ni se promener avec elle...

— ... ni lui faire des enfants... continua
Christo intéressé.

— ... ni lui faire des enfants, répéta après lui
Nathalie, bref, c'était un amour malheureux,
puisque Galatée n'y répondait pas, qu'elle restait
d'ivoire. Pygmalion, désespéré, en perdait la raison. La vengeance d'Aphrodite était terrible,
mais comme c'était la déesse de l'amour, elle eut
pitié de Pygmalion, et elle anima Galatée. Si
bien que Pygmalion a pu se marier avec sa
statue, et ils eurent un fils auquel ils donnèrent
le nom de Paphus. Quand il devint grand, il
créa la ville de Paphos, et la dédia aux amours,
par reconnaissance à Aphrodite... On est loin
des automates, de la cybernétique : le seul méca-

nisme de Galatée, c'est l'amour, c'est l'amour qui
a vaincu l'indifférence de la matière. »

Christo exigea de P'tit qu'il l'appelât Paphus
et parut sortir de son indifférence. Mais, la nuit,
il restait les yeux ouverts, tourmenté par la question que lui posait Galatée. Il essayait de penser
avec la logique d'un mathématicien : Nathalie
existait dans et en dehors du tableau, elle avait
une vie double. Si la Nathalie vivante cessait
d'exister, elle vivrait dans le tableau. Bien. Mais
puisqu'il ne s'agissait pas de l'image, mais de la
vie vivante, de la Nathalie du tableau animé par
Aphrodite, autrement dit par la force de l'amour
de Pygmalion... Nathalie était vivante, vivante.
Marcel avait dit que le tableau de Christo avait
une âme. L'âme, c'est ce qui distingue l'homme
de l'automate. Pas la chair vivante, chaude, mais
l'âme. Galatée animée avait-elle une âme, ou
seulement une chair chaude ? Donner une âme,
ça doit être encore plus difficile que de construire
un automate à système cybernétique... Comment
donner une chose quand on ne sait pas ce que
c'est ? Mais si ! Christo fit un bond dans le lit.
Mais si ! il savait ce que c'était que l'âme. C'est
les rapports... c'est ce qui est Nathalie... c'est
comment on est par rapport aux autres, à ce qui
se passe, à ce qui est. L'âme, c'est les rapports
entre l'homme et l'univers. C'est ce qui réagit
avant le cerveau... Certaines cellules du cerveau

commandent un mouvement du bras, elles peuvent aussi agir *directement*, sans passer par le
bras. Qu'est-ce qui agit sur le cerveau ? C'est
l'information reçue... Alors ? Où se place l'âme
là-dedans ? Merde ! Christo s'assit dans le lit...
L'information reçue, elle peut plaire ou déplaire.
Le cerveau comprend, l'âme... Qu'est-ce qu'elle
fait, l'âme ? La pitié, par exemple, c'est un sentiment de l'âme. L'âme, c'est le point de départ
des sentiments... Peut-on expliquer les sentiments
physiologiquement ? Alors, il n'y a pas de raison
pour qu'on ne reproduise pas les cellules qui
les déclenchent. Marcel a dit... Qu'est-ce qu'il a
dit, Marcel ?

Christo ne dormait pas, à la recherche de l'âme.
Le matin, il avait les yeux cernés à mi-joue et
somnolait à son pupitre au lycée. Ses camarades
ne s'occupaient pas beaucoup de lui et l'appe-
laient sans méchanceté « le poète », bien qu'on
ne l'eût jamais surpris à écrire des vers. Ce
n'était pas un trop bon élève, sauf pour les
mathématiques, ni un enfant miracle ni un enfant monstre, rien d'exemplaire, ni d'enviable.
Il avait des amis, mais plutôt des amis de jeux,
d'études, que de cœur. Pour le cœur, il avait
Nathalie, Luigi, Marcel, il était comblé et, de
ce fait, ses rapports avec les autres enfants
n'avaient rien de passionnel. Courir et faire des
mouvements de gymnastique, expliquer briève-

ment un problème, si brièvement que personne,
sauf le professeur, n'y comprenait rien, les devoirs, les examens, tout cela constituait des
liens entre lui et ses camarades, mais ne prenait
pas la gravité de l'amitié. Pour ceux de son
âge, il était comme tout le monde, plutôt effacé,
passe-partout : pour les grandes personnes, un
sujet d'inquiétude. Mme Loisel tremblait pour
Christo encore plus que pour ses autres enfants,
et Dieu sait pourtant qu'ils lui donnaient des
soucis...

Olivier n'écrivait pas. On n'avait de ses nouvelles que par ce peintre et sa femme qui l'hé-
bergeaient. Surtout par sa femme, et ses lettres
devenaient même de plus en plus longues.
Mme Loisel s'inquiétait : Luigi n'avait-il pas dit
qu'Olivier avait semblé la trouver à son goût,
et qu'elle, de son côté... Et voilà que cette
femme lui écrivait des pages sur l'état physique
et moral d'Olivier ! Ça tournerait mal, oui, d'ici
que cela tourne mal... Le peintre les surpren-
drait, car il y aurait bientôt, ou déjà, à surprendre... Ou elle repousserait Olivier et il irait
se jeter dans le lac. Ou c'est elle qui, à cause
de la différence d'âge, de l'amour impossible,
se jetterait dans le lac... Le lac, ce lac !... Denise
avait des cauchemars et réveillait son mari.

Il ne partageait pas du tout ses craintes, Denise les connaissait peu, ce peintre et sa femme,

c'étaient ses amis à lui, des amis de vacances
d'autrefois, dans la neige. Le peintre, un brave
type campagnard, et sa femme une skieuse, une
vraie championne, qu'est-ce que tu vas chercher,
Denise ! Elle n'a pas d'enfants, elle est toute
maternelle, bien contente qu'Olivier retrouve
là-bas son équilibre, qu'il coure après cette Vé-
ronique, elle en parle dans chaque lettre...

« C'est la jalousie !

— Ma pauvre... »

René prenait sa femme dans ses bras tendres
et protecteur. Il n'allait pas lui confier combien il était dévoré par les soucis. Les lettres
de menaces... Les enfants menacés... La menace
sur le pays... Les discussions... Les ennuis au
travail. Dans sa cellule. C'était un homme bien
équilibré, René Loisel, mais il lui arrivait de
craindre pour son échine.

« Dors, ma petite fille, disait-il, ne te fais
pas d'idées à l'avance... On a assez d'emmerde-
ments comme ça. »

Bref, chez les Loisel, il n'y avait que P'tit qui
dormait à poings fermés, les autres Loisel, la
mémé et Mignonne incluses, étaient sujets à
l'insomnie. Et le jour où Marcel demanda
Christo au téléphone et qu'il lui dit : « Viens... »
il n'était que temps, Christo n'en pouvait plus.
Plus rapide qu'une fusée, il arriva dans le cagibi de Marcel.

## XXXII

*Le temps s'emballe*

« Je te propose la chose suivante... » Marcel
déroulait le dessin de Christo et le fixait avec
des punaises sur le pupitre. « Tu fais donc ton
tableau sur la tôle, comme prévu. Commençons
par Nathalie : elle restera immobile, mais s'illu-
minera. A cette fin, je découpe dans la tôle
tout ce qu'elle a de peau : le visage, le cou,
les bras, les pieds... tais-toi, attends... Je mets,
sous les découpes, du parchemin et tu y peins
le visage et le reste... J'allume. Le parchemin
transparent s'éclaire, et, pendant tout le temps
que le reste bouge, Nathalie est illuminée.

— Tu ne pourrais pas lui illuminer la couronne de fleurs sur la tête ? Je t'en prie, Marcel !

— Pourquoi, tu « m'en pries » ? Si ça se
peut je le fais, si ça ne se peut pas, tu auras

beau « m'en prier »... Je continue : tout ce
que nous déciderons de faire bouger d'un point
à l'autre du tableau, ou de tourner sur son axe,
ou de faire se balancer sur place, devra, évidemment, être découpé dans la tôle, séparément.
Je m'explique : les fusées, par exemple, tu me
les dessines sur un morceau de tôle, je te les
découpe et je te les pique sur le tableau comme
des papillons. L'épingle, appelons cela l'épingle,
traverse la tôle du tableau et s'adapte au mécanisme en dessous, qui est compris de façon
à faire parcourir aux fusées un certain trajet;
je ménage donc dans le tableau une fente représentant le trajet de chaque fusée qu'elle
accomplira fichée sur son épingle. Voici, en
pointillé, la courbe du trajet jusqu'à la lune. »

Christo, debout à côté de Marcel, écrasait
avec force son pied gauche avec son pied droit :

« Et moi, je vais monter et descendre ?

— C'est faisable... J'ai pensé ne faire remuer
que vos ailes seules, mais si ça ne te gêne pas
en t'élevant de cacher P'tit derrière toi...

— C'est mieux, je le protège.

— Passons donc aux choses plus faciles, à
ce qui bouge sur place : vos ailes, par exemple.
Ou le canot d'Olivier, qui se balancera sur les
vagues. A Luigi, je lui découpe la tête, je la
pique sur le corps au cou, et le mécanisme
l'inclinera vers les pied de Nathalie et la re-

dressera. Les copains d'Olivier qui se tabassent,
je vais les articuler à l'épaule... Les têtes des
Algériens, on va les faire bouger d'un seul
tenant. »

Tout ce jeudi, ils restèrent dans le cagibi et,
quand ils en sortirent, les ateliers étaient noirs
et muets. Marcel avait sa clef. Christo, couleur
de pistache salée, bougeait au ralenti, comme
un automate au bout de son ressort, mais la vie
pour lui avait pris des couleurs fantastiques.
Dans la rue familière, les voitures étaient énor-
mes et assourdissantes, les lumières éclataient
comme des salves d'artillerie, la tête du cheval doré au-dessus de la boucherie chevaline
hennissait dans le ciel, se multipliait, quadrige
emmenant derrière lui tout ce carrelage blanc,
le marbre et les garçons bouchers aux tabliers
ensanglantés... dans la rue, Marcel, le rouleau
sous le bras en cuir de sa veste noire, expliquait à Christo que maintenant il n'y avait
pas à se presser, il fallait que lui, Marcel, réflé-
chisse et, pendant ce temps, Christo pouvait
faire autre chose. Avant l'anniversaire suivant
de Nathalie, il y avait six mois, largement assez pour terminer... Il faut dire que Luigi avait
eu une conversation avec Marcel : le petit en
faisait trop, il fallait mettre une sourdine à ses
passions, lui faire prendre l'air, le laisser jouer,
courir...

On administra à Christo des vitamines, ce qui était tout de même moins affreux que l'huile de foie de morue, on lui acheta des patins à roulettes, mais là encore, il en fit trop, et on le remit à la vaisselle, considérée comme une bonne chose pour les nerfs, un sédatif... Une conversation d'homme à homme avec son père fit reprendre à Christo ses devoirs, en échange de quoi M. Loisel s'engageait à trouver du temps pour faire avec lui une partie d'échecs au moins deux fois par semaine. Si bien que sa mère, très préoccupée par Olivier et Mignonne, eut un moment de répit quant à Christo : somme toute, c'était un bon petit garçon qui s'intéressait aux fusées, aux cosmonautes, au tir dans les foires et aux carrousels et, bien entendu, aux automates sous toutes leurs formes, ce qui s'expliquait aisément, vu les ateliers Petracci... Plus particulière et un peu inquiétante était sa passion des mathématiques pures et de la cybernétique, mais sa mère essayait de passer outre, et se donna un temps de répit. Elle avait bien trois ou quatre ans devant elle avant d'affronter pour Christo ce passage de l'enfance à l'adolescence, qui s'était si mal fait chez Olivier, et n'avait pas marché tout seul pour Mignonne non plus. La difficulté avec Mignonne, ç'avait été son peu de conscience de sa transformation en jeune fille.

Une candeur dangereuse... Denise se voyait encore frottant le dos nu de sa fille debout dans
la baignoire, elle pouvait avoir quatorze ans,
des seins ravissants, des hanches, et qui jacassait, qui jacassait... « ... alors nous, les enfants,
on s'est mis à courir, à courir... frotte-moi le
ventre, maman... » Nous, les enfants ! C'était
touchant, drôle et inquiétant. Denise ne savait
pas à quel moment Mignonne avait cessé de se
prendre pour une enfant, mais ça n'avait pas
dû tarder. Il y avait longtemps que Mignonne
attendait des coups de téléphone et le courrier,
était jalouse de son indépendance et ne sup-
portait pas sa grand-mère qui essayait de temps
en temps de lui interdire ceci ou cela, ou de
mettre le nez dans ses affaires. Après tout, si
l'on ne comptait pas P'tit qui donnait des soucis à son entourage essentiellement à cause des
plaies et des bosses qu'il rapportait, à se demander comment il était encore vivant et pas
estropié, oui, le plus facile c'était Christo, bien
que son indépendance ne fût pas de son âge.
Pendant les vacances, il s'était adonné à la nage,
on n'arrivait plus à le sortir de l'eau. Il ne
l'avait dit à personne, mais à aller de plus en plus
loin, à battre ses propres records, une fois, au
retour, il s'en était fallu de peu... Si sa mère
l'avait su ! Il y avait eu des drames parce qu'il
refusait catégoriquement d'emmener à la pêche,

en mer, P'tit et Mignonne : il y allait avec les
pêcheurs et ne pouvait les embarrasser de toute
sa famille.

Retour des vacances, on disait : « Comme tu
as grandi, Christo ! » et on ajoutait : « Il n'en-
graissera jamais, c'est sa nature... »

C'était toujours le petit gentil et serviable,
de plus en plus adroit de ses mains, exact et
attentif, mais il y avait maintenant chez lui
quelque chose qui empêchait qu'on n'en abuse.
La mémé elle-même ne lui posait pas de questions quand il disait : « Je sors, je rentrerai
dans une heure... », comme un homme qui va
à ses occupations, à ses affaires. Et même, il lui
arrivait de dire : « Je dîne dehors... » « A douze
ans ! se lamentait la mémé, et je n'ose pas lui
demander où il va ! — Tu sais bien que c'est
chez Nathalie ! » lui répondait-on, mais en
était-on si sûr ? Quant à Christo, il disait : « Je
dîne dehors... » pour ne pas avoir la famille
sur le dos, ne pas être pressé par l'heure du
dîner, rester chez Nathalie ou manger un morceau avec Marcel, ou ne pas manger du tout.
L'heure du dîner lui coupait son temps, lui en
faisait perdre, d'autant plus qu'avant de rassem-
bler tout le monde à table... L'exactitude n'était
pas caractéristique pour les Loisel.

Mais qui avait grandi, c'était Olivier. Ces cinq
mois en Suisse l'avaient transformé. Nathalie,

à le regarder, ne cessait de sourire. Le fragile
Olivier était devenu presque un athlète, maître
aussi bien de ses muscles que de sa conduite
en général. Ses parents devaient être contents.
Olivier avait apporté à Nathalie des fleurs, avait
su lui verser son café, le sucrer, se servir lui-
même... Du soleil dans la neige, ce garçon, naturel et clair. Pourtant, il avait encore une fois
besoin de l'aide de Nathalie : il comptait débarrasser les siens de sa présence et cherchait un
logis. Non pas qu'il ne s'entendît pas avec eux,
Dieu garde, mais ils étaient tellement à l'étroit...
Et, pour lui, cela devenait urgent de pouvoir
être seul, voir des amis autrement que sous les
yeux de la mémé, avec P'tit et les caniches dans
les jambes. Il s'agissait de convaincre les parents
de cette nécessité, de trouver la piaule et l'argent pour la louer. Aussi bien, une chambre de
bonne, ou chez des gens... avec entrée indépen-
dante bien entendu... peut-être pourrait-il, en
échange, donner des leçons à un môme... « Des
rêves, quoi... », songeait Nathalie. Mais il était
évident qu'il fallait trouver une solution, et
qu'il fallait à Olivier vivre sans être constamment épié par les yeux de la famille. Nathalie
faisait marcher son petit peigne dans ses cheveux, mais ne trouvait rien.

« Où allez-vous prendre l'argent pour vivre ?
Il n'y a pas que la chambre. »

Elle s'aperçut de ce qu'elle le vouvoyait...

« Vous n'allez pas me dire vous, Nathalie ! »

Olivier avait posé sa tasse pour lui baiser la main. « Vous savez, je ne suis pas fâché avec mes parents. Du tout. Ils comprennent très bien. Ça leur fait triste, je me mets à leur place. Comme s'ils devenaient d'un coup plus vieux. Voilà leur petit, un grand garçon. » Olivier sourit des yeux seuls, gentiment, en complicité avec Nathalie. « Papa va me donner un petit quelque chose, ce qu'il pourra... Je n'ai pas de grands besoins. Pour commencer je vais traduire un ouvrage philosophique, je ne suis doué que pour les langues... De toute façon, il faut que j'habite seul... et que cela ne traîne pas.

« Une femme, plutôt que des femmes, songeait Nathalie... Un amant comblé et frissonnant d'impatience entre deux rendez-vous. Les lettres de menace ?... Il n'y pense même plus, il ne fuit pas un danger, il veut pouvoir *la* rencontrer sans que, à chaque fois, cela pose un problème. »

Sonnette... la porte qui vole... Michette qui court... une voix sonore... Lebrun !

« Le bon vieux temps ! » dit Olivier avec un sourire.

Lebrun poussait des exclamations : alors le voilà de retour ? Qu'avait-il à dire sur la Suisse ? Les Suisses ? Les neiges, skis, skieuses ?

« Une nursery fort agréable... »

Ah ! oui ? On y a bien soigné l'enfant qu'il était, tonnait Lebrun. A quand le service militaire ? Sursis, cher Monsieur la mort en sursis ! Maintenant que la guerre en Algérie est terminée, c'est moins emmerdant, mais... Oui, comme étudiant... Philosophie, oui, les lettres aussi... La famille n'est pas du tout homogène. Mignonne fermement décidée à faire sa médecine. Christo, ça ne pose pas de problèmes, les sciences, évidemment. P'tit est un hurluberlu, impossible de prévoir, pour le moment il n'a pas plus de vocation qu'un caniche... C'est tout de même pas mal que cette saleté de guerre soit terminée. Le contingent là-bas n'est pas absolument à l'abri, ça tiraille encore ici et là, ils sont consignés, mais alors, on peut aussi attraper une mauvaise grippe, n'est-ce pas ? Ce sont les mamans qui souffrent, les fils parfois ne sont pas mécontents du tout... Eh bien, mon vieux, pour te porter bien, tu te portes bien ! Une chambre ? Un logis, quoi... où tu pourrais recevoir tes femmes ?... Ecoute, j'attends Béatrice, tu te rappelles bien, l'Afat Béatrice que Nathalie a, en son temps, foutue à la porte ! Maintenant, c'est sa meilleure amie... Je vous taquine, Nathalie, je sais bien, nous savons tous très bien... Je vous ferai remarquer, chère amie, que Michette n'a pas apporté de café frais

en mon honneur, et que je le prends fort mal,
étant donné que j'ai passé la nuit auprès d'un
malade qui a failli clamser. Béatrice t'arrangera
ça, Olivier... C'est drôle ! on a envie de te dire
monsieur !...

Béatrice arriva avec un pâté en croûte, c'est
pourquoi Olivier, Lebrun et Béatrice restèrent
dîner... Le docteur Vacquier et Vassili n'apparurent qu'à neuf heures passées, ils avaient déjà
mangé. Nathalie entreprit Béatrice au sujet
d'Olivier, dès le pâté, pour que celle-ci se ren-
dît compte à quel point la chose était sérieuse
et urgente. « Vous, dit-elle, dont le nom commence par Bé A... — Tiens ! crièrent les autres,
en effet ! — ... vous vous devez de trouver un
endroit où Olivier puisse vivre confortablement
et gratuitement... Ah ! non, pas dans les envi-
rons, à Paris... et même pas trop loin de la Fa-
culté... Ne me dites pas que c'est impossible,
pour vous il n'y a rien d'impossible, vous avez
des amis partout, sur tous les continents... » Béatrice, le menton dans la main, réfléchissait... Il
y aurait bien... non, ça ne peut pas aller, mau-
vaises fréquentations... Vous savez, ma moralité
est inattaquable, je peux vivre dans la fange
et rester blanc comme neige, si d'autre part...
Olivier surveillait le verre de Béatrice, lui passait le pain, la moutarde, lui faisait une cour
éhontée... était-ce pour l'inciter à lui trouver

un abri, ou pour ses beaux yeux ? Béatrice avait
de beaux yeux, et ce soir elle s'était animée, se
féminisait à vue d'œil. Lebrun, qui savait garder de bons rapports avec ses anciennes amies,
était toujours admiratif et comme prêt à recommencer, et la présence d'Olivier le mettait
en verve. D'ailleurs, la présence d'Olivier animait tout le monde, il était ce qu'on ne sera
plus, un recommencement de cette vieille histoire qu'est la vie, il vivait ses jours heureux,
mangeait son pain blanc, il n'avait qu'à tendre
la main pour prendre tout ce qui lui plaisait,
si plaisant lui-même que chacun et chacune vou-
drait de lui, chercherait à lui faire plaisir... Il
est rare que ce charme se maintienne longtemps,
mais Olivier était en plein dans l'époque du
charme, en jouait, mi-conscient, mi-spontané,
et heureux. Béatrice chercherait certainement
parmi ses relations... un hôtel particulier, ça serait l'idéal... ça ne le dérangerait pas d'entrer
par l'escalier de service ?... Nathalie était béate :
ce petit si tourmenté, qui a eu tant de mal à
sortir des entraves de l'adolescence, le voilà net,
lisse, comme le nouveau-né qui perd ses rides
et blanchit sous nos yeux. On s'amusait autour
de cette table. Avec l'arrivée du docteur Vacquier et, tout de suite après, de Vassili, la température baissa un peu, mais se réchauffa rapidement, avec un petit verre à la rescousse...

Claude, le sculpteur, apparut vers les onze
heures, et n'eut pas de peine à se mettre au
diapason. Luigi éleva la voix : un moment !
un moment d'attention ! Sachez, chers amis, que
dans trois mois, jour pour jour, ça allait être
l'anniversaire de Nathalie... hip, hip, hourra,
hip, hip, hourra, hip, hip, hourra... Heureusement que nous sommes ici séparés du monde
comme une île avec l'océan autour, vous pouvez gueuler... Dans trois mois on allait fêter
cet événement au bistrot de la rue R..., au premier, toutes les personnes présentes étaient in-
vitées au dîner, et pouvaient déjà commencer
à réfléchir aux cadeaux... Il y aurait, en plus,
Christo, P'tit, Marcel-le-Grand-Muet, M. et
Mme Loisel et l'instituteur avec sa dame. Fin
de citation... Olivier, une serviette sur le bras,
faisait le tour de la table pour servir le fromage.
Trois mois... c'était bien long, trois mois, ne
pourrait-on pas fêter entre-temps quelque chose
d'autre ? Vous n'avez pas un brevet Draculus
à fêter, Luigi ? Et vous, Nathalie ! une nouvelle
bande ? Le début ou la fin, ça n'a pas d'importance !... Vassili se levait : « Fêtons la vie ! C'est
une fête valable tous les jours... » « Je crois que
j'ai trouvé, Olivier... Non, c'est très sérieux !
Vous pourriez habiter chez moi ! Comment n'y
ai-je pas songé plus tôt ! Une chambre avec une
sortie directement sur l'escalier, sur le même pa-

lier. J'habite au Palais-Royal... les vieilles maisons sont pleines de fantaisies. » Elle y mettait
ses valises, mais elle pouvait très bien les mettre
ailleurs... Et puis, elle était bien plus souvent à
Londres qu'à Paris... « Une chambre ? dit Vacquier qui n'avait jamais vu Olivier. C'est pour
le jeune homme ? le frère du petit Christo ?
Mais j'en ai une... Bien sûr ! Pour le frère de
Christo... » Olivier était soufflé : c'est Christo
qui lui sert de recommandation ? Mais oui, disait le docteur, mais oui... à la clinique, il y
avait une pièce qu'on pourrait très bien amé-
nager... Formidable ! Si Béatrice le fichait à la
porte, il irait à la clinique... Ça ne sentait pas
trop le désinfectant ? Bon... Et chez vous, Béatrice, puisque je suis près de la cuisine, je ne
risque pas le graillon ? Non, Nathalie, non... dans
votre cave, je me tranformerais en endive, je
perdrais mes belles couleurs... Vous allez au
Congrès de cancérologie, à Moscou, Lebrun ?...
Veinard ! Je mourrai sans avoir revu ma patrie... Non, non ! ce n'est pas encore l'heure de
larmoyer ! Prenez un verre et ça passera. Pour
mon anniversaire, je voudrais des écrevisses, une
montagne d'écrevisses... Et puis, et puis ?... Brr,
brr... parler de nourriture après tout ce qu'on a
mangé...

A minuit, on sonna à la porte de la boutique
et le rire s'éteignit — qu'y avait-il donc au

fond de chacun, qu'est-ce qui y fait le guet ?...
Chacun son inquiétude. Luigi et Lebrun étaient
allés ouvrir. Les autres attendaient... Des pas.
« Voilà !... » dit Luigi, et derrière lui apparut
Mignonne, suivie de Marcel et de Lebrun.

— Je viens chercher Olivier... Tu ne pouvais
pas dire où tu allais ? Maman se fait un sang
noir...

— Vous voyez bien, Nathalie !... Mes chers
amis, j'accepte vos offres conjuguées... Je pars
de la maison paternelle sans laisser d'adresse... »

Mignonne aurait peut-être protesté, si on ne
l'avait aussitôt assise entre Lebrun et Marcel-le-
Grand-Muet, un couvert devant elle, un verre
de vin... La famille Loisel était ce soir au centre
de l'attention et des prévenances. « Lebrun ! »
Nathalie fronçait les sourcils ! Elle ne tenait pas
à ce que Lebrun complique l'existence de Marcel. « Que voulez-vous que je vous passe, Nathalie ? — Vous aurez affaire à moi, cette fois...
— Trop tard, Nathalie, trop tard... »

## XXXIII

*La grotte*

Le docteur Vacquier avait invité Christo à visiter sa collection d'automates. Béatrice se proposa pour accompagner Christo. Il sortait seul,
c'est entendu, mais c'était loin, et par sale temps,
il valait mieux y aller en voiture. Il n'échappa
pas à Nathalie que Béatrice tenait à accompagner Christo... Pénétrer chez le docteur Vacquier présentait un intérêt « touristique » certain et, d'autre part, Béatrice se trouvait en
pleine crise d'engouement pour la famille Loisel, pour Olivier, oui, mais aussi pour ses autres
membres. Olivier habitait une chambre de
bonne découverte par les soins de Nathalie et
payée par Luigi. Nathalie ne tenait pas à ce
qu'il devînt un parasite chez qui que ce fût,
et il ne fallait pas que l'indépendance d'Olivier
se soldât par le couvert mis, femme de ménage,
petit déjeuner au lit... Olivier n'avait qu'à se

débrouiller tout seul. La chambre de bonne,
rue de Verneuil, était suffisamment modeste
pour que Luigi pût la payer, et les dames d'Olivier pourraient admirer la vue sur les toits.

C'était la première fois que Christo rencontrait le luxe. Le docteur Vacquier habitait un
hôtel particulier bâti vers 1850, près du parc
Monceau. Un domestique aux cheveux gris, souriant, affable, leur fit monter un escalier —
pierre et tapis rouge — s'arrondissant autour
d'un hall. Là-haut, ils traversèrent deux ou trois
pièces de réception, les plafonds étaient hauts,
les meubles poussés vers les murs, et le calme,
le silence, ceux d'un musée. Puis, dans une
pièce tout aussi grande, mais avec un divan
face à la cheminée où brûlaient des bûches, le
docteur se leva à leur rencontre, laissant par
terre ses journaux. Pas le docteur que Christo
connaissait bien, qu'il appelait Albert, mais un
monsieur très grand et très mince, en noir, d'un
noir plus profond à côté de la blancheur de
sa chemise. Ce n'était pas non plus la voix
du docteur, qui disait : « Bonjour, Christo ! »
Croa-croa, criss-criss... « Bonjour, mademoiselle... » Criss-criss, croa-croa... Jamais il ne grinçait comme ça chez Nathalie ! « Voulez-vous une
tasse de café ? Il ne sera pas aussi bon que celui
de Mme Petracci, mais il est buvable... » Même
le nom de Nathalie — de Mme Petracci —

prenait ici l'importance d'un message diffusé
par un haut-parleur. Christo portait son costume du dimanche et se sentait raide et engoncé
comme doit l'être un cosmonaute dans sa com-
binaison. « Non ? disait le docteur. Alors on
commence la visite tout de suite ? Allons-y... »

Le docteur Vacquier n'aimait pas montrer ses
trésors à des ignorants, et la présence de Béatrice l'incommodait. Il ne l'avait pas invitée,
craignait-on donc de lui confier Christo ? Pour
qui le prenait-on ? Il essaya de ne pas prêter
attention aux comme c'est curieux... c'est d'un
joli !... de Béatrice, et ne s'occupait que de
Christo : le petit, il s'y connaissait, en automates. Mais Christo semblait distrait et passait devant ses plus belles pièces en regardant
en l'air, par une fenêtre, sous ses pieds, le par-
quet ou le tapis... Les automates sur leur socle,
les consoles, les tables, tous ces écrivains, dessi-
nateurs, musiciens, il ne demandait même pas
que le docteur les remontât... Il passa devant
une vitrine de « têtes parlantes », très rares, sans
leur montrer de l'intérêt et ne s'arrêta un moment que lorsque le docteur dit : « Et voici
une série de faux automates... » et, encore, pour
regarder une gravure représentant le *Joueur
d'échecs*, suivi de figures qui expliquaient le
mouvement d'un personnage s'introduisant dans
le coffre et, ensuite, dans le corps du Turc :

il eut un petit rire comme devant une bonne plaisanterie et s'éloigna, jetant un regard distrait à un magnifique polichinelle suspendu au bord d'une boîte ouverte.

C'est lorsqu'ils pénétrèrent dans la chambre du docteur, avec un lit très grand, très bas, couvert d'une étoffe brochée et pleine de grands rideaux de tous les côtés, que Christo demanda :

« Tu habites tout seul ici... docteur ? »

Il avait hésité sur le mot « docteur », mais comment dire Albert à quelqu'un qui couche dans ce lit ?

« Oui. » Et puis, comme si cela l'avait étonné lui-même, le docteur répéta sur un mode interrogatif : « Oui ?... »

Il alla à la fenêtre et s'affaira avec les doubles rideaux :

« Je vous ai amenés dans ma chambre — excusez-moi, mademoiselle — pour vous montrer mon objet préféré, vous allez voir. Il faut pour cela que je tire les rideaux et que j'allume. Ne bougez pas, le commutateur est près du lit... »

Il fit nuit noire... et puis une niche, face au lit, s'éclaira violemment comme une scène de théâtre... Tout au fond de la niche, il y avait un petit palais en or, brillant de pierres précieuses, devant le palais un jardin à la française, des deux côtés du jardin des arceaux de roses... des oiseaux minuscules y perchaient... au pre-

mıer plan, un lac avec des cygnes et, du lac vers
le palais dans le fond, menait une allée cen-
trale bordée de statues de porcelaine... Devant
le palais, des petites figurines en habits de cour...
« Attention ! » dit le docteur : la scène dans la
niche s'anima... tout d'abord, le chant des oiseaux... puis les figurines se mirent en mouvement, elles entraient par les portes du palais
qui s'ouvraient devant elles, ressortaient par
d'autres portes... les cygnes glissaient sur le lac,
les minuscules oiseaux dans les roses levaient
la tête, ouvraient le bec...

Béatrice s'exclamait. Christo s'imaginait le
docteur tout seul dans la maison vide, couché
dans ce lit immense, tout seul, les yeux grands
ouverts dans le noir, fixant le rectangle illuminé. Le palais brillait, les portes battaient, les
personnages dans le fond passaient, affairés, les
cygnes glissaient sur le lac, la musique des oiseaux s'égosillait doucement...

« Continuons... dit le docteur, presque gêné
par le silence de Christo. Vous verrez maintenant d'autres scènes animées et puis, ça sera
tout. »

Il ouvrit la porte sur une sorte de large couloir sans fenêtres et qui ne menait nulle part.
Les deux murs étaient occupés par des niches
illuminées, comme dans la chambre, et toutes
elles se mirent à grouiller... Dans l'une, c'étaient

une vingtaine de personnages occupés à des métiers divers, forgeron, cordonnier, ramoneur... un facteur sonnait à une porte et alors deux fenêtres s'ouvraient dans la maisonnette et à l'une apparaissait une jeune fille et à l'autre une aïeule... Il y avait une scène de jugement dernier avec des diablotins, des fourches et des flammes... Une autre avec des acrobates au trapèze...

Le fond du couloir restait obscur. Le docteur fit marcher le commutateur et la lumière des projecteurs illumina un tableau dans un profond cadre doré... C'était un vaste paysage avec de grands arbres verts, et une large rivière... au fond, des moulins à vent... sous le pont de la rivière, des lavandières penchées au-dessus de l'eau... sur le pont, un chasseur et son chien... Et, soudain, tout cela se mit en mouvement, les moulins à vent à tourner, le chasseur à traverser le pont, le chien à courir, les lavandières à laver le linge, des oiseaux à siffler et, à la petite églises... Oui, il y avait une église... l'horloge sonna l'heure.

Frappé de stupeur, Christo oublia le reste du monde. Il regardait ce si beau paysage, ces arbres, et la rivière, la perspective, les personnages... un vrai, beau paysage comme au Louvre... Son tableau ! Son pauvre, minable tableau mécanique à lui ! A mourir de honte...

Nathalie n'aurait pas de tableau... Son tableau !
tout ce qu'il y avait voulu faire pour Nathalie...
Il éclata en sanglots.

« Trop d'impressions... chuchota Béatrice,
c'est un enfant tellement émotif... »

Le docteur ne la regarda même pas :

« Christo, pourquoi prends-tu ça si mal ?...
Est-ce que c'est parce que tu crois que ton tableau est moins beau ? Je ne peux rien te dire
je ne l'ai pas vu, puisque c'est un secret, mais,
enfin... Venez tous les deux, toi et Marcel, vous
le décrocherez et vous regarderez ensemble le
mécanisme...

— Le mécanisme ! — d'un mouvement,
Christo dégagea son épaule de la main du docteur — c'est des vieux trucs ! Tu penses bien que
le nôtre est électrique !... C'est mon tableau...

— Qu'est-ce qu'il a ton tableau ?...

— C'est pas un tableau... »

Béatrice essayait de se faire oublier. Le dos
tourné à Christo et au docteur, comme si tout
son intérêt allait au tableau mécanique, elle as-
sistait à ce drame sans rien y comprendre.

« Allons, dit le docteur, on va prendre une
tasse de thé... Passez devant, j'éteins... As-tu
pensé au cadre, Christo ? Je suppose que tu as
remarqué combien la présentation est impor-
tante... Par ici. » Il poussait Christo devant
lui. « Je vais te faire faire un cadre pour ton ta-

bleau, qu'est-ce que tu penses d'un cadre avec
des miroirs ? J'en ai vu un, dernièrement, très
beau... Si ça allait pour les dimensions et si cela
t'allait comme genre... »

Assis maintenant sur le divan, devant le feu,
Christo, les yeux rouges, avalait de petits sandwichs comme il n'en avait jamais mangé. Béatrice versait le thé. Le docteur l'acceptait comme
        verseuse en argent ou les dentelles de la
ppe.

« Et qu'est-ce que tu penses de ma « grotte »,
dans la chambre ? Elle est belle, hein ? Je
l'aime vraiment beaucoup, je ne me lasse pas
de la regarder. »

Christo s'abstint de donner son opinion. Il
avalait les bonnes choses et ne disait mot. Il ne
restait au docteur qu'à répondre aux questions
de Béatrice, ce qu'il fit finalement sans déplai-
sir : elle semblait vouloir sincèrement s'initier
à l'histoire des automates. Ensuite, le docteur
accompagna ses hôtes jusqu'au bas de l'escalier,
où le vieux domestique les attendait pour leur
ouvrir et fermer la porte derrière eux.

Il faisait déjà nuit et il pleuvait. Le monde
inconfortable de tous les passants, froid, hu-
mide. La voiture de Béatrice était assez loin.
Ils marchèrent dans cette indifférence glissante.
Béatrice s'installa au volant. « Je te ramène rue
R... ? » Elle peina pour sortir de la file le long

du trottoir... A partir de Saint-Augustin, Paris n'était qu'un seul, énorme embouteillage, un grouillement sur place. Les feux passaient au rouge, au vert, le magma trépignait. Machinalement, Christo décomposait les mouvements d'un petit flic luisant qui agitait ses bras... un automate. Béatrice essayait de changer de file, et c'était encore une fois la mauvaise, et celle qu'elle venait de quitter soudain avançait, semblait filer. D'ailleurs, on la rattrapait en trois tours de roues. Personne n'avançait. « Un mauvais rêve, dit Béatrice... Je pense à Lyon, en 1944, à la Libération, comme si les embouteillages avaient commencé là-bas... Tous les ponts avaient sauté, on passait sur des passerelles construites par les Américains, on ne passait pas ! on attendait des heures... Depuis, tout est toutours embouteillé... »

Ils mirent une heure, là où un petit quart d'heure aurait dû suffire. Rue R... Christo descendit devant la boutique de Luigi, déjà fermée, et claqua la portière : ce n'était pas la peine que Béatrice se dérangeât, on ne la laisserait pas entrer de ce côté, il lui faudrait faire le tour... d'ailleurs, de toute façon, il n'y avait pas de place pour se ranger... Au revoir, mademoiselle... Merci beaucoup, mademoiselle...

Béatrice démarra. Non, ce n'était pas la peine de faire le tour, là-bas non plus on ne répon-

drait pas à sa sonnette... Béatrice avait tout le
temps de ruminer dans sa boîte tressautante.
Elle avait fermé la glace pour se protéger de la
pluie et les vitres embuées la coupaient du
monde... Les balais grinçaient et n'y arrivaient
pas. Elle était seule. Elle avait des amis sur les
deux continents, et elle était seule. Dans le
cœur de personne, la première, l'unique. Un
concert de klaxons, énorme... Béatrice baissa la
glace, sortit la tête : on ne voyait rien, des voitures. Elle remonta la glace. Une grande famille,
en France et en Angleterre, des tantes, cousins
et neveux chez qui elle pouvait aller, si le cœur
lui en disait, passer un week-end, un été, un
hiver, on l'aimait bien, on acceptait ses excentricités, le fait qu'elle vivait seule, ses amants...
Comme si elle n'aurait pas préféré se marier,
se faire entretenir par un mari riche, avoir des
enfants... La voiture devant la sienne démarra,
on roula jusqu'au pont. Stop. Mais elle ne pouvait pas se marier avec n'importe qui : Vassili...
Il lui a fait perdre du temps... Qu'est-ce qui lui
avait pris d'aimer Vassili ? Mais avant lui, d'autres, aussi impossibles que lui. Elle aurait pu
se marier si elle avait voulu se contenter des
hommes de son milieu, bien en place. C'était ce
grain de folie en elle, héréditaire peut-être,
qui s'exprimait chez un de ses oncles par des
bizarreries vestimentaires, chez un autre par

ses maîtresses qu'il allait chercher de préférence
dans les bouges, tandis qu'une grand-mère in-
directe ramenait de ses voyages lointains dans
son château, en Ecosse, des jeunes gens d'une
jeunesse révoltante. On ne peut considérer
comme folie les excès mystiques d'une sienne
cousine... Béatrice se dit qu'elle avait de qui
tenir. Qu'est-ce qui se passe ? Mais, bien sûr, il
y avait des invités à l'Elysée ! Ils allaient ce soir
à l'Opéra ! Cela devait être barré, là-haut. On
avait beau avoir de la patience, il y avait de
quoi la perdre. Bon, on démarre... On traverse
le pont ! Et même on traverse les Tuileries d'un
seul bond... Stop. A deux pas de chez elle, du
Palais-Royal, combien de temps faudrait-il attendre ? « Vous êtes intolérable, lui dit un jour
Nathalie, je vous tolère et je vous aime bien
pour votre courage civique et militaire, et parce
que vous êtes capable d'un acte héroïque et incapable d'un acte déloyal. Tout cela d'un point
de vue moyenâgeux. » Nathalie l'aimait bien...
Elle n'était pas sa préférée. Elle la tolérait. Béatrice sentit un gros sanglot dans sa gorge au
moment où elle passait sous les guichets du
Louvre. Ce soir, elle resterait chez elle, il fallait qu'elle apprît à ne pas sortir tous les soirs,
qu'elle apprît à se contenter de sa propre présence, à calmer sa bougeotte, son avidité... Elle
traversa la place du Théâtre-Français.

## XXXIV

*Les six sens*

CHRISTO, lui, avait filé droit chez Nathalie. Elle
était là ! Comme si elle pouvait ne pas être là...
Christo se jeta dans ses bras avec violence, la
tête dans ses fichus, il sentait ce chaud parfum
de pain grillé, de vanille et de roses, et le désespoir qui le tenait serré se relâchait, devenait
peu à peu une grande douleur exquise. Nathalie
le serrait contre elle, ne demandait rien, pensait
seulement, qu'est-ce qui lui est arrivé ? Le
docteur ? Les automates ? Béatrice ?... « Je t'aime, Nathalie, je t'aime ! — On s'aime... » répon-
dait-elle, caressant ses épaules, son dos, posant
des baisers sur ses cheveux, ses joues pâles, ses
paupières bistre, transparentes. Il se calmait,
mais ne voulait pas lâcher la main de Nathalie,
restait assis par terre à ses genoux... « Comment
c'était ? » demanda-t-elle enfin. Christo détourna

la tête... Nathalie n'insista pas. Il répondit quand
même comme à contre-cœur, prenant un raccourci :

« C'est toute une maison qu'il a... Bourrée...
Et personne. Le docteur là-dedans, tout seul
comme un pois chiche dans une casserole, il
s'amuse avec ses automates. C'est bête comme
Mignonne quand elle jouait avec ses poupées.
C'est d'un bête ! »

Peut-être en aurait-il dit plus, mais un vacarme
grandissant annonçait une visite, et Olivier, un
transistor à la main, s'introduisit dans un twist
qui allait en s'aggravant. Christo se mit à taper
des mains, puis s'y lança aussi.

« Bonsoir, Nathalie ! Christo, tu as fait des
progrès. Je t'amènerai à l'Olympia voir Johnny
Halliday... Sensationnel ! Allez, hop, on reprend
ça... »

Ils s'arrêtèrent quand ils furent à bout de
forces.

« Luigi devrait construire un danseur de
twist ! Succès assuré !

— Marcel en vend déjà sur les Boulevards,
gros malin !

— Nathalie, vous n'auriez pas l'obligeance de
me nourrir ce soir ? Je reste ?

— Tu restes.

— Tu as été voir la collection du docteur
Vacquier, Ficelle, comment est-ce ? »

Christo se renfrogna :

« Demande-lui de te la montrer...

— Pour qu'il m'envoie promener ? Je lui dirais comme ça, Docteur, si vous me montrez vos
objets les plus rares, je vous apprends à twister,
ça sera ravissant, un corbillard twisteur... Et
*twist, twist again !* ça vous fera le plus grand
bien... Le twist chasse les humeurs, les tumeurs
et les idées noires ! »

Olivier se raidit, se mit sur la pointe des pieds,
ramassa les épaules, et ressembla soudain au
docteur Vacquier à un point que Lebrun, qui
ouvrait la porte, s'inclina cérémonieusement et
lui dit : « Bonjour, docteur... » Ensuite, Lebrun
entra dans la danse et, ma foi, son twist était
très honorable. « Dommage, dit-il, tout essoufflé que votre sœur ne veuille pas danser le
twist... »

— Lebrun ! » Nathalie lui faisait de gros
yeux.

« Je vous taquine, Nathalie, Mignonne twiste
d'une façon exquise, mais pas avec moi. D'ailleurs, moi, je préfère les danses à deux, j'aime
bien tenir ma partenaire serrée, ça m'ennuie
qu'elle se démène toute seule, à distance... Le
tango, voilà une danse pour beaux bruns. Venez,
Olivier... Ta-ta-ra-tiri, tiri-tiri, ta-ra-ri-ri... »

Lebrun et Olivier exécutèrent un tango. Nathalie approuva, c'était plus décent que le twist, et

plus approprié au volume de la pièce. Christo
n'avait encore jamais vu danser le tango, il
déclara que la musique, dans l'interprétation de
« Lebrun et Olivier », ne lui disait rien, mais
que le rythme lui plaisait. Bref, c'était pas mal...
quant à la danse, alors là !... vraiment, ce genre
sardines... pour danser on n'avait pas besoin
d'être deux. Luigi les trouva à nouveau en plein
twist, dit : « alors, ça vous reprend ? » et referma
précipitamment la porte.

Le téléphone sonnait. « Un peu de calme, je
n'entends rien ! » C'était le docteur Vacquier :
il voulait voir Nathalie, il avait à lui parler...
mais seulement si elle était seule. Elle le serait,
oui, il pouvait venir, après dîner. Nathalie raccrocha. Christo s'était déjà sauvé, il ne fallait
pas qu'il se mît en retard pour le dîner. Lebrun
et Olivier s'en allèrent à leur tour.

Le docteur avait à peine ouvert la porte que
la voix angoissée de Nathalie demandait : « Que
lui est-il arrivé, docteur ? »

Vacquier alla poser son pardessus, son parapluie soigneusement roulé et ses gants dans la
petite entrée, revint et s'assit en face de Nathalie :

« Il a vu chez moi un très beau tableau animé
et il a trouvé qu'en comparaison le sien ne valait
rien. De là, une crise de désespoir.

— Il est arrivé ici défait... Il tremblait, il se
cachait dans mes bras... Et puis comme un vrai
homme qui sait se dominer, il a fait mine de
s'amuser, et s'est mis à danser le twist avec Olivier et Lebrun, la mort dans l'âme... Si vous
l'aviez vu se trémousser, ses petites cuisses comme
des allumettes... »

Peut-être n'était-ce qu'un gros chagrin passa-
ger ? Mais, chez Christo, avec cette intelligence
des enfants d'aujourd'hui, cela pouvait aller loin,
devenir le désespoir d'un artiste qui se juge.
Avait-il des dons dans ce domaine ? Il était
encore trop jeune pour qu'on pût s'en rendre
compte. Si vraiment, déjà doué pour les mathématiques, la mécanique, il avait encore des dons
artistiques ! Un Leonardo ?... Pauvre, pauvre...
Lui qui était si heureux de lui offrir son tableau merveilleux ! Mais peut-être l'est-il, merveilleux ? Personne ne l'a vu... Le seul confident
et collaborateur de Christo, c'est Marcel, et Marcel, comme chacun sait, n'est pas loquace.
Même à Luigi, Christo n'a confié que juste le
nom de son tableau : il l'appelle *L'Ame*.

Nathalie avait les yeux pleins de larmes et
les essuyait avec un petit mouchoir à dentelles,
parfumé.

« Je vais aller fumer une cigarette. »

Le docteur disparut dans l'entrée, revint rapidement.

« L'*Ame*... Il l'a dit à Luigi, continua Nathalie, comme s'il n'y avait pas eu d'interrup-
tion, à cause de ce « bras à André », vous savez, la prothèse électrique. Ils parlent tous les
deux de cette prothèse, Luigi et Christo, à longueur de journée. Il y a les problèmes mécaniques, et il y a les problèmes philosophiques...
Moi, cela ne m'émeut pas, parce que je n'y
comprends rien, mais Christo y pense, il y pense
tout le temps... Il me sort des choses... Hier il
m'a dit : « Et si l'âme était le sentiment *sub-*
« *jectif* de la réalité ? comme le sentiment *sub-*
« *jectif* de posséder un bras, alors que ce bras
« n'existe pas objectivement... Est-ce que l'âme
« ne serait pas ce sentiment du dedans, de l'in-
« térieur, par rapport à toute chose au monde ?
« Peut-être en sait-elle plus long sur ce qui nous
« entoure que n'en savent nos cinq sens ?... C'est
« peut-être un sens de plus ? L'âme connaît
« peut-être des matières que nous ne pouvons
« pas cerner avec nos pauvres cinq sens ? » Devant moi, il ne se gêne pas, il pense tout haut,
il ne s'attend pas à ce que je lui réponde. Mais
c'est pour vous dire l'ordre de ses préoccupations...

— Oui... il a raison en ce que la science
n'épuise pas tout ce qui existe dans le psychisme,
la subjectivité... Cet enfant est né dans l'ère cybernétique qui tend des fils entre l'être vivant

et la machine, il est au croisement de toutes les activités humaines, physiques et spirituelles. Comme dit Jean Rostand, on ne peut plus toucher à rien sans toucher à tout. Biologie, physique, mathématiques, chimie, toutes les sciences s'entrecroisent... Mais l'art ? D'un point de vue esthétique, je ne peux pas admirer les homéostats, les tortues de Grey Walter... Je ne sais plus qui a dit que c'étaient là des machines « à ne rien faire »... Ce sont des amusettes, si l'on veut, mais lourdes de sens. Les automates androïdes étaient eux aussi des amusettes pleines de trouvailles techniques, mais, parfois, ils vous comblent aussi esthétiquement. Je n'arrive pas à satisfaire mon sens de la beauté devant les amusettes scientifiques de nos jours. Les androïdes continuent à me ravir : ils sont beaux, fantastiques, mystérieux.

— C'est que vous vous faites vieux, docteur, vous m'excuserez. Christo, les vieux automates, il s'en balance, ils n'ont aucun mystère pour lui, rien de fantastique...

— Pourtant, ce tableau que je n'ai pas vu et qu'il a appelé *L'Ame* ?...

— Oui, mais qu'est l'âme pour lui ?... Vous l'avez entendu... Une âme matérialiste, une âme qui élargit notre univers, un sixième sens qui matérialise ce qui nous échappe... Christo ne doute pas qu'un jour, on saura ce que c'est

que l'âme, et elle en sera d'autant plus magnifique. Pour Christo, il n'y a rien de plus magnifique que la *découverte*.

— Madame Petracci... Nathalie, vous me na-
vrez ! Vous vous désintéressez de l'esthétique,
bientôt vous vous passionnerez pour le cerveau
électronique ! Vous qui modelez des personnages à animer... Vous qui vous réjouissiez de
ce que les Grands Magasins commandent des
maquettes pour leurs vitrines à Effel, Peynet,
Lila de Nobilé... vous allez tourner casaque et
chanter comme Luigi les beautés d'un automate-distributeur de charbon ? Pensez aux enfants ! Bientôt, ils n'auront plus de jouets !

— Mais vous êtes un prédicateur-né, docteur ! Pratiquement, P'tit aime autant changer
la pile de son camion que de le faire rouler... »

Vacquier continuait à vitupérer... C'est une
honte... L'automate doit être une valeur en
lui-même, or, maintenant, il ne vaut que dans
la mesure où il atteint un but publicitaire, et
au lieu d'être un objet d'art c'est devenu une
affiche en volume...

« Docteur, vous m'ennuyez, vous commencez
à radoter, surveillez-vous... Si vous continuez, je
vais vous voler dans les plumes ! Qu'allons-nous
faire avec Christo ?

— Tout d'abord on va essayer de voir son
tableau... Ensuite, je vais vous faire une propo-

sition. Mais méfiez-vous, Nathalie, quand vous
m'attrapez, cela me met de bonne humeur... »

Le docteur Vacquier adorait Nathalie. Il aurait voulu voir ce bras, ce sein dont elle se
plaignait... Mais quand Nathalie disait non,
c'était non. Là-dessus, les portes valsèrent et
parut Lebrun, se secouant comme un caniche
noir qui sort de l'eau : il était trempé, dégou-
linait de tous les côtés. Un temps au-dehors !
Ce n'était pas une raison pour éclabousser les
dessins. Enlevez votre ciré archaïque dans l'entrée et allez vous sécher à la cuisine. D'ailleurs
quelle heure est-il ? « Tard... » dit Lebrun et
il disparut dans l'entrée pour se débarrasser,
mais, pour se sécher, il se mit près du poêle. Il
venait d'opérer à l'hôpital, une urgence, un cas
désespéré... Ah, une tasse de café chaud, un
verre d'alcool et Nathalie !... C'est le paradis.
Excusez-moi, Nathalie, mais quand la mort... ou
la vie... bref, je me précipite chez vous... De
quoi parliez-vous ?

Vite, avant que le *docteur* Vacquier eût le
temps de le dire au *docteur* Lebrun, Nathalie
se mit à parler de nouveau de Christo, de l'âme,
etc. Lebrun, apaisé, les jambes allongées devant
le poêle, écoutait, songeur :

« Ce gosse, dit-il enfin, me ravit et m'inquiète. Il devine, il flaire quelque chose,
comme un chien de chasse qui dresse l'oreille...

comme un chien de garde qui aboie et nous ne
savons pas encore après qui... parfois après des
fantômes que nous ne verrons pas... Je vais vous
raconter quelque chose qui m'est arrivé pas
plus tard qu'hier, une drôle de chose. Et c'est à
Christo que j'ai eu envie de le raconter, à personne d'autre. Je me suis dit : « Il faut que je
raconte cela à Christo... » J'étais fatigué, et je
me suis allongé sur mon lit. Je me relaxe, je me
relaxe, un peu genre Yoga, j'aime assez les expériences. Et je me relaxe si bien que j'ai tout le
corps engourdi... et que je me trouve, moi, en dehors de mon corps ! J'ai vu mon père traverser la
pièce sur la pointe des pieds, il croyait que je
dormais. Mais je ne dormais pas du tout ! J'étais
en dehors de mon corps, réveillé. — Lebrun rit
d'un petit air étonné. — Et je ne pouvais absolument plus commander à mon corps. Je ne pouvais bouger ni bras ni jambes, pas un doigt, le
cou raide... Mon corps ne m'appartenait plus, ne
m'obéissait pas, je n'avais rien à faire avec. Je
n'étais plus dans le coup. Je vous assure que c'est
un drôle de sentiment ! Et je ne pouvais posi-
tivement pas réintégrer mon corps... J'ai eu un
moment de panique : mon âme était séparée de
mon corps...

— Hum, fit le docteur Vacquier.

— Pourquoi, hum, Vacquier ? Vous ne me
croyez pas ou vous me croyez malade ? Je suis

sûr que Christo me comprendrait et tirerait profit de mon histoire... Sûr ! »

Vacquier sourit.

« Vacquier, pourquoi souriez-vous ? » Lebrun devenait agressif.

« Oh ! pas de vous... Je pense à Christo. Il y a un an, il aurait peut-être dit : « Les fils qui « relient vos membres à l'arbre de cames se « sont relâchés ou déchirés... » Il vous aurait assimilé à l'automate. Aujourd'hui, il pensera peut-être que les fils par lesquels le courant électrique de votre cerveau passe dans votre corps se sont rompus ou que les batteries étaient à plat, insuffisantes pour transmettre le courant... Il passerait de l'automate, de l'objet, à un organisme vivant. Je ne crois pas que Christo lui-même puisse en sortir autre chose... »

Lebrun se taisait, mais il n'en pensait ni plus ni moins.

# XXXV

*L'âme animée*

LE docteur Vacquier balaya toutes les sugges-
tions de décorations, guirlandes, plantes vertes :
pour l'anniversaire de Nathalie, le seul décor
de la salle serait le tableau animé de Christo.

Le bistrot au bout de la rue R... occupait
le coin d'une vieille maison. La salle d'en bas,
remise à neuf, télévision et billards mécaniques,
était fréquentée par les indigènes du quartier;
les gens d'ailleurs et qui ne regardaient pas à
la dépense, grimpaient l'escalier en tire-bouchon
et s'installaient dans les salons du premier, avec
leur plancher en pente et les grosses poutres du
plafond dangereusement courbes. Pour M. Petracci, le patron aurait vidé tout l'établisse-
ment s'il le fallait ! Un salon suffisait, ils allaient être une vingtaine.

Le docteur s'y transporta avec Marcel dès le
matin pour s'occuper de l'installation électrique.

Béatrice arriva dans l'après-midi avec nappes
et vaisselle, ce qu'il y avait dans la maison
n'était pas assez beau. Le tableau de Christo,
caché par un voile blanc, était posé sur la cheminée, et Marcel, en haut d'une échelle, passait
des fils électriques et essayait les projecteurs,
guidé par le docteur. Deux garçons commençaient à mettre la table.

On ouvrit les portes quand tous les invités furent là : dans la salle éclairée aux bougies, Nathalie les attendait assise au bout étroit
de la table, face au tableau voilé, et le tourne-
disque exécutait la *Marche nuptiale* de Men-
delssohn : idée d'Olivier ! Le premier étonne-
ment passé, on apprécia et se réjouit. Nathalie
invita Christo et Marcel à s'asseoir à ses côtés,
les autres se mettront comme ils voudront, et le
cas échéant changeront de place pendant le repas, qui allait être long, coupé de numéros.

Les garçons firent leur entrée avec les hors-
d'œuvre et on se mit à la nourriture dans une
dissonance discrète de musiciens qui accordent
leurs instruments dans la fosse d'orchestre. Les
cadeaux apparurent en même temps que les
immenses plats d'écrevisses — Nathalie aimait
par-dessus tout les écrevisses ! — sur une table
roulante poussée par Olivier. Chaque paquet
enrubanné était accompagné d'une imitation du
donateur, et Nathalie devait en deviner le nom.

Elle le devinait toujours. Olivier était ex-tra-or-di-nai-re ! « Je n'y tiens plus, murmurait Natha-lie à Christo, tant je suis impatiente de voir ton cadeau à toi... »

Avec le faisan, on était en plein dans un al-lègre *allegretto*. A la gauche de Nathalie, Mar-cel-le-Grand-Muet souriait et passait les plats à Mignonne, sa voisine; à la droite de Nathalie, Christo se tortillait sur sa chaise; à sa droite à lui, il avait Michette qui surveillait, méfiante, le service. Elle aurait préféré être à la cuisine, mais Nathalie s'était entêtée, l'avait voulue tout près. Dans un dîner à longue table où les con-versations se croisent, il arrive souvent qu'on se trouve isolé... Nathalie pensait que les anni-versaires c'était un sale truc, et que sentir son âge à date fixe était ridicule... Quarante-huit ans. Mme Loisel mère en avait soixante, et elle était jeune, elle. Svelte. A l'autre bout de la table, le docteur Vacquier et Béatrice, assis côte à côte, avaient l'air tout chose... Tous, ils venaient chez elle, ils l'aimaient, mais eux, ils étaient vivants, ils avaient entre eux, en dehors d'elle, des histoires de vivants. Quand un vi-vant rencontre un autre vivant...

« Accompagné à la guitare par Olivier Loi-sel, voici Olivier Loisel ! »

Olivier chanta et dansa un twist qui aug-menta la température du dîner de plusieurs de-

grés. C'est ça qu'il y a avec ces rythmes : quand
ça devrait être fini, ça continue, ça continue,
ça continue... A regarder Olivier, Nathalie, dans
son grand fauteuil, se sentit frappée de paraly-
sie. Ils semblaient s'amuser. Le pick-up ne s'arrêtait pas, il y avait beaucoup de bruit. Nathalie n'était plus qu'une statue souriante, seule
parmi des histoires de vivants... tiens, justement
ils parlaient de solitude, Claude le sculpteur
montrait Olivier du doigt : « Seul, toi ? Tu es
seul à peu près comme Johnny Halliday à
l'*Olympia* quand il chante *Donne ta main à ce
grand fou,* ou quelque chose qui y ressemble...
Il tend sa main au trombone et à qui encore...
et personne ne lui donne la sienne, et on
crache dans sa main tendue... La salle pousse
des hurlements d'adoration... »

« Il est terrible, Johnny ! hurla P'tit.

— Il y a encore beaucoup de surprises, Nathalie », chuchota Christo, et pour tromper
l'impatience, il courut faire une petite visite à
Luigi.

Le mot « surprise » ramenait toujours Nathalie à sa petite fille, la petite qui devait avoir
maintenant vingt-sept ans... Elle en avait alors
quatre... ou cinq... Elle ne savait pas ce que
c'était qu'une surprise, elle disait « surbise ».
Des surbises, j'en ai eu dans ma vie... Nathalie essaya de raconter à Marcel comment sa

petite fille, quand elle avait quatre ans, disait
surbise au lieu de surprise, mais Marcel semblait ne rien comprendre à son histoire, ni
même essayer de comprendre : elle le distrayait
de Mignonne qui justement venait de recevoir
de Lebrun une serviette en papier avec un
dessin dessus. Nathalie abandonna son récit et se
mit à surveiller les manèges de Lebrun... Luigi
l'avait bien entraîné à l'autre bout de la table,
mais ils communiquaient tous les deux, Mignonne et Lebrun, par des sourires et des petits
billets.

Un roulement de tambour... René Loisel s'in-
clinait devant sa mère : c'était la surprise suivante...

> *C'est la valse brune*
> *Des chevaliers de la lune...*

Mme Loisel mère et son fils exécutaient une
valse. Même pas essoufflée, mince, preste. Ravissant, le numéro ! Que Vassili invite ensuite
Mme Loisel mère n'était pas prévu dans le programme, une vraie surbise ! Regardez ses petits
pieds menus... Et Vassili ! On dirait un pati-
neur !

Tout le monde dansait. Lebrun avec Mignonne, Olivier avec Béatrice, René Loisel
maintenant avec sa femme, bien que Denise
Loisel fût enceinte, et ça commençait à se voir...

(Quand elle était venue confier la chose à Nathalie, elle disait : « C'est une catastrophe ! »
et souriait de toutes ses belles dents.) Marcel
dansait avec la femme de l'instituteur, il dansait très bien Marcel, avec un arrière-goût de
bal musette. P'tit dansait tout seul, sur place.
Comme le fromage tardait, Olivier se remit au
twist avec Mignonne. On tapait des mains...

« Olivier ! criait Mignonne à bout de souffle,
laisse tomber les *mashed potatoes* ! Ne complique pas la situation ! »

Le docteur Vacquier et Béatrice avaient disparu. Mais non, mais non... Simplement ils pré-
paraient leur surprise... Les voilà ! Avec un atti-
rail de prestidigitateurs, et eux-mêmes costumés
en prestidigitateurs 1900 ! Le docteur portait
une barbe et Béatrice était magnifique dans ce
tulle pailleté. Luigi appréciait particulièrement,
riait... D'excitation, P'tit tournait sur lui-même.
Le docteur lui tira un œuf du nez ! Si le docteur n'avait plus de malades, il avait là un
métier de rechange tout prêt. Ils revinrent sa-
luer et disparurent... Qu'est-ce qu'ils fichent ?
Hum, hum... ces célibataires ! Ils n'ont pas pro-
noncé des vœux de chasteté, ni l'un, ni l'autre...
Allons, un tango, papa, maman, un tango de
papa ! Ne vous faites pas prier. Olivier menait
le bal.

Nathalie commençait à sentir la fatigue. Le-

brun dansait trop souvent avec Mignonne. Dix-
sept ans, cheveux fous, jupe courte, escarpins
pointus... Sous les belles dentelles blanches de
son châle, cadeau de Luigi pour son anniversaire, Nathalie posa la main sur son sein. Elle
pouvait retrouver le passé, personne n'en saurait
rien, même pas Luigi. Jamais de ma vie encore,
je n'ai été aussi mesquine, aussi plate, aussi minable que ce soir, je suis comme tout ce que
je hais au monde, la sœur jumelle de Phi-Phi...
On demandait un peu de silence : avant de passer à la deuxième partie du programme, l'inau-
guration du tableau mécanique de Christo Loisel, quelques minutes pour changer d'atmosphère : Vassili dans ses romances tziganes...

Vassili chanta d'une voix de ténor tout ce
qu'on peut entendre dans les boîtes de nuit russes. Les autres mangeaient des glaces. Vassili revint s'asseoir à la table, on l'applaudit beaucoup. Les garçons servaient le champagne. Luigi
frappa sur son verre, tout le monde se tut, et
Luigi se leva :

« Aujourd'hui, jour anniversaire de la naissance de Nathalie, chacun a apporté son cadeau. Notre cœur à chacun, elle l'avait déjà.
Elle nous les garde au chaud, nos cœurs, auprès
du sien. Elle est notre chance. Dans un moment
vous allez voir le cadeau de Christo, un tableau
mécanique qu'il a composé en l'honneur de

Nathalie et qu'il a appelé : *L'Ame*. L'âme, l'inconnaissable. Exprimer l'inconnaissable, voilà la
tâche de l'artiste. Que Nathalie, notre âme,
veuille bien l'embrasser de notre part comme
de la sienne, pour avoir tenté l'impossible. »

Luigi s'assit. Nathalie attira à elle Christo,
l'embrassa et garda son bras autour de lui, tant
il tremblait...

« Eteignez les bougies ! Silence... »

Dans le noir, les faisceaux des projecteurs vi-
sèrent le tableau voilé... Un carillon sonna. Le
voile s'affaissa au pied du tableau.

Dans un large et profond cadre de miroirs, il
tenait de l'icône et de l'enseigne, précieux, ru-
dimentaire, noir et gris, avec du blanc-dentelle
et quelques ors. Nathalie, au milieu, rigide et
hiératique... Et, autour d'elle, presque tous ceux
de la salle. Une musique, qui avait commencé
par le carillon, s'épanouit et le tableau se mit
en mouvement... Un ah ! flotta dans la pièce.

Quand tout le monde eut longuement admiré
le tableau de loin et de près, le docteur arrêta
le mouvement, éteignit les projecteurs, et la lumière ordinaire du salon s'alluma. On s'était
levé de table, on allait prendre le café, des li-
queurs, autour des guéridons, dans les petits
fauteuils, et on ne parlait que du tableau, de
cette œuvre extraordinaire... L'art sacré dans
toute sa pureté ! On n'imagine pas qu'un scep-

tique, quelqu'un qui ne croit en rien, fasse
de la belle peinture. La naïveté jointe à la foi...
Il y a mieux : le grand savoir-faire et la maîtrise joints à la foi, le pire, c'est le demi-che-
min, l'homme médiocre, le petit-bourgeois qui
a perdu la simplicité du cœur sans atteindre
à la sagesse... Et quand il a de la technique
sans avoir de la maîtrise, alors nous arrivons à
la médiocrité générale des « œuvres d'art » !...
Curieux, bouleversant chez un enfant, ce goût
du noir... Les plis, indiqués d'une multitude de
traits noirs, très fins, sur le vêtement blanc de
Lebrun qui présente à Nathalie un fémur tantôt cassé au milieu, tantôt réparé... Et le docteur Vacquier en vêtement noir, les plis mar-
qués d'une multitude de fins traits blancs, et sur
son épaule comme un singe de saltimbanques,
un pantin qu'il fait sautiller... Avez-vous remarqué que tous les personnages portent des
vêtements et non des vestons et des robes ? Si,
Mignonne a une robe... Oh, elle a surtout un
corps, des seins ! En toute innocence... Les rapports entre les personnages dans leur élan vers
Nathalie, leur offrande à chacun, et leur besoin
de secours... Ce geste de Nathalie — venez à
moi ! Je ne trouve pas... elle est simplement là
ouvrant ses bras, ses ailes, sans bouger. Elle est
la seule qui ne bouge pas... Les dentelles blanches de son châle ressemblent à un duvet de

colombe. C'est travaillé par le menu... Du cousu main ! On s'extasie devant les machines cybernétiques et quand on veut parler de perfection, on dit, du cousu main !... Eh oui... Ce qui est incontestable, c'est cette sorte de force magique qui en émane... Christo voulait créer un automate qui fasse quelque chose pour quelque chose... C'est le seul moyen de rendre la répétition des gestes soutenable, souhaitable. Au-delà du simple mouvement singeant l'homme, il y a ce que ce mouvement exprime... Ce tableau est un acte de foi, d'amour...

Christo, accroupi aux pieds de son père, écoutait, perdu, éperdu. Marcel rayonnait, c'est tout ce qu'il faisait : il rayonnait. Mais on n'en finissait pas de parler de ce tableau...

... Ingénieux comment les dentelles de Nathalie se confondaient avec les flots bleus du premier plan, et formaient les petites crêtes blanches des vagues... Et l'amalgame des têtes algériennes ? On leur voyait chaque frisure, un trait blanc qui frise, fin, fin... Les visages... évidemment, les visages... ils se ressemblaient entre eux, tous, avec les yeux écarquillés à la manière de la cisaille... C'est toujours l'œil de la cisaille, cerné de noir, et l'iris rond, noir sur fond blanc. Mais Nathalie était ressemblante. Quel culot de l'asseoir de face, avec ce raccourci ! et ces rouages dans le crâne de Luigi ! Il n'y a

qu'un enfant pour avoir une imagination aussi
concrète... On se demande ce qui vous arriverait
si vous restiez devant ce tableau à le regarder
bouger, longuement... On penserait à mille choses, mille bonnes choses. C'est bien ça ! Si vous
regardez un automate écrivain, ou le canard de
Vaucanson, par exemple, vous ne pensez à rien,
vous souriez ! L'âme... Et un silence songeur
plana sur tous ces bavards.

« L'âme ? reprit Claude, le sculpteur, sur le
mode interrogatif. A écouter les scientifiques, elle
sera un jour exprimée par une équation mathématique à plusieurs inconnues calculables. On
pourra en fabriquer à volonté, des belles et des
méchantes...

— Je suis médecin, mais, voyez-vous, je n'y
crois pas, à la science. Je veux dire que la science
elle-même progresse grâce à l'artiste. Les scientifiques sont arrêtés par l'idée de l'absurde, de
l'hérésie scientifique, l'artiste rien ne l'arrête,
il n'est pas embarrassé par la science... C'est
ainsi qu'il pénètre derrière les portes fermées
à la science, il est libre, et rien n'arrête son
intuition...

— L'intuition ! » Lebrun sautait sur le mot :
« Vous devez avoir raison, Vacquier. Tout commence par une intuition géniale, ensuite, il faut
prouver.

--- Pour une fois, nous sommes d'accord ! L'in-

tuition scientifique suppose, à mon sens, un don
d'observation, tout comme la création artistique.
La radio m'a remis en tête une histoire du petit
Gauss, ce mathématicien de génie, né à la fin
du XVIIIᵉ siècle. Un jour, à son école, le maître,
voulant passer un moment tranquille, a donné
aux enfants à faire l'addition de tous les nombres de un à cent... Eh bien, Gauss lui a apporté
le résultat exact en trois minutes ! Il avait remarqué que l'addition du premier chiffre et du dernier, du deuxième et de l'avant-dernier, etc.,
donnait toujours 101 : $100 + 1 = 101$,
$99 + 2 = 101$, etc. La somme totale était donc
101 multiplié par 50. Il avait *remarqué* cela
d'un seul coup d'œil : le don de l'observation...
C'est cela l'intuition. »

Là-dessus, ils s'empoignèrent : l'instituteur faisait fi de l'intuition, seul comptait le travail
collectif... à l'heure actuelle, le progrès scientifique était entre les mains des collectifs... Mais
oui, mais c'est indiscutable, et même impossible
autrement ! Seulement le coup du départ, le
feu aux poudres, l'étincelle tombant dans l'es-
sence, vient quand même d'une synthèse indi-
viduelle, de l'intuition. Tout commence par une
intuition géniale ! Une découverte peut se trouver *au bout* de milliers d'expériences, et aussi
*avant* les expériences qui ne devront que confirmer la justesse de la découverte.

« D'une façon ou d'une autre, dit René Loisel apaisant, de nos jours le progrès est dans
l'application de la science. Les chercheurs trou-
vent, une hypothèse est confirmée... et aussitôt
une usine se monte !

— Là vous êtes optimiste, mon ami... dit
Luigi. Le consolant, c'est que depuis que les
mathématiques se sont lancées dans l'immensément grand, l'aspect des sciences ait changé. Tout se mesure et tout s'exprime... Il est
certain que le monde va être entièrement repen-
sé. Déjà la cybernétique nous fait entrevoir... »

Et l'on versa dans les miracles actuels... Puis
l'instituteur se mit à longuement expliquer
l'expérience de manuels nouveaux remplaçant
les enseignants : ces manuels proposent à l'élève
un certain nombre de questions, prévoient toutes
les réponses fausses et renvoient à la page qui
contient la réponse juste. En somme, c'est le
système de la machine cybernétique...

On ne dit point à Christo de se taire quand
les grandes personnes parlent, on l'écouta :

« C'est toujours la même chose ! dit-il, levant
un bras irrité. On bute contre les nombres astro-
nomiques ! Vous dites, *toutes* les réponses fausses... Toutes, c'est impossible, toutes, elles ne
sont contenues que dans notre cerveau. Le nombre de combinaisons est trop grand pour les
donner *toutes*. Si nous voulions imiter l'homme,

le cerveau et la contraction des muscles, la machine deviendrait tellement énorme que cela
cesse d'être possible, pratiquement. L'artificiel
est infiniment grossier en comparant avec la
nature... Et si on ajoute à cela les connaissances intérieures, subjectives... C'est là que je vou-
lais en venir... »

Christo s'était mis au milieu d'eux, regardant dans les yeux tantôt l'un, tantôt l'autre...
On aurait pu croire qu'ils jouaient ensemble
à un petit jeu de société.

« C'est à cause de la prothèse de Luigi, dit-il,
vous savez, cette histoire du bras qu'un amputé
sent quand il n'a plus de bras... Je pense au
*poids* d'un bras amputé... Lorsqu'un amputé
fait de la gymnastique, les muscles du moignon
et ceux du bras entier se développent symétri-
quement. L'épaule au-dessus du bras absent
est ramenée à son niveau normal, l'homme est
droit; ça veut dire que les deux épaules portent
le même poids, que le moignon est normalement
tiré par le membre-phantôme, tout comme l'est
son bras intact de l'autre côté. L'homme porte
le même poids à droite et à gauche, mais si on
pèse l'homme complet et l'amputé, il y aura
sûrement une différence dans le poids : celui
du bras amputé. Alors comment se fait-il que
les muscles du moignon et ceux du bras entier
se développent pareillement ? Il faut que le

poids soit remplacé par un équivalent. Le poids existe, mais sous une autre forme, que la balance ne perçoit pas. Laquelle ? Une énergie ? J'ai tout le temps cette idée que le schéma corporel que nous ne percevons que de l'intérieur, subjectivement, devient perceptible objectivement au ras du moignon, que c'est là qu'on pourrait attraper l'âme par les cheveux... Qu'est-ce que vous en pensez ?

— Je pense, dit le sculpteur, que le romantisme fout le camp !

— Qu'est-ce que c'est, le romantisme ? » Christo serra très fort les paupières, plusieurs fois de suite, décidément cela devenait un tic.

On essaya de définir le romantisme... Comment te dire... La prédominance du rêve sur la raison, peut-être ? Qu'est-ce que vous en pensez ? A sa naissance, le romantisme dans l'art c'était le droit de rompre avec l'art établi, de briser les canons classiques... de partir à la dérive. Et si nous étions raisonnables, notre raison devrait donner raison au rêve... Les rêveurs, les romantiques ont raison contre la carcasse rigide des lois scientifiques et humaines...

Le romantisme semblait un terrain plus ferme que les sables mouvants des fantômes et phantômes... Pourtant, les phantômes eux-mêmes deviendraient un jour réalité, se matérialiseraient... ils n'en seraient pas moins romantiques pour ça !

Oh, si pour vous c'est cela le romantisme ! Le romantisme lunaire devait-il mourir du fait d'un voyage dans la lune ?... Ne confondons pas romantique et fantastique ! On nous donne à rêver une nouvelle matière. Et les formules mathématiques ne vous donnent pas à rêver ? Rien de plus exaltant ! Et Bach ? Qu'est-ce Bach sinon une harmonie mathématique... On semblait avoir oublié Christo, on souhaitait l'oublier... Le phantôme secouait ses chaînes, il était effrayant comme l'inconnu qui vous guette juste derrière la porte, et l'on voit bouger la poignée...

Marcel avait cessé de rayonner. Il écoutait, plutôt renfrogné, et quand les autres s'enfoncèrent bien profond dans leurs méditations sur le romantisme, il dit à Christo, à voix basse : « Ton affaire ne tient pas debout... Un amputé ne devient pas symétrique, jamais. — Si, dit Christo, j'ai lu, de mes yeux. — Tu as lu des foutaises. Les médecins le promettent aux malades pour leur faire faire de la gymnastique médicale : ça rapporte. — Si, je te dis que si... C'est sérieux. — Non. Ou il faudrait que l'amputé fasse de la gymnastique médicale quinze heures par jour. Et avec un poids attaché à l'épaule. Tu m'entends, un poids ! » Il n'y avait rien à répondre... Christo pensait, voilà encore une chose que je serai obligé de vérifier moi-même, il n'y a pas de raison de croire plutôt

l'un que l'autre. D'ailleurs même si ce qu'il
avait lu était faux, Christo n'avait pas l'intention
de lâcher l'âme qu'il tenait au bout du moignon.
« Avec toi, dit-il, il faut toujours recommencer
des milliers de fois. Comme pour le tableau.
Tu ne veux pas attraper une âme vivante avec
moi ? — Si. Je ne savais pas que j'étais dans le
coup, mais je veux bien. »

Les autres continuaient.. Le schéma corporel,
bon, bon, le subjectif comme on sait n'est pas
communicable, et si la femme que tu aimes
accouche, tu ne peux pas te mettre dans sa peau,
et tu ne sauras jamais ce qu'elle éprouve. Christo
en oublia Marcel... Comment, comment, qu'est-ce
qu'ils disent ? Et les stigmates ? proféra-t-il, indi-
gné, les stigmates ? Quand on aime quelqu'un
on peut avoir les mêmes douleurs comme les
mêmes plaies... Christo, tu ne sais pas très bien
ce que cela veut dire des stigmates. Si saint
François d'Assise a été marqué par des plaies
pareilles à celles de Jésus, c'est que Dieu a
voulu l'honorer, et pas du tout parce qu'il a
ressenti les mêmes supplices que le Christ. Personne n'a jamais dit que le saint en avait souf-
fert, mais seulement qu'il en avait été marqué... Peut-être, c'était peut-être vrai pour saint
François d'Assise, mais lui, Christo, était sûr
que s'il aimait très fort quelqu'un il aurait des
stigmates qui le feraient souffrir.... Pendant que

maman était en train d'attendre l'ambulance
pour aller accoucher de P'tit, elle souffrait énormément, et la voisine du palier qui aime beaucoup maman, elle était assise devant la porte,
sur les marches de l'escalier, et elle se tordait
et gémissait tant elle avait mal au ventre. Papa,
il a dit alors : « Voilà qu'elle a des stigmates
à présent ! » Sans parler de cas pathologiques,
dit Vacquier, l'art, principalement la posésie,
peuvent faire des miracles : transmettre un sentiment subjectif... Mais Lebrun voulait parler
des cas pathologiques, ils grossissaient certains
éléments au point de rendre tangible ce qui
échappe dans un corps et un esprit sains...

    « Le coin des scientifiques ! dit Olivier, s'ap-
prochant. Je me sauve... il faut que j'accompagne
Béatrice. On va faire un saut dans l'inconnu !
Pour mieux le connaître ! Grand-mère, pourquoi as-tu de si grandes dents...

    — Mais pas du tout ! » Le docteur Vacquier
se leva. « Je vais accompagner Béatrice. C'était
entendu...

    — Ah ? Bon, bon... Alors je reste encore un
petit moment.

    — Mais Béatrice est fatiguée ? Elle veut ren-
trer ?

    — Mais non, mais non... »

Olivier alla se mettre près de Vassili qui
tenait encore sa guitare dans les bras, pinçait les

cordes et, doucement, chantait pour Denise Loisel et Mignonne...

*Nuits sans sommeil, nuits insensées...*

Il se plaignait... la musique tzigane était morte, une musique qui a accompagné tant d'amours, de nuits blanches, de folies... Vous connaissez le fameux chœur tzigane, Poliakov ? Ah ! non ? Il ne reste plus qu'un seul Poliakov dans une boîte de nuit...

*Nuits sans sommeil, nuits insensées...*

« Est-ce que tu crois en Dieu, Christo ? demanda l'instituteur. »

Cristo baissa les yeux.

« Je suis indiscret ?

— C'est-à-dire... je ne crois pas que j'y crois. C'est comme pour l'âme... Est-ce qu'on y *croit* ? On ne sait pas ce que c'est, on ne sait rien de *Lui*. Une chose est sûre : je ne ferai jamais de prières, je ne Lui demanderai jamais rien. Il est incapable de rendre son bras à André... »

Nathalie frissonna dans son fauteuil. Les voilà qui parlent de Dieu ! Un comble. Quand les hommes se mettent ensemble après dîner, pour, enfin, pouvoir être à leur aise... Christo était

un homme. Et cette fumée ! Ce soir, la défense
de fumer ne jouait pas, Nathalie ne pouvait
pas les ennuyer si gravement. Elle avait mal
aux yeux et à la tête. Tout venait de ce qu'elle
était assise trop loin et ne pouvait se déplacer,
simplement une question de sièges poussés près
des murs et, elle, restée au milieu... Nathalie
eut l'impression d'appartenir à l'âge de pierre,
le monde s'éloignait, elle n'en percevait déjà
plus que les feux arrière, à peine. Incapable de
soutenir une conversation, même avec un enfant. Tous ses concepts de primaire dépassés,
physique, chimie, arithmétique, disparaissant à
l'horizon... Et le concept chancelant de Dieu
allait peut-être reprendre son équilibre sur une
base différente, avec un nom différent. Question
de terminologie.

Elle ne les écoutait plus. Elle s'écoutait...
Quelque chose d'encore jamais éprouvé... la sen-
sation d'être arrivée à la limite de sa vie. Non
pas qu'elle se sentît mourir, mais au-delà de
cette limite tout ne pouvait être que répétition. Courir après les mêmes choses, avoir les
mêmes difficultés, espérer comme avant, et
comme avant rester au même point. Bête comme
un automate, dirait Christo. On tire un trait,
total futur, conclusion : ce n'était pas possible
de remettre ça, de continuer... Il n'y avait plus
qu'à attendre comme chez le dentiste. On y

passerait, sur la chaise, c'est certain. Il n'y avait
même rien de plus absolument certain.

On emmena P'tit qui s'était endormi sur son
siège. Nathalie ne pouvait pas partir avant ses
invités, n'aurait-ce été que parce qu'elle ne se
levait jamais que devant ses proches les plus
proches.

Il était une heure du matin passée quand
enfin ils s'en furent. **Des amis. Des amis très**
chers.

# XXXVI

*L'âme-phantôme*

C'ÉTAIT très peu de temps après sa fête que Nathalie déclara préférer travailler au lit. Non,
elle ne se sentait pas plus mal que d'habitude,
non, c'était juste une préférence : elle travaille-
rait mieux et cela lui permettrait de ne voir
personne. Trop de gens avaient pris l'habitude
de venir chez elle comme au café. Même pas
Christo ? Même pas Christo.

Avant que Nathalie s'enfermât dans sa chambre à coucher, Denise Loisel eut encore le temps
de lui annoncer la bonne nouvelle : elle avait
trouvé un appartement ! Depuis le temps qu'elle
en cherchait... Maintenant, avec une « personne » en plus, cela devenait une nécessité, tellement on était à l'étroit. Mignonne sortait tous
les soirs parce qu'elle ne pouvait inviter ses

amis à la maison... Christo, toujours derrière
son armoire dans l'entrée, se sauvait au sous-
sol de Luigi, il n'avait ni la place, ni la paix
pour travailler... P'tit devenait de plus en plus
turbulent, à vous rendre fou, on eût dit qu'il
voulait écarter les murs, un forcené... un besoin
de mouvement, de se dépenser... Nathalie ne connaîtrait-elle pas... Quoi ? Un appartement ?...
Mais puisque vous en avez trouvé un ! Ah, mais
ce n'était pas encore tout à fait sûr, elle en
avait trouvé un qui leur aurait convenu, si... il
était à vendre, à crédit, mais bien trop cher, et
il y avait plusieurs personnes dessus. Si Nathalie en connaissait un autre... Denise, vous me
prenez pour Dieu le père ! Mais puisqu'elle
avait trouvé une chambre pour Olivier... Ça
n'avait rien de commun... Denise aurait tant
aimé avoir un appartement assez grand pour
qu'Olivier pût revenir habiter à la maison, bien
que, avec un nouveau-né... il a toujours détesté
entendre crier les petits, surtout la nuit... L'appartement en question était dans une de ces
maisons neuves, aux abords de Paris, au diable.
Il fallait se décider très vite si on voulait démé-
nager avant l'arrivée de la petite. Oui, tant qu'à
faire, elle préférerait une fille... Denise soupirait
pour la forme... ce n'était pas raisonnable... un
cinquième enfant ! Après tant d'années ! Mais
elle adorait les tout-petits !... Et elle plissait les

yeux : exactement Christo ! Nathalie songeait :
« Voilà, c'est fini, on me prend Christo... Cette
fois, c'est bien fini. »

Denise partie, elle entra dans sa chambre,
se déshabilla, se coucha. Elle ne devait plus se
relever.

Quand Michette ou Luigi entraient chez elle,
elle semblait toujours travailler; quand elle était
seule, elle restait immobile à regarder par la
fenêtre, les arbres, la maison d'en face, les marches du perron, le mur aveugle. Elle avait demandé à Luigi de bien vouloir coucher dans la
salle à manger : la crainte de le réveiller, disait-elle, l'empêchait de dormir. Pour ne pas rester seule la nuit, elle s'était fait installer le
tableau de Christo en face du lit. Un interrup-
teur à portée de sa main, elle pouvait allumer
le projecteur et mettre en marche son *Ame*
quand elle le voulait.

Ses nuits insensées, ses nuits d'insomnie, Nathalie les passait à regarder la Nathalie du tableau, ces bras embrassant le monde, ces amis
avec leurs offrandes, Luigi baisant son pied nu...
L'aiguille du cadran au milieu du soleil tournait lentement comme pousse l'herbe, mais le
temps passait quand même, et il fallait le fau-
cher comme l'herbe haute. Le carillon sonnait,
et c'était encore une heure qui tombait. Natha-

lie n'arrêtait le mouvement que parce qu'elle
craignait de fatiguer le mécanisme... « Mais
non, disait Luigi, mais non, il est solide, c'est
le travail de Marcel, inusable. Et nous sommes tous là pour te le réparer. » Peut-être... Il y
avait aussi beaucoup de médecins autour d'elle,
mais le plus habile d'entre eux n'aurait su la
réparer. Elle ne voulait en voir aucun, elle voulait la paix. Luigi a fait tout ce qu'il a pu, il
a supplié, tempêté... Mais insister encore aurait
été s'arracher l'un à l'autre, alors il la suivait
dans ses désirs. On donnait des calmants à Nathalie, et lorsqu'elle souffrait, Michette savait
faire une piqûre.

Et Nathalie continuait à faire semblant, et s'il
lui arrivait de se laisser surprendre à ne rien
faire dans le noir, elle disait d'une voix pleine
de repentir : « Je me suis assoupie, je crois
que j'étais un peu fatiguée... » Luigi et Michette
sortaient sur la pointe des pieds, sans allumer.

Elle restait dans le noir, avec elle-même. A
qui allait-elle léguer son *Ame* ? Cette question
la préoccupait. Elle ne voulait pas qu'elle allât
à Luigi, il connaissait trop la musique, l'envers
du tableau, comment cela marchait. Il fallait
qu'elle la léguât à des innocents. Pas au docteur Vacquier, un collectionneur... à des innocents... Elle pensa à sa fille : quelle qu'elle fût,
jamais elle ne saurait... Ni à Claude le sculp-

teur, non plus, il juge cette âme en *artiste*.
Elle l'aurait bien laissé à Phi-Phi, s'il était encore de ce monde... Ou à Michette.

Il y avait des nuits où la lune éclairait le
mur d'en face. Si le Golem apparaissait tous les
trente-trois ans, il se pouvait aussi bien qu'elle
vît, une de ces nuits, derrière les barreaux de
la fenêtre nue, son front jaune appuyé contre la
vitre. Peut-être était-ce la face de la lune ? Dans
cette demi-veille, lui revenaient des conversations, des visages, des idées, des bribes de sa vie,
et tout ce hachis avait un goût étrange de char-
cuterie. Parfois, elle souffrait autrement que
dans son corps : *objectivement*, à l'œil, au toucher, il ne lui manquait rien, elle était complète, *subjectivement*, elle était une amputée, on
lui avait coupé un membre de son âme, et elle
avait mal à son âme-phantôme. Il lui vint à
l'idée que depuis sa sortie du camp, depuis
qu'elle était obèse, Luigi avait été sa prothèse,
son âme artificielle. Et se haïssant aussitôt pour
cette pensée détestable, elle s'était mise à pleurer à chaudes larmes, et quand Luigi vint se
pencher au-dessus d'elle, il l'entendit qui chuchotait : « Pardon, pardon... Je te demande
pardon... Chacun a mal à ce qui lui manque...
On est tous des amputés... Vassili, de sa patrie...
André ne peut pas s'habituer à une prothèse, il
porte sa manche vide. Vacquier, qu'est-ce qu'il

croit ? C'est un amputé... elle ne reviendra pas !
Les morts, ils bougent à l'écran... ils font toujours
la même chose... ils sont bêtes... Oh ! Luigi, ma
chère âme, mon âme-phantôme... »

« Elle divague un peu... » murmura Luigi à
Lebrun qui l'attendait dans la salle à manger :
il venait tous les jours. Il y avait de longs conciliabules entre lui et Vacquier... De toute façon,
il était trop tard pour l'opérer... Luigi ne les
avait pas aidés. La porte de Nathalie restait
obstinément close.

Quand Luigi avait expliqué à Christo que
Nathalie était fatiguée et ne désirait voir personne, celui-ci, tout d'abord, n'avait pas protesté : « personne » ne voulait pas dire lui,
Christo, « personne » cela voulait dire tous les
autres. Mais quand, jour après jour, Nathalie
resta derrière la porte fermée, il fut soudain pris
d'une angoisse terrible. « Qu'est-ce qu'elle a,
Luigi ? Dis-moi ce qu'elle a ? » Luigi avait mai-
gri, jauni. « Nous sommes comme les machines,
mon petit, il y a de l'usure... Tu vois, pour les
machines électroniques, les parties défaillantes
se remplacent, c'est prévu... Il y a, par exemple,
des organes qui ne sont garantis que pour cinq
ans, puis on les change. Chez l'homme, quand
quelque chose en lui défaille, c'est parfois l'arrêt
de tout le système... Un jour on trouvera le

moyen de donner à l'homme aussi des pièces de rechange.

— Qu'est-ce qui défaille chez Nathalie ? Dis ? Quoi ?

— La chair, mon petit... Toute la chair...

— Elle est fatiguée, Nathalie ? Elle a la chair fatiguée ?

— Oui... Elle a la chair fatiguée. Mais qu'est-ce que c'est que notre fatigue ? C'est l'usure.

— Mais nous ne sommes pas une machine ! Une machine ne peut pas se reposer, si elle est usée, elle est usée... Nous, les forces nous reviennent... Nathalie se repose !

— Très juste ce que tu dis là sur la différence entre l'artificiel et le naturel. Mais parfois l'usure est telle que l'organisme a beau faire, il n'arrive pas à raviver les parties usées...

— Alors, il se peut que Nathalie ne se repose pas ? »

Luigi ne répondit pas tout de suite, toussa :

« Il faudra supporter l'insupportable, Christo... »

# XXXVII

Anima, *souffle, vie*

La porte grande ouverte de la boutique faisait marcher sa sonnerie, une sonnerie ininterrompue, intolérable, qui entrait en vrille dans l'oreille... Jusqu'à ce que quelqu'un ait eu l'idée de la couper. Alors on entendit le va-et-vient des hommes que personne ne connaissait et que personne n'empêchait d'entrer, et qui semblaient en avoir le droit et savoir ce qu'ils étaient venus faire au cœur même de cette maison si épaisse. Comme les déménageurs, le jour où ils s'étaient mis à en sortir les meubles de la famille Loisel, et qu'ils montaient et descendaient les escaliers, et qu'ils attrapaient sa vie intime à bras-le-corps, qu'ils la portaient dans la rue, la poussaient dans le fourgon... Christo donnait la main à son père... De la boutique à l'arrière-boutique, ils passèrent devant la porte entrouverte de la chambre de Nathalie d'où venaient des bruits, des voix, et entrèrent dans la salle à manger.

Il n'y avait que le docteur Vacquier. René Loisel ne posa aucune question, à cause de Christo. Ils attendirent longtemps, en silence. Puis la porte s'ouvrit, et Michette leur fit signe de venir. Elle ressemblait à l'ange de la mort, noire des cheveux aux chaussures, et le visage de craie.

La chambre... La musique venant du tableau de Christo, en mouvement, gonflait la demi-obscurité comme un voile. Cela sentait Nathalie vivante, pain grillé, roses et une pointe de vanille. Des roses, il y en avait tout le long de son corps et aussi autour du lit où elle reposait. Luigi se tenait en face, mais de façon à ne pas se mettre entre elle et le tableau.

« Viens par ici, petit... — il prit Christo par les épaules — regarde comme elle est belle et svelte. »

Christo regardait : on avait habillé Nathalie d'une robe blanche, étroite et longue, qui lui venait aux chevilles, et l'on pouvait voir ses petits pieds nus chaussés de sandales d'or... son buste était enveloppé d'un châle de dentelles blanches, celui que Luigi lui avait donné pour sa fête... son visage sous les bandeaux lisses avait la beauté éternelle des morts.

« Je veux l'embrasser. »

Christo toucha des lèvres le froid de ses merveilleux doigts croisés sur la poitrine. Son père se tenait derrière lui, il ne le lâchait pas d'un pied. La chambre se remplissait de vertige et de gens... « Viens... nous la reverrons quand il n'y aura plus de monde. »

Ils retournèrent dans la salle à manger. Ici aussi, c'était plein maintenant, mais Christo ne reconnut personne et son père l'entraîna dans le couloir *Draculus*. Dans la rue de P..., une grosse voiture, une Cadillac, s'arrêtait devant le n° 3 : en descendit Phi-Phi... une tête de mort sur un corps replet, dans un pardessus poil de chameau. Christo lui tendit la main, dit : « Bonjour, Phi-Phi... » et éclata en sanglots, le front contre le poil de chameau. Ils restèrent comme ça, à pleurer, Phi-Phi et Christo; et René Loisel, son grand corps penché au-dessus du petit, n'en lâchait pas l'épaule... ses yeux globuleux pleins de larmes, il se mordillait la moustache :

« Viens, Christo, maman nous attend... »

Christo se laissa entraîner. Phi-Phi s'enfonça dans le couloir *Draculus*.

## XXXVIII

. . . . . . . . . . . .

P'TIT avait annoncé à Christo, retour du lycée :
« Christo ! Papa et maman ont fait un automate... » La petite fille venait de naître, et avec
toute la tendresse que Christo vouait aux bébés,
il songeait en la regardant bouger que ce serait
bien difficile à *reproduire,* cette machine orga-
nique, son cerveau et le fonctionnement de ses
muscles.

Ils habitaient maintenant à la porte de Châ-
tillon, loin de tout, du lycée, de la rue R... 
On avait de la place, de l'air, une belle salle
de bains, des lavabos partout. Christo avait une
chambre pour lui tout seul. P'tit pouvait jouer
dans le square de la maison... La petite Nathalie
criait très fort, et les cloisons semblaient amplifier ses cris, mais d'ici un, deux ans, cela lui passerait. Le dimanche, Christo allait voir Luigi.

C'était un tout petit vieillard jaune comme un Chinois. Ils restaient au sous-sol, Luigi travaillait au bras cybernétique, Christo le regardait faire, l'aidait... Puis Luigi se mettait dans le rocking-chair, enlevait ses lunettes, se balançait, parlait... : « Je viens de très loin, mon petit... Je suis un vieil homme et j'ai beaucoup vécu. Une vie comme une rue. Ça passe, ça passe... Et moi je suis là. Un passant sur ma propre route : je m'attarde à peine, et puis je passe comme les autres... »

Un jour, il lui dit qu'il allait vendre la « Maison Petracci, fondée en 1850 ». Il allait entrer dans une usine d'aviation, où il pourrait continuer son travail sur le bras cybernétique. Il était impossible de continuer seul, il n'avait ni le matériel nécessaire, ni les connaissances, même avec M. Mercier, l'ingénieur électronicien, à côté de lui...

« Tu vas partir d'ici ? »

Luigi ne répondit pas.

« Et les automates ?

— Au Musée, peut-être...

— Le *Joueur d'échecs* aussi ?

— Le *Joueur*, il est à toi... Si cela ne te fait rien que son authenticité soit douteuse. »

Christo étouffait comme le jour où la porte du coffre s'était refermée sur lui. « Je vais prendre l'air, Luigi... » Il sortit, titubant presque, tra-

versa la boutique et entra à la cuisine. Michette
était assise sur le tabouret, les bras ballants.

« Tu ne veux pas nous faire un peu de café,
Michette ? »

Michette sourit : elle voulait bien, elle voulait
qu'on lui demande de faire des choses. Elle
n'avait plus rien à faire dans la vie... Luigi ne
lui demandait jamais rien, ne mangeait pas.
Est-ce que Christo savait qu'André ne portait
pas plus que les précédentes la troisième prothèse que Luigi lui avait faite ? Il ne s'y habituait pas ! Il la portait quand il savait que Luigi
viendrait le voir, mais, il y a quelques jours,
Luigi l'a rencontré dans la rue, sans prothèse,
la manche vide dans la poche du veston. Un
coup pour Luigi...

« C'est dommage pour André... mais Luigi n'y
est pour rien. André ne veut rien comprendre.
D'ailleurs, nous allons maintenant travailler avec
M. Mercier dans une usine d'aviation où il y a
des laboratoires magnifiques. On ne peut plus
continuer ce travail artisanal... M. Mercier m'y
avait déjà mené. Et Lebrun m'a mené voir des
électro-encéphalogrammes, ça consiste à mettre
des électrodes sur le crâne et on enregistre les
courants électriques qui sont produits par le
cerveau. Après, on fait une analyse très serrée du
diagramme et on cherche les rapports entre la
forme de pensée et le courant : par exemple,

pendant le sommeil et pendant l'état de veille...
Tu comprends, Michette, ce qui nous manque,
c'est des appareils d'enregistrement assez sensi-
bles... Tout ce que nous fabriquons est tellement
grossier quand on le compare à la mécanique
humaine... Et alors quand on travaille à la recherche, on a des difficultés scandaleuses avec
le ministère des Finances, qui refuse les crédits
nécessaires pour le personnel, les tarifs des salai-
res sont imposés, les fournisseurs sont imposés... »

Michette hocha la tête, compréhensive :

« Comment veut-on que vous fassiez du bon
boulot dans ces conditions ? dit-elle.

— Alors tu nous l'apportes ce café, Michette ?
Au sous-sol, hein ? »

Christo s'en fut au sous-sol, Luigi se balançait dans le rocking-chair au cannelage troué,
faisant se balancer avec lui des clairs-obscurs sur
les murs en briques nues et les automates toujours en éveil. Christo se jucha sur un tabouret :

« Je viendrai te voir à l'usine tout le temps,
Luigi... M, Mercier, il m'a dit de l'appeler
Robert, mais je ne m'y habitue pas... il m'a
raconté de drôles de choses sur ses machines...
« Si tu savais ce qu'elles sont bêtes et ridicules,
« les machines cybernétiques ! » qu'il m'a dit. »

Christo se leva et parla pour M. Mercier,
debout :

« — Il ne faut rien leur demander de plus

« que ce qu'elles sont supposées faire ! Les gens
« les regardent et disent : « Ce qu'elles sont
« intelligentes ! songez, des machines... » Moi,
je les regarde et je ris : elles sont irrésistible-
ment comiques, imperturbablement grotesques.
Il m'arrive de leur rire au nez ! Et clic et clac
et ron-ron ! quand il s'agit de tout autre chose...
Pleines de leur importance ridicule ! »

Christo se rassit :

« Il n'est pas respectueux pour ses machines,
M. Mercier, je veux dire, Robert. Luigi, je voudrais que tu me parles encore des subtances
organiques qu'on commence à employer dans les
systèmes cybernétiques... Tu disais que les semi-
conducteurs... »

*Paris-Fontvieille,*
*1959-1963.*

# TABLE

IMPRIMERIE UNION-RENCONTRE
Mulhouse (Haut-Rhin). — Imprimé en France.
15 30-5-02 – Dépôt légal no 7238. 1er trimestre 1968.
LE LIVRE DE POCHE – 6. avenue Pierre 1er de Serbie – Paris.
30 - 21 - 2345 - 01

30/2345/4